D1359056

10
18

12, AVENUE D'ITALIE. PARIS XIIIe

Sur l'auteur

Auteur irlandais reconnu dans le monde entier, Colm Tóibín a été trois fois dans la dernière sélection du Booker Prize. Son premier roman, *Désormais notre exil*, a reçu en 1991 l'Irish Times Literary Prize, tandis que *La Bruyère incendiée* a été couronné en 1992 par l'Encore Award pour le meilleur second roman. Il a publié entre autres *Histoire de la nuit*, *Le Bateau-phare de Blackwater*, *Le Maître*, *L'Épaisseur des âmes*, *Brooklyn* et *Le Testament de Marie*. *Nora Webster* est son nouveau roman.

COLM TÓIBÍN

NORA WEBSTER

Traduit de l'anglais (Irlande)
par Anna Gibson

ROBERT LAFFONT

Titre original :
Nora Webster

Édition originale : Penguin Books Ltd., London, England

© The Heather Blazing Ltd., 2014
© Éditions Robert Laffont, S.A., Paris, 2016,
pour la traduction française
ISBN 978-2-264-06629-9

Bríd Tóibín (1921-2000)
Níall Tóibín (1959-2004)

1

— Vous devez en avoir assez. Quand donc cesseront-ils de venir ?

Tom O'Connor, son voisin, la dévisageait depuis le pas de sa porte ; il attendait une réponse.

— Je sais, dit-elle.

— Ne leur ouvrez pas. C'est ce que je ferais à votre place.

Nora referma le portillon derrière elle.

— Les gens sont bien intentionnés. Ils viennent par gentillesse.

— Mais tous les soirs ! Je ne sais pas comment vous les supportez.

Elle aurait voulu pouvoir passer son chemin sans commentaire. Jamais il ne se serait permis d'employer ce ton auparavant. C'était nouveau. Il lui parlait comme s'il avait autorité sur elle.

— Ils viennent par gentillesse, redit-elle.

Cette fois, la phrase fit surgir une vague de tristesse et elle dut se mordre la lèvre pour ne pas pleurer. En croisant le regard de Tom O'Connor, elle comprit qu'elle devait avoir l'air défaite. Elle se dépêcha de rentrer chez elle.

Il était près de vingt heures ce soir-là quand on frappa à la porte. Un feu brûlait dans le séjour et les garçons faisaient leurs devoirs à la table. Donal leva la tête.

— Va ouvrir, dit-il à Conor.

— Non, c'est toi.

— Allons ! fit Nora. L'un de vous deux y va.

Conor, le cadet, disparut dans l'entrée. Elle entendit une voix de femme qu'elle ne reconnut pas. Conor fit entrer la visiteuse dans la pièce donnant sur la rue et revint dans le séjour.

— C'est la petite femme qui vit dans Court Street, murmura-t-il.

— Quelle petite femme ?

— Je ne sais pas.

Nora se leva de son fauteuil.

En la voyant, May Lacey secoua la tête avec tristesse.

— Nora, j'ai préféré attendre un peu avant de venir. Je ne peux pas vous dire combien je suis désolée pour Maurice.

Elle lui prit la main.

— Et si jeune, en plus. Je l'ai connu tout petit. Nous les connaissions tous, dans Friary Street.

— Donnez-moi votre manteau et venez dans le séjour, dit Nora. Les garçons sont en train de faire leurs devoirs, mais ils peuvent aussi bien s'installer ici et allumer le radiateur électrique. Ils ne vont pas tarder à aller au lit, de toute façon.

May Lacey se mit à parler à peine assise, de fines mèches grises dépassant sous son chapeau, foulard encore autour du cou. Les garçons montèrent bientôt à l'étage. Conor, trop timide, n'osa pas redescendre leur souhaiter bonne nuit comme Nora leur avait demandé de le faire, mais Donal, lui, revint, s'assit et se mit à observer en silence May Lacey qui parlait toujours.

Il se faisait tard ; il n'y aurait pas d'autres visiteurs ce soir-là. Nora en fut soulagée ; elle ne serait pas obligée de faire la conversation à des personnes qui ne se connaissaient pas, ou qui ne s'appréciaient guère.

— Enfin, dit May Lacey. Tony a dû être hospitalisé à Brooklyn et ne voilà-t-il pas que son voisin de lit est irlandais ! Et Tony de lui expliquer que sa femme vient du comté de Wexford. (Elle se tut et pinça les lèvres comme si elle tentait de se remémorer quelque chose puis, soudain, elle enchaîna en imitant une voix caverneuse :) « Ah oui ? Je suis de là-bas, moi aussi. »

Elle ne quittait pas Nora du regard, la forçant à manifester surprise et intérêt.

— Alors Tony lui dit que sa femme est d'Enniscorthy, et l'autre réplique que lui aussi. « Où ça, à Enniscorthy ? » Tony répond : « Friary Street. » Vous ne devinerez jamais ce qu'a répondu le voisin de lit de Tony. Lui aussi avait grandi dans Friary Street ! N'est-ce pas extraordinaire ?

May Lacey attendit une réponse qui ne vint pas.

— Et avant de quitter la ville, il avait fabriqué cette chose en fer – comment dit-on déjà ? –, ce garde-corps, ou cette grille, qui protège la vitre du magasin de Gerry Crane. J'y suis allée, et la grille était bel et bien là. Gerry ignorait depuis combien de temps elle y était, et qui l'y avait mise. Mais le voisin de lit de Tony à l'hôpital de Brooklyn a dit que c'était lui, il était soudeur. Quelle coïncidence ! Non ? À Brooklyn !

Quand Donal fut monté se coucher, Nora prépara du thé et l'apporta dans le séjour avec des biscuits. Une fois servie, May Lacey continua de parler tout en buvant son thé à petites gorgées.

— Bien entendu, chez moi, tout le monde admirait infiniment Maurice. Mes enfants ont toujours demandé de ses nouvelles dans leurs lettres. Jack et lui étaient amis avant que Jack ne parte en Angleterre. Et Maurice était un professeur formidable. J'ai toujours entendu dire que ses élèves le vénéraient.

Nora gardait le visage tourné vers le feu. May Lacey avait-elle jamais mis les pieds dans cette maison avant ce soir ? Elle pensait que non. Elle la connaissait depuis toujours, comme tant d'autres en ville. On se saluait, on échangeait quelques politesses ; si les nouvelles étaient intéressantes on s'arrêtait et on causait un peu. Elle connaissait l'histoire de la vie de May, jusqu'à son nom de jeune fille et jusqu'à l'emplacement de la concession où elle serait enterrée. Elle l'avait entendue chanter une fois lors d'un concert, elle se souvenait de son filet de soprano interprétant une mélodie du genre *Home, Sweet Home* ou *Oft in the Stilly Night*.

Elle ne devait pas sortir souvent, hormis pour faire ses courses et assister à la messe du dimanche.

Il y eut un silence. Sa visiteuse ne tarderait peut-être pas à s'en aller.

— C'est gentil d'être passée nous voir, dit-elle.

— Oh, Nora, j'ai été tellement triste. Mais j'ai préféré attendre, je ne voulais pas m'imposer.

May déclina une nouvelle tasse de thé. En revenant de la cuisine où elle avait rapporté le plateau, Nora s'attendait à la voir debout et boutonnant son manteau, mais May n'avait pas bougé de son fauteuil. Elle monta vérifier que les garçons dormaient. L'idée de se mettre au lit, elle aussi, en laissant May Lacey l'attendre devant le feu la fit sourire.

— Où sont les filles ? demanda May quand Nora se fut rassise en face d'elle. Dans le temps, elles passaient toujours dans ma rue. Maintenant je ne les vois jamais.

— Aine est en pension à Bunclody. Elle s'est bien acclimatée. Et Fiona étudie à Dublin, elle veut devenir enseignante.

— Les enfants nous manquent quand ils s'en vont, n'est-ce pas ? Moi, curieusement, c'est à Eilis que je pense le plus, bien que Jack me manque lui aussi, bien sûr. Je ne sais pas bien comment dire. Je ne voulais pas perdre Eilis, voilà. Après la mort de Rose, je pensais qu'elle rentrerait pour de bon, qu'elle s'arrangerait pour trouver du travail ici. Et elle est revenue. Mais au bout d'une semaine ou deux, j'ai remarqué qu'elle était toute silencieuse. Ça ne lui ressemblait pas, et puis un beau jour elle a fondu en larmes à la table de la cuisine. C'est comme ça que j'ai appris qu'elle avait quelqu'un à New York, et que ce quelqu'un avait refusé de la laisser partir à moins qu'elle ne se marie avec lui d'abord. Et elle l'avait fait. Sans nous prévenir. « Eilis, je lui ai dit, si c'est ça, il faut que tu retournes là-bas et que tu restes avec lui. » Je ne pouvais plus soutenir son regard, ni lui parler, et elle m'a envoyé des photos d'eux ensemble à New York, mais je n'arrivais pas à les regarder. C'était la dernière chose au monde que j'avais envie de voir. J'ai toujours regretté qu'elle ne soit pas restée.

— Oui, j'ai été désolée d'apprendre qu'elle était repartie en Amérique. Mais elle est peut-être heureuse là-bas…

May Lacey prit un air peiné et baissa la tête. Ce n'était sans doute pas ce qu'il aurait fallu dire, pensa Nora, pendant que May ouvrait son sac à main et cherchait ses lunettes.

— Je croyais avoir apporté la lettre de Jack, mais j'ai dû l'oublier…

Elle examina un papier, puis un autre.

— Non, ce n'est pas ça. Je voulais vous la montrer. J'avais une question pour vous.

Nora garda le silence. Cela faisait plus de vingt ans qu'elle n'avait pas vu Jack Lacey.

— Si je la retrouve, je vous l'enverrai, dit May.

Elle se leva et enfila son manteau.

— Je ne pense pas que Jack revienne vivre ici. Qu'y ferait-il ? Ils ont leur vie à Birmingham. D'ailleurs, ils m'ont invitée à aller les voir là-bas, mais moi, j'ai dit à Jack que je préférais toucher ma récompense au ciel sans passer par l'Angleterre. Cela dit, je crois qu'il aimerait bien avoir quelque chose à lui quand il vient en visite. Pour lui, et peut-être aussi pour Eilis et ses enfants.

— Quand il est en visite, il habite chez vous, non ?

— Il pensait que vous vendriez peut-être la maison de Cush.

Elle l'avait dit sur un ton dégagé, en arrangeant son foulard, mais à présent son regard était dur, concentré, et Nora vit que son menton tremblait.

— Il m'a posé la question. Savoir si vous songiez à vendre la maison.

Elle la dévisageait intensément.

— Je n'ai pas de projet en ce sens, dit Nora.

May pinça les lèvres et ne bougea pas. Le silence se prolongea.

— Je regrette de ne pas avoir apporté la lettre, dit enfin May. Jack adorait Cush et Ballyconnigar. Ils y allaient souvent avec Maurice et les autres, il ne l'a jamais oublié. Et ça n'a pas beaucoup changé là-bas, tout le monde le reconnaîtrait. La dernière fois qu'il est revenu en ville, il a eu l'impression que la moitié des habitants étaient des étrangers.

Nora resta silencieuse. Elle voulait que May s'en aille.

— Bon, dit May. Je lui dirai que je vous en ai parlé. C'est tout ce que je peux faire.

Nora ne dit toujours rien ; May la dévisageait, contrariée par son silence. Au moment de franchir le seuil, elle se retourna.

— Le temps guérit tout, Nora. C'est tout ce que je peux dire. (Elle soupira.) Et je parle d'expérience.

Nora ouvrit la porte.

— Merci d'être passée.

— Bonne nuit, Nora, prenez soin de vous.

Nora suivit du regard la silhouette qui s'éloignait dans l'allée.

Un samedi d'octobre elle prit la vieille Austin A40 et partit pour Cush. Elle avait laissé les garçons chez des amis ; elle n'avait dit à personne où elle allait. Depuis le début de l'automne, elle observait une règle destinée à ménager les enfants, et peut-être aussi à se ménager elle-même. Cette règle était de ne pas pleurer. Elle avait vu combien cela les perturbait et les effrayait de la voir fondre en larmes sans raison, alors qu'ils tentaient de s'habituer à l'absence de leur père en se comportant comme si tout était normal, comme si rien d'essentiel ne manquait à leur vie. Ils avaient appris à déguiser leurs sentiments. Elle, de son côté, avait appris à reconnaître les signes du danger, les pensées qui en entraînaient d'autres. Elle mesurait son succès auprès des garçons au degré de contrôle qu'elle réussissait à s'imposer.

À l'instant où elle aperçut la mer, dans la descente après The Ballagh, la pensée la frappa qu'elle n'avait jamais conduit seule sur cette route. Toujours l'un des garçons – ou les filles quand elles étaient petites –

s'écriait : « Je vois la mer ! » à cet endroit précis et elle devait les calmer et leur demander de se rasseoir.

À Blackwater, elle faillit s'arrêter pour acheter des cigarettes, du chocolat ou n'importe quoi qui pût repousser encore un peu son arrivée à Cush. Mais si elle s'arrêtait, elle risquait fort de tomber sur une connaissance qui voudrait lui témoigner sa sympathie. Les mots leur venaient sans effort : « Toutes mes condoléances » ou « Ça a été un tel choc d'apprendre la nouvelle ». Ils disaient tous la même chose, mais il n'y avait pas de formule toute faite qu'elle pût utiliser en retour. « Je sais » ou « Merci » était insuffisant et rendait un son creux à la limite de la froideur. Il fallait donc leur répondre, pendant qu'ils restaient là à la dévisager jusqu'à ce qu'elle n'ait plus qu'une idée en tête : leur échapper à n'importe quel prix. Elle discernait comme une avidité dans leur façon de lui prendre la main ou de plonger leur regard dans le sien. Elle se demandait s'il lui était déjà arrivé de faire la même chose, d'imposer ainsi sa présence à quelqu'un. Il lui semblait que non. En tournant à droite vers Ballyconnigar, elle se dit soudain que ce serait bien pire si les gens se détournaient d'elle ; s'ils commençaient à l'éviter. Peut-être était-ce déjà le cas, pensa-t-elle ; elle seule ne s'en était pas encore aperçue.

Le ciel s'assombrit. Des gouttes de pluie heurtèrent le pare-brise. Tout était plus dénudé à l'approche de la côte, plus hivernal qu'autour de Blackwater. Au terrain de handball, elle prit à gauche en direction de Cush. Elle s'autorisa brièvement à imaginer que c'était un autre jour, dans un passé proche ; un jour d'été au ciel menaçant, où elle aurait pris la voiture jusqu'au village pour acheter de la viande, du pain, un journal. Elle aurait rangé les provisions sur la banquette arrière. La famille serait restée dans la maison près de la mare – Maurice et les enfants, avec peut-être un ou deux de leurs amis. Les enfants se réveille-raient tard. Ils seraient déçus par le mauvais temps, mais cela ne les empêcherait pas de jouer au base-ball, de s'occuper bruyamment à n'importe quel jeu autour de la maison, d'aller à la plage. S'il pleuvait toute la journée, bien sûr, ils resteraient à l'intérieur à jouer aux cartes, jusqu'au moment où ils en auraient assez, deviendraient irritables et commenceraient à se plaindre auprès d'elle.

Elle imagina tout cela à loisir. Mais le répit fut de courte durée ; dès l'instant où elle aperçut une nou-velle fois la mer par-delà le toit des Corrigan, rien ne lui fut plus d'aucun secours. La réalité brutale avait repris ses droits.

Elle s'engagea sur le chemin. Elle s'arrêta devant le portail galvanisé. Après s'être garée devant la maison, elle retourna fermer les vantaux pour que la voiture ne soit pas visible de l'extérieur. Elle aurait voulu qu'une de ses anciennes amies soit là, Carmel Redmond par exemple, ou Lily Devereux. Elles auraient été capables de lui parler de choses sensées – pas de sa douleur ni de leur compassion, plutôt de sujets tels que les enfants, l'argent, un travail à temps partiel, et comment faire pour vivre à présent. Elles l'auraient écoutée. Mais Carmel vivait à Dublin et ne venait que l'été, et Lily passait seulement de temps à autre rendre visite à sa mère.

Elle se rassit dans la voiture. Le vent venu de la mer se déchaînait autour d'elle. La maison serait glacée. Elle aurait dû choisir un manteau plus épais. Penser à ses amies en regrettant leur absence ou rester ainsi à frissonner derrière le volant étaient des strata-gèmes pour retarder le moment où il lui faudrait ouvrir la porte et pénétrer dans la maison vide.

Une bourrasque plus violente secoua la voiture, comme cherchant à la soulever. Une pensée la frappa alors, qu'elle n'avait pas osé se formuler auparavant mais qui l'habitait en réalité depuis plusieurs jours. C'était la dernière fois. Elle ne viendrait plus, elle s'en faisait la promesse. Elle ne reverrait jamais cette maison. Elle allait entrer à présent ; elle traverserait les quelques pièces, elle emporterait les rares objets personnels qui ne pouvaient être laissés sur place, puis elle refermerait la porte, elle reprendrait la voiture, et à l'avenir elle ne tournerait plus jamais à gauche après le terrain de handball entre Blackwater et Ballyconnigar.

La fermeté de sa résolution la prit au dépourvu. Comment pouvait-elle se détourner si facilement de ce qu'elle avait chéri, abandonner la maison sur le chemin de la falaise, laisser d'autres y venir l'été et la remplir du bruit de leur vie à eux ? Elle considéra longuement le ciel meurtri au-dessus de la mer. À la fin, elle poussa un soupir et s'autorisa à ressentir la véritable ampleur de sa perte, et de tout ce qui allait lui manquer désormais. Elle dut lutter contre la force du vent pour ouvrir sa portière.

En entrant, on arrivait dans un petit couloir qui donnait accès, de chaque côté, à deux pièces. Celles de gauche étaient des chambres aux lits superposés ; à droite, il y avait un séjour avec une minuscule cuisine, une salle de bains et, derrière la salle de bains, leur chambre à coucher, au calme, à l'écart des chambres des enfants.

Chaque année, début juin, même par mauvais temps, ils venaient tous ensemble passer un week-end dans la maison. Ils arrivaient munis de brosses, de serpillières, de produits d'entretien, de chiffons pour les vitres. Ils apportaient des matelas qu'ils avaient d'abord pris soin de bien aérer. C'était un tournant, une date sur le calendrier qui signalait le début de l'été, cet été dût-il être brumeux et gris, peu importe. Les enfants, bruyants, excités, jouaient à être une famille de sitcom comme dans *The Donna Reed Show* et distribuaient les tâches d'une voix forte en imitant l'accent américain ; quand ils en avaient assez, elle les autorisait à aller jouer, à descendre à la plage ou à se rendre au village. Le vrai travail commençait alors, une fois les enfants partis. Maurice pouvait s'attaquer aux choses sérieuses, repeindre les boiseries, badigeonner le ciment ; de son côté, elle réparait le lino, remplaçait le papier peint aux endroits tachés ou attaqués par la moisissure. Pour cela elle avait besoin de silence et de concentration. Elle aimait mesurer les trous au millimètre près, préparer le mastic et la colle à la bonne consistance, découper les lés de papier coloré à motifs floraux.

Un détail lui revint : Fiona détestait les araignées. Faire le grand ménage, à Cush, c'était avant tout déloger les araignées et autres bestioles répugnantes qui donnaient le frisson. Les garçons adoraient entendre Fiona hurler, et Fiona elle-même aimait d'autant plus cela que son père n'hésitait jamais à entrer dans le jeu. « Où est-elle ? » rugissait-il, tel le géant dans Jack et le haricot magique, et Fiona courait se réfugier dans ses bras.

Mais c'était le passé, pensa-t-elle. Et le passé ne pouvait pas être sauvé. Elle venait d'entrer dans le séjour. L'humidité confinée de la pièce lui procura une satisfaction inattendue. La toiture en zinc devait présenter une fuite car elle vit une tache au plafond qui n'y était pas l'été précédent. Une rafale de pluie plus forte que les autres heurta le carreau. Le vent paraissait vouloir tout emporter. Le bois des fenêtres commençait à pourrir ; il ne faudrait pas tarder à s'en occuper. Et combien de temps encore avant que l'érosion de la falaise ne les oblige à évacuer la maison et à la faire abattre sur l'ordre du conseil du comté ? Que d'autres en assument donc la charge – colmater les brèches, traiter les murs contre la moisissure, réparer le réseau électrique, repeindre la façade – et prennent les grandes décisions : continuer à entretenir la maison vaille que vaille, l'abandonner ou non aux éléments le moment venu.

Elle allait la vendre à Jack Lacey. Aucun habitant du coin n'en voudrait. Tout le monde par ici savait que c'était un mauvais investissement comparé à ce qu'on pouvait trouver à Bentley, Curracloe ou Morriscastle. Et aucun Dublinois ne ferait une offre après l'avoir vue dans l'état où elle était. Nora frissonna en regardant autour d'elle.

Elle entra dans les chambres des enfants. Puis elle alla dans leur chambre, à Maurice et à elle. Pour Jack Lacey, qui vivait à Birmingham, devenir propriétaire de cette maison était un rêve, souvenir de dimanches brûlants, de garçons et de filles à bicyclette, de perspectives lumineuses, de possibilités grandes ouvertes. Elle l'imaginait dans un an ou deux, de retour en Irlande pour quinze jours de vacances, découvrant le plafond affaissé, les toiles d'araignées partout, le papier décollé, les vitres cassées, l'électricité suspendue. Et l'été sombre, pluvieux.

Elle ouvrit les tiroirs, mais ne trouva rien qu'elle voulût emporter. Papier journal jauni et bouts de ficelle ; même la faïence et les ustensiles de cuisine ne semblaient pas dignes d'être préservés. Dans la chambre, elle mit à part un casier contenant des photos et quelques livres. Rien d'autre ne retint son attention. Le mobilier était sans valeur, les abat-jour fanés. Elle se souvenait de les avoir achetés au Wool-worth de Wexford deux ou trois ans auparavant à peine. Tout pourrissait dans cette maison.

La pluie tombait à verse. En décrochant le miroir de la chambre à coucher, elle remarqua que le rectangle de papier peint, dessous, avait gardé sa fraîcheur, contrairement au reste du mur qui était taché et décoloré.

En entendant frapper, elle crut d'abord que c'était le vent secouant les vitres, ou qu'un objet avait heurté la porte. Puis elle entendit une voix et elle comprit qu'elle avait de la visite. Étrange. Elle n'avait vu personne en arrivant, et la voiture était cachée aux regards. Sa première impulsion fut de ne pas bouger et d'attendre. Mais c'était impossible, bien sûr. Elle avait été repérée.

Quand elle défit le loquet, le vent s'engouffra, rabattant la porte vers elle. La silhouette qui lui faisait face portait un anorak trop grand dont la capuche lui masquait en partie le visage.

— Nora, j'ai entendu la voiture. Comment allez-vous ?

Elle reconnut Mme Darcy, qu'elle n'avait pas vue depuis les funérailles. Elle la laissa entrer et referma la porte.

— Pourquoi ne vous êtes-vous pas arrêtée chez nous ?

— Je ne fais que passer, dit Nora.

— Remontez dans votre voiture et venez à la maison. Vous ne pouvez pas rester là.

Une fois de plus, Nora nota ce ton protecteur que chacun adoptait en s'adressant à elle désormais, comme si elle était une enfant incapable de prendre ses propres décisions. Elle essayait d'en faire abstraction, de le tolérer à la rigueur, en se persuadant que c'était sans doute leur façon de lui témoigner de la gentillesse.

Elle aurait voulu ramasser ses quelques objets, les ranger dans le coffre et quitter Cush sans attendre. Mais c'était impossible. Elle allait devoir accepter l'hospitalité de Mme Darcy.

Celle-ci refusa cependant de monter dans la voiture avec elle, disant qu'elle était trempée et qu'elle irait à pied.

— Allez-y, dit Nora. Je reste encore un peu. À tout à l'heure.

Mme Darcy haussa les sourcils, et Nora comprit que son ton neutre n'avait pas eu le résultat escompté, bien au contraire, et qu'elle avait parlé comme quelqu'un qui a quelque chose à cacher.

— Je dois juste récupérer quelques affaires, ajouta-t-elle.

Le regard de sa visiteuse enregistra en un éclair les livres, les photographies, le miroir posé contre le mur, le reste du mobilier. Nora sentit qu'elle saisissait parfaitement la situation.

— Je vous attends chez moi, dit Mme Darcy. Le thé sera prêt.

Après son départ, Nora retourna dans le séjour.

C'était fait. Le coup d'œil circulaire de Mme Darcy avait conforté sa décision. Elle ne reviendrait pas. Elle n'arpenterait plus ces chemins, et elle ne s'autoriserait aucun regret. C'était fini. Elle prit les objets qu'elle avait mis de côté et les porta jusqu'à la voiture.

Il faisait bon dans la cuisine de Mme Darcy, qui servait le thé après avoir disposé sur une assiette des scones encore chauds.

— Nous nous demandions comment vous alliez, mais Bill Parle nous a dit que, le soir de sa visite, votre maison était pleine de monde. Nous aurions peut-être dû venir, nous aussi, or nous pensions attendre jusqu'après Noël, quand vous auriez peut-être davantage besoin de compagnie.

— J'ai eu beaucoup de visites, c'est vrai. Mais vous savez que vous êtes les bienvenus quand vous voulez.

— Tout le monde vous apprécie énormément, il faut que vous le sachiez.

Mme Darcy ôta son tablier et s'assit.

— Et nous étions tous très inquiets à l'idée que vous ne voudriez peut-être plus revenir ici. Carmel Redmond était absente au moment des faits. Ça a été un choc pour elle d'apprendre la nouvelle.

— Je sais. Elle m'a écrit. Et elle est passée me voir.

— C'est ce qu'elle nous a dit. Et Lily, qui était avec nous ce jour-là, a dit que l'an prochain, nous devions préparer votre arrivée. Dans le temps, j'attendais toujours le moment où vous surgiriez tous ensemble pour ouvrir la maison. Vous étiez les hirondelles annonçant les beaux jours. J'étais toujours heureuse en vous voyant.

— Je me souviens d'une année, dit Nora, il pleuvait si fort que vous avez eu pitié de nous et que vous nous avez invités à déjeuner.

— Vos enfants étaient remarquablement bien élevés. Aine adorait passer nous voir. Les autres aussi, mais c'est elle que nous connaissions le mieux. Et Maurice venait les dimanches de match suivre la retransmission à la radio.

Nora regardait la pluie au-dehors. Il eût été facile, et tentant, de dire qu'elle continuerait de venir avec les enfants. Mais c'était impossible. Elle sentit que Mme Darcy comprenait parfaitement sa réserve et qu'elle guettait depuis le début un indice, une parole, un silence, qui confirmerait son impression que Nora avait l'intention de vendre.

— Alors voilà ce que nous avons décidé, reprit Mme Darcy. L'an prochain, nous nous occuperons d'ouvrir la maison à votre place. Je la regardais tout à l'heure, le toit aurait besoin d'être réparé par endroits, et nous devons de toute façon rénover le toit de la grange chez nous, alors tant qu'ils y sont, ils peuvent bien passer chez vous, ce n'est pas un problème. Et pour le reste, nous nous entraiderons. J'ai le double de la clé, nous aurions donc pu vous en faire la surprise, mais Lily a dit que je devais d'abord vous demander votre avis – ce que j'avais l'intention de faire après Noël, justement. Elle a dit que c'était chez vous, et que nous ne devions pas vous envahir.

Nora savait que c'était le moment d'annoncer sa résolution, mais elle en était empêchée par le ton extrêmement chaleureux et enthousiaste de Mme Darcy.

— J'ai pensé que ce serait agréable pour vous de trouver le travail fait à votre arrivée. Ne dites rien tout de suite, réfléchissez et faites-moi savoir si vous préférez qu'on ne s'occupe de rien. Et je garde la clé. À moins que vous ne préfériez la récupérer ?

— Non, bien sûr que non, madame Darcy. Vous gardez la clé, bien entendu.

Peut-être, songea-t-elle sur la route de Blackwater, Mme Darcy avait-elle deviné d'emblée qu'elle déciderait de vendre et que, dans ce cas, le fait de remettre la maison en état augmenterait sa valeur ; ou peut-être n'avait-elle eu aucune pensée en ce sens. Peut-être était-ce elle, Nora, qui observait les autres trop attentivement désormais, à l'affût de ce qu'ils pouvaient penser d'elle. Mais elle était consciente de l'étrangeté de son comportement – refermer le portail pour cacher sa voiture, accueillir sa voisine presque en voleuse et ensuite, quand Mme Darcy lui avait proposé son aide, éluder la question au lieu d'accepter ou de refuser simplement.

Elle soupira. Cela avait été un moment pénible. Mais c'était fini. Elle écrirait à Mme Darcy, à Lily Devereux et à Carmel Redmond. Souvent, par le passé, il lui était arrivé de prendre une décision et de changer d'avis le lendemain. Cette fois, c'était différent, elle ne reviendrait pas dessus.

Sur la route d'Enniscorthy, elle se livra à des calculs. Elle ignorait combien pouvait valoir la maison. Peu importe. Elle fixerait un montant, qu'elle communiquerait sous enveloppe à Jack Lacey – elle ne souhaitait pas négocier avec May Lacey – et, s'il lui en proposait moins, elle accepterait son prix, à condition qu'il reste raisonnable. Elle ne voulait pas avoir à passer une annonce dans le journal.

La voiture était assurée jusqu'à Noël. Elle avait prévu de la revendre à ce moment-là. Maintenant, si elle vendait la maison de Cush, il devenait possible de garder la voiture. Peut-être même de s'en procurer une autre, plus récente. Cet argent permettrait aussi de payer la pierre qu'elle souhaitait pour Maurice, celle en marbre noir, et aussi de louer une caravane à Curracloe une semaine ou deux pendant les vacances d'été. Une fraction de la somme pourrait être affectée aux dépenses du ménage. Par exemple, elle pourrait avoir besoin de vêtements neufs, et les filles aussi. Et elle garderait un reliquat pour faire face à une urgence imprévue.

La maison, pensa-t-elle avec un sourire intérieur, serait comme la pièce d'une demi-couronne que Conor s'était vu offrir par quelqu'un quelques années auparavant, elle ne savait plus quel été, avant que

Maurice ne tombe malade et avant que Conor ne soit capable de comprendre par lui-même la valeur de l'argent. Il avait confié sa pièce à Maurice pour qu'elle soit en sûreté et après, pendant tout le reste des vacances, chaque fois qu'ils se rendaient à Blackwater, il demandait à son père une petite avance tirée sur sa réserve personnelle. Le jour où son père lui avait annoncé que sa réserve était épuisée, il avait refusé de le croire.

Elle écrivit à May Lacey en glissant dans son courrier la lettre à l'intention de Jack. Celui-ci lui répondit rapidement. Il acceptait son offre. Elle fit un nouveau courrier lui indiquant le nom d'un notaire en ville qui pourrait établir l'acte de vente.

Elle attendit un moment favorable pour annoncer aux garçons son projet de vendre la maison de Cush. Elle fut choquée de l'attention extrême avec laquelle ils l'écoutèrent – comme si le fait de se concentrer ainsi devait leur permettre de déceler dans son discours une parole potentiellement décisive pour leur avenir. Quand elle leur fit valoir combien cet argent serait utile à la famille, elle découvrit qu'ils avaient été informés de son précédent projet, celui de vendre la voiture. Elle ne leur en avait pourtant rien dit. L'annonce qu'ils pourraient en définitive la garder ne leur arracha pas un sourire, ni le moindre signe de soulagement.

— Est-ce qu'on pourra aller à l'université quand même ? demanda Conor.

— Bien sûr. Pourquoi cette question ?

— Qui va payer ?

— J'ai d'autres économies en réserve pour ça.

Elle ne voulait pas leur dire que leurs études seraient sans doute payées par leur oncle Jim et leur tante Margaret – le frère et la sœur de Maurice, qui ne s'étaient jamais mariés et vivaient ensemble, en ville, dans l'ancienne maison de famille. Les garçons, immobiles et silencieux, l'observaient intensément. Elle alla à la cuisine remplir la bouilloire. À son retour, ils n'avaient pas bougé.

— Nous pourrons partir en vacances à différents endroits, dit-elle. Nous pourrons louer une caravane à Curracloe ou à Rosslare. Nous n'avons jamais fait l'expérience de loger dans une caravane.

— Est-ce qu'on pourra aller à Curracloe en même temps que les Mitchell ? demanda Conor.

— Bien sûr. On leur demandera quand ils comptent y aller.

— Ce serait pour une semaine ou pour deux semaines ?

— On peut même rester plus longtemps, si on veut.

Donal prit la parole.

— On va acheter une c-c-caravane ?

— Non, on la louera. L'acheter, ce serait une trop grande responsabilité.

— Qui va acheter la m-m-maison ?

— C'est un secret. Si je vous le dis, vous ne devrez le répéter à personne. Je pense que c'est le fils de May Lacey. Vous voyez ? Celui qui est en Angleterre.

— C'est pour ça qu'elle est venue l'autre soir ?

— Oui, je pense qu'on peut dire ça.

Elle prépara le thé pendant que les garçons faisaient semblant de regarder la télévision. Elle les avait perturbés. Conor avait le feu aux joues et Donal fixait ses pieds comme s'il attendait une punition. Elle ramassa un journal et essaya de lire. Elle savait qu'elle devait rester avec eux, ne pas les laisser seuls, malgré l'envie qu'elle avait de monter à l'étage et d'entreprendre quelque chose, n'importe quoi, vider les armoires, se laver le visage, frotter les carreaux. À la fin elle comprit qu'il fallait rompre le silence.

— On pourrait aller à Dublin la semaine prochaine, proposa-t-elle.

Ils levèrent la tête en même temps.

— Pour quoi ? voulut savoir Donal.

— Pour rien. Pour le plaisir. Vous pourriez manquer l'école une journée.

— Mercredi j'ai ph-ph-physique-chimie. Je n'aime pas ça, mais je ne peux pas louper le cours, et lundi j'ai f-f-français avec Mme D-D-Duffy.

— On pourrait y aller jeudi.

— En voiture ?

— Non, on prendrait le train. On pourrait même voir Fiona, c'est son après-midi de congé.

Conor la dévisageait.

— On est obligés d'y aller ?

— Non. Seulement si on en a envie.

— Qu'est-ce qu'on dira à l'école ?

— J'enverrai un mot disant que vous avez un rendez-vous médical.

— Si c'est juste pour la j-j-journée, je n'ai p-p-pas besoin de mot.

— Entendu ! On passera un bon moment. Je vais écrire à Fiona.

Elle avait lancé cette idée pour rompre le silence et pour leur suggérer que l'avenir leur réserverait toujours des sorties, des perspectives agréables. Mais cela ne leur faisait ni chaud ni froid. La nouvelle de la vente de la maison de Cush semblait avoir concrétisé à leurs yeux quelque chose à quoi ils avaient jusque-là réussi à ne pas penser. Mais au cours des jours suivants ils retrouvèrent leur bonne humeur, comme si rien n'avait été dit.

La veille de l'excursion à Dublin, elle sortit leurs habits du dimanche et leur demanda de cirer leurs chaussures et de les ranger sur le palier. Elle voulut les convaincre de se coucher de bonne heure, mais ils tenaient à tout prix à regarder une émission à la télé, et en définitive elle les autorisa à veiller jusqu'à la fin. Même ainsi, ils rechignèrent. Elle insista. Ils multiplièrent les allées et venues à la salle de bains. La lumière ne cessait de se rallumer dans leur chambre.

Plus tard, elle les trouva profondément endormis, lits en désordre et porte grande ouverte. Elle faillit réveiller Conor en voulant le border. Elle se retira et ferma doucement derrière elle.

Au matin, elle les trouva debout et habillés avant elle. Ils lui apportèrent son petit déjeuner au lit : ils avaient préparé du thé et fait griller du pain. Le thé était beaucoup trop infusé. Elle réussit à vider sa tasse dans le lavabo à leur insu.

Il faisait froid. Ils allaient prendre la voiture jusqu'à la gare et la laisser là-bas, leur dit-elle. Ce serait pratique au retour, quand il ferait nuit. Ils hochèrent la tête d'un air grave. Ils avaient déjà enfilé leurs manteaux.

La petite ville était déserte. Le jour se levait à peine. Il y avait de la lumière aux fenêtres de certaines maisons.

— On sera dans quelle partie du train ? demanda Conor à la gare.

Ils étaient en avance de vingt minutes, et elle avait déjà acheté les billets. Conor refusa d'entrer avec Donal et elle dans la salle d'attente chauffée. Il voulait traverser le pont et leur faire signe de l'autre côté, il voulait aller voir le poste d'aiguillage. Il demandait sans cesse si le train arriverait bientôt. À la fin, un voyageur lui dit d'observer le bras de signalisation placé au bout du quai, avant le tunnel ; il se baisserait quand le train serait à l'approche. Conor s'impatienta.

— Mais quand il est à l'approche on le voit !

— Le bras s'abaissera quand le train sera dans le tunnel.

— Si on était dans le tunnel avec lui, on se ferait écrabouiller.

— Bon Dieu, c'est sûr, on serait réduits en pâtée. Et tu sais quoi ? Au-dessus, dans les maisons, toutes les tasses et les soucoupes s'entrechoquent au passage du train.

— Pas chez nous.

— Parce que le train ne passe pas sous votre maison.

— Comment vous le savez ?

— Oh, je connais bien ta maman.

Nora se tourna brièvement vers lui. Comme tant d'autres visages en ville, celui de cet homme lui était familier. Elle croyait savoir qu'il était mécanicien au garage Donoghue. Quelque chose dans son attitude l'irritait, et elle espérait qu'il n'avait pas formé le dessein de voyager avec eux.

Juste avant l'arrivée du train, alors que les garçons étaient une fois de plus repartis en direction du poste d'aiguillage, il s'adressa directement à elle.

— J'imagine que leur père doit leur manquer…

Il la scrutait attentivement, les yeux plissés de curiosité. Elle comprit qu'il fallait mettre un terme à cet échange pour l'empêcher de monter dans le train avec eux.

— Merci, c'est la dernière chose qu'ils ont besoin d'entendre en ce moment.

— Oh, voyons, je ne voulais pas…

Elle s'éloigna rapidement pendant que le train arrivait et que les garçons, très excités, revenaient vers elle au pas de course. Elle devait être toute rouge, mais ils ne s'aperçurent de rien, tout occupés à se chamailler sur la question de savoir quelles étaient les meilleures places à bord.

Après le départ, ils voulurent tout faire en même temps : inspecter les toilettes, se tenir en équilibre dans l'espace périlleux entre les wagons pour voir les traverses défiler sous leurs pieds à une vitesse vertigineuse, se rendre à la voiture-restaurant et acheter de la limonade. Quand le train marqua son premier arrêt à Ferns, ils avaient déjà réussi à faire tout cela. Le temps d'arriver à Camolin ils dormaient à poings fermés.

Nora ne dormait pas ; elle ramassa le journal acheté à la gare, le reposa aussitôt, regarda les garçons effondrés sur leur siège. Elle aurait aimé savoir à quoi ils rêvaient dans leur sommeil. Quelque chose avait changé au cours des derniers mois dans le lien clair et facile qu'elle entretenait jusque-là avec eux et peut-être aussi dans le lien qu'ils entretenaient l'un avec l'autre. Elle ne serait plus jamais certaine de savoir ce qu'ils pensaient.

Conor se réveilla, la regarda un instant et se rendormit, la tête sur ses bras croisés sur la tablette. Elle tendit la main et lui toucha les cheveux. Elle les ébouriffa, les lissa. Donal, qui s'était réveillé à son tour, l'observait de son regard calme qui semblait dire qu'il comprenait tout, que rien n'échappait à sa vigilance. Elle lui sourit.

— Tu as vu ? Il dort comme un loir...

— Où sommes-nous ?

— Presque à Arklow.

À Arklow, Conor se réveilla et repartit faire un tour aux toilettes.

— Qu'est-ce qui se passe si on tire la chasse d'eau pendant l'arrêt en gare ? demanda-t-il en revenant.

— Tout se déverse sur la voie.

— Et quand le train est en mouvement, ça va où ?

— On demandera au contrôleur.

— Je p-p-p-arie que tu n'oseras p-p-p-as lui de-m-m-m-ander, dit Donal.

— Qu'est-ce que ça peut faire si ça se déverse sur la voie dans la gare ?

— Ça sentirait m-m-mauvais.

La matinée était calme, pas un souffle de vent. Les nuages à l'horizon étaient gris et, du côté de Wicklow, la mer avait une couleur d'acier.

— Quand est-ce qu'on arrivera aux tunnels ? demanda Conor.

— Dans un moment.

— Après le prochain arrêt ?

— Après Greystones, oui.

— C'est dans longtemps ?

— Tu pourrais lire ta bande dessinée.

— On est trop secoués dans ce train.

Dans le premier tunnel, les garçons se couvrirent les oreilles, rivalisant de terreur feinte. Le tunnel suivant était beaucoup plus long. Conor voulut que Nora se couvre les oreilles elle aussi, et elle accepta pour lui faire plaisir, parce qu'elle savait qu'il n'avait pas assez dormi la nuit précédente et qu'un rien suffirait à le contrarier. Le jeu du tunnel ennuyait déjà Donal, mais quand ils furent de nouveau à l'air libre, il s'approcha de la vitre pour contempler les eaux tumultueuses en contrebas. Conor demanda à Nora de se pousser pour qu'il puisse se mettre à la fenêtre lui aussi.

— On pourrait tomber, dit-il.

— Oh non, le train reste sur ses rails, ce n'est pas comme une voiture.

Conor gardait le nez collé à la vitre, fasciné par le danger. Donal aussi ; il ne bougea pas, même quand le train freina en gare de Dún Laoghaire.

— On est arrivés ? demanda Conor.

— Presque.

— On va où d'abord ? Voir Fiona ?

— Non, d'abord on va à Henry Street.

— Yippi !

Conor voulut se mettre debout sur la banquette, elle dut le calmer et lui ordonner de se rasseoir.

— Et après on déjeunera chez Woolworth. Au self-service.

— Oui, comme ça on ne s-s-sera p-p-pas obligés d'attendre.

— Je pourrai prendre un soda orange à la place du lait ?

— Oui. Tu pourras prendre tout ce que tu voudras.

Ils descendirent à Amiens Street et traversèrent le hall de gare humide et délabré. Ils remontèrent Talbot Street en regardant les vitrines. Elle s'obligea à se détendre. Rien ne les pressait, ils avaient tout leur temps et pouvaient se permettre de le gaspiller à leur guise. Elle leur donna dix shillings chacun. C'était une erreur, elle le comprit aussitôt, la somme était trop importante. Donal leva la tête vers elle d'un air soupçonneux.

— On est obligés d-d-d'acheter d-d-des choses ?

— Ce peut être des livres, par exemple.

— On peut choisir des bandes dessinées ou un annuel ? voulut savoir Conor.

— C'est t-t-trop tôt p-p-pour les annuels.

En arrivant à O'Connell Street, ils voulurent voir l'emplacement où se dressait autrefois la colonne portant à son sommet la statue de Nelson avant que celle-ci ne soit détruite par les républicains.

— Je m'en souviens ! s'exclama Conor.

— Tu ne peux pas t-t-t'en souvenir, t-t-tu étais trop petit.

— Si, je m'en souviens ! Elle était énorme, et la statue de Nelson était tout en haut, et ils l'ont écrabouillée.

Ils traversèrent O'Connell Street en faisant bien attention aux voitures et en respectant les feux. Ils tournèrent dans Henry Street. Aux yeux des passants, ils devaient avoir l'air de provinciaux, pensa Nora. Les garçons enregistraient tout, mais en même temps elle voyait bien qu'ils gardaient leurs distances. Ils observaient ce monde d'inconnus et de bâtiments étrangers du coin de l'œil, sans vraiment s'y arrêter.

Conor voulait à présent se rendre de façon urgente dans n'importe quel magasin afin d'y acheter quelque chose.

— Veux-tu aller choisir des chaussures ? demanda-t-elle pour lui offrir la satisfaction d'un refus indigné.

Le visage de Conor se chiffonna de dégoût.

— On est venus à Dublin pour choisir des chaussures ?

— Alors où veux-tu aller ?

— Sur un escalator.

— Et toi, Donal ?

— D'accord, dit Donal sans enthousiasme.

Ils entrèrent dans le grand magasin Arnott de Henry Street. Conor voulait monter l'escalier mécanique, puis redescendre sous le regard de Nora et de Donal. Il leur fit promettre de ne pas bouger et de ne pas le quitter des yeux. Donal s'ennuyait.

La première fois, Conor les surveilla par-dessus son épaule jusqu'à ce qu'il eût disparu en haut de l'escalator. L'instant d'après il reparut sur celui qui descendait. Il avait un sourire radieux. La deuxième fois, il s'enhardit et gravit les marches deux à deux sans lâcher la rampe. La troisième fois, il demanda à Donal de l'accompagner, à condition que Nora reste en bas et les regarde. Elle lui dit que c'était le dernier tour d'escalator ; ils pourraient éventuellement revenir dans l'après-midi mais, pour l'heure, ça suffisait.

Les garçons redescendirent côte à côte ; Donal était aussi animé que son frère à présent. Ils lui annoncèrent qu'ils avaient découvert un ascenseur au premier étage et qu'ils voulaient l'essayer.

— D'accord, mais une fois, pas plus.

En les attendant, elle commença à regarder les parapluies. Certains se repliaient de façon à tenir dans un sac à main. Elle n'avait jamais vu cela. Elle décida d'en acheter un, au cas où il se mettrait à pleuvoir. En patientant à la caisse, elle chercha les garçons du regard. Elle ne les vit pas. Après avoir payé, elle retourna à l'endroit où elle s'était tenue précédemment, puis au pied de l'ascenseur, qui était proche d'une sortie.

Ils n'y étaient pas. Elle attendit à mi-chemin entre l'ascenseur et l'escalator. Elle faillit prendre l'ascenseur elle-même, puis se ravisa en comprenant que cela ne ferait qu'ajouter à la confusion. En restant au même endroit, elle était sûre de les apercevoir tôt ou tard.

Ils reparurent enfin, l'air dégagé. L'ascenseur s'était arrêté à tous les étages, voilà tout. Quand elle leur dit qu'elle les avait crus perdus, ils échangèrent un regard comme s'il leur était arrivé quelque chose, dans cet ascenseur, qu'ils ne lui diraient pas.

À quinze heures, ils avaient vu tout ce qu'ils avaient envie de voir. Ils étaient allés à Moore Street, où ils avaient acheté des pêches, ils avaient déjeuné dans le self-service de Woolworth, ils avaient choisi des livres et des bandes dessinées à la librairie Eason.

Ils étaient maintenant dans le salon de thé de Bewley à attendre Fiona. Les garçons étaient fatigués. Seule la perspective de pouvoir prendre autant de muffins qu'il en aurait envie sur le plateau à deux étages retenait Conor de s'endormir.

— Il faut payer pour les gâteaux qu'on mange, dit-elle.

— Comment peuvent-ils savoir combien on en a pris ?

— Les gens sont honnêtes en général.

Les garçons se ranimèrent à l'arrivée de Fiona et se mirent à lui parler en même temps. Nora, assise en face d'elle, la trouva pâle et amaigrie.

— T-T-Tu veux entendre un accent d-d-de Dublin ? demanda Donal.

— On est passés au marché de Moore Street, expliqua Nora.

— *Va me chercher les pêches mûres*, dit Donal avec l'accent, sans bégayer.

— *Tu veux voir mon livre ?* ajouta Conor avec un fort accent, lui aussi.

— Très drôle. Je suis désolée d'être en retard, les bus arrivent toujours par deux ou trois, et après on attend le suivant pendant des heures.

— J'ai envie d'aller dans un bus à deux étages !

— Conor, laisse Fiona parler, d'accord ? Après ce sera ton tour.

— Vous avez passé une bonne journée ?

Le sourire de Fiona était timide, mais sa voix, posée, était celle d'une adulte. Elle avait changé au cours des derniers mois.

— Oui, même si c'est un peu fatigant. Ça fait du bien d'être assis.

Ni l'une ni l'autre ne sut comment enchaîner. Il y eut un silence. Nora comprit qu'elle avait répondu de façon trop distante, comme à une étrangère. Fiona commanda un café.

— Tu t'es acheté quelque chose ?

— Je n'ai pas vraiment eu le temps, dit Nora. Un livre de poche, c'est tout.

Elle nota que Fiona avait commandé son café avec assurance et qu'elle promenait sur la salle un regard calme, presque critique. Quand elle s'adressait à ses frères, cependant, sa voix redevenait celle d'une jeune fille.

— Tu as des nouvelles d'Aine ? demanda Nora.

— Elle m'a écrit, mais sa lettre ne contenait pas grand-chose. Elle doit croire que les sœurs ouvrent le courrier. D'ailleurs elle a raison. Elles l'ouvrent ! Alors elle n'en dit pas trop. Juste qu'elle aime bien le nouveau professeur de gaélique et qu'elle a eu une bonne note en dissertation de français.

— On est autorisés à lui rendre visite dans une semaine.

— C'est ce qu'elle disait dans sa lettre, oui.

— On va vendre la maison, annonça soudain Conor d'une voix forte.

— Ah bon ? fit Fiona en riant. Et vous allez vivre où ? sur le trottoir ?

— Non, on va louer une caravane à Curracloe.

Fiona se tourna vers sa mère.

— J'envisageais de vendre la maison de Cush, dit Nora.

— Ah ! Justement, je me demandais…

— C'est tout récent.

— Alors tu as pris ta décision ? Tu vas la vendre ?

— Oui.

Nora fut surprise de voir des larmes dans les yeux de Fiona, qui s'efforçait pourtant de sourire. Elle n'avait pas pleuré à l'enterrement de Maurice. Elle était restée silencieuse, debout à côté de sa sœur et de ses tantes, mais son émotion, d'être ainsi contenue, n'en était que plus visible. Nora ne sut plus quoi dire.

Elle but une gorgée de café. Les garçons aussi se taisaient.

— Aine est au courant ? demanda enfin Fiona.

— Je n'ai pas eu le cœur de le lui annoncer par écrit. Je lui dirai quand on se verra.

— Tu es sûre que tu ne changeras pas d'avis ?

Nora ne répondit pas.

— J'espérais y aller cet été…

— Je croyais que tu voulais aller en Angleterre.

— Oui, fin juin, mais les cours finissent fin mai. Je pensais passer le mois de juin à Cush.

— Je suis désolée, dit Nora.

— Il adorait cette maison.

— Tu parles de ton père ?

Fiona baissa la tête.

Nora entraîna Conor avec elle à la recherche des toilettes. En revenant, elle commanda un autre café.

— À qui vas-tu la vendre ?

— Jack Lacey. Le fils de May Lacey. Celui qui est en Angleterre.

— May Lacey est venue chez nous, intervint Conor.

Donal lui fit signe de se taire.

— Cet argent va tomber à point, dit Nora.

— D'ici deux ans, je gagnerai ma vie.

— On en a besoin tout de suite.

— Tu ne vas pas toucher une pension ? Ça n'a pas marché ?

Nora songea qu'elle n'aurait peut-être pas dû mentionner le besoin d'argent.

— Grâce à la vente, on va pouvoir garder la voiture, dit-elle.

Par son regard, elle s'efforça de suggérer à Fiona qu'il ne valait peut-être pas la peine d'inquiéter les garçons en s'attardant sur ce thème.

— On passait des étés merveilleux là-bas.

— Je sais.

— C'est triste de perdre la maison.

— On ira en vacances ailleurs.

— Je croyais qu'on la garderait toujours.

Il y eut un silence. Nora avait envie de sortir, de retourner dans Henry Street avec les garçons.

— Quand aura lieu la vente ? reprit Fiona.

— Dès que le contrat sera prêt.

— Aine va mal le prendre.

Nora se mordit la lèvre pour ne pas rétorquer qu'il lui était impossible de retourner là-bas. Elle ne pouvait pas se le permettre devant les garçons. Ils sentiraient son désarroi. Elle révélerait trop de choses en disant cela.

Elle se leva.

— Comment paie-t-on ici ? Je ne m'en souviens plus.

— Il faut demander le ticket à la serveuse.

— Et dire c-c-combien de gâteaux on a m-m-mangés, dit Donal.

Dehors, dans Westermoreland Street, Nora voulut ajouter quelque chose, mais rien ne lui vint. Fiona paraissait abattue. L'espace d'un instant, elle s'en irrita. Fiona avait la vie devant elle, elle pouvait vivre où elle voulait, faire tout ce dont elle avait envie. Elle ne devait pas, elle, remonter dans le train et retourner dans la petite ville où chacun la connaissait et où chacune des années qu'il lui restait à vivre était tracée d'avance.

— On va repasser à Henry Street en prenant par Ha'penny Bridge, dit-elle.

— Ne vous mettez pas en retard.

— Tu vas par où pour retourner à l'université ?

— Je pensais d'abord faire un tour par Grafton Street.

— Tu ne nous accompagnes pas à la gare ?

— Non, j'ai des achats à faire et je n'aurai pas l'occasion de revenir dans le centre avant un moment.

Nora perçut l'hostilité de son regard et dut se faire violence pour se rappeler combien Fiona devait être triste ; et isolée aussi. Elle lui sourit, dit qu'ils devaient y aller ; Fiona lui rendit son sourire, ainsi qu'aux garçons. Nora s'éloigna, assaillie par un sentiment d'impuissance. Elle regrettait de n'avoir pas su trouver une parole de gentillesse ou de réconfort pour Fiona avant de la quitter, ne fût-ce que lui demander quand elle pensait pouvoir leur rendre visite la prochaine fois, ou lui dire qu'elle se réjouissait de la revoir bientôt. Si seulement elle avait eu le téléphone, elles auraient pu se parler plus souvent. Peut-être pourrait-elle écrire à Fiona une fois rentrée, la remercier de ce moment passé ensemble à Dublin.

Dans Talbot Street, Conor voulut dépenser le reste de son argent en Lego mais, une fois devant le rayon, il fut incapable d'arrêter son choix. Malgré sa fatigue, Nora l'écouta, prêta attention à ses commentaires et fit des suggestions ; Donal attendait à l'écart. Arrivé à la caisse, Conor changea d'avis une fois de plus. Nora sourit à la caissière pendant qu'il retournait échanger sa boîte de Lego contre une autre.

Le temps d'arriver à la gare, la nuit était tombée. Il commençait à faire froid. Ils patientèrent dans le petit café sur des chaises en plastique. En voulant prendre son porte-monnaie dans son sac, Nora s'aperçut que les pêches, qui avaient paru si fermes quand elle les avait achetées, étaient devenues toutes molles. Et le sac en papier s'était déchiré. Il ne servait à rien de les garder, elles achèveraient de s'abîmer dans le train. Elle jeta le tout dans une poubelle.

Les garçons n'avaient pas anticipé le fait que le trajet du retour se déroulerait dans le noir. Les vitres étaient couvertes de buée de condensation. Ils ouvrirent la boîte de Lego et Conor se mit à jouer pendant que Donal lisait. Après un moment, Conor vint s'asseoir à côté d'elle et s'endormit. Donal tournait les pages de son livre. En lui jetant un regard furtif, Nora fut frappée par son air étrangement adulte.

— On ira à l-l-l'école demain ? demanda-t-il.

— Oh oui, je pense que ça vaut mieux.

Il acquiesça et lut quelques instants avant de relever la tête.

— Quand est-ce que F-F-Fiona va v-v-venir nous voir ?

Bien entendu, pensa-t-elle, leur échange avait fait son chemin dans la tête de Donal. Et ce n'était sans doute qu'un début. Elle se demanda s'il existait une parole qu'elle pourrait prononcer qui aurait le pouvoir d'empêcher Donal de s'inquiéter en silence.

— Tu verras qu'elle va adorer la vie en caravane.

— Ce n'est pas l-l-l-l'impression que j'ai eue.

— Donal, nous devons commencer une nouvelle vie.

Il parut réfléchir à cela un moment, comme confronté à un devoir scolaire épineux. Puis il haussa les épaules et se replongea dans son livre.

Nora repoussa délicatement Conor pour ôter son manteau. Le train était surchauffé. Conor se réveilla un instant sans ouvrir les yeux. Elle pensa qu'elle devait se renseigner sur la location de caravanes à Curracloe.

Puis elle fut de nouveau dans la maison de Cush. C'était l'été. Elle voyait les enfants ramassant leurs maillots et leurs serviettes sur le fil pour partir à la plage ; ou encore Maurice et elle revenant le soir le long des chemins en chassant devant eux les nuées de moucherons, accueillis par les exclamations bruyantes des enfants qui jouaient aux cartes. C'était fini. Cela ne reviendrait pas. La maison était vide. Elle imagina les petites pièces plongées dans l'obscurité. Minables, inhospitalières. Elle imagina le bruit de la pluie sur le zinc du toit, les portes et les fenêtres battant au vent, les sommiers nus, les insectes à l'affût dans l'ombre des fissures, et la mer inlassable.

Dans le train qui les emmenait vers Enniscorthy, elle sentit que la maison de Cush était plus désolée en cet instant qu'elle ne l'avait jamais été.

Conor se réveilla, regarda autour de lui et lui sourit d'un air ensommeillé. Puis il s'étira et se blottit de nouveau contre elle.

— Quand est-ce qu'on arrive ?

— Bientôt.

— À Curracloe, on mettra la caravane dans le camping du haut ou près de la boutique de la plage ?

— Oh, près de la boutique.

Elle comprit qu'elle avait répondu trop vite. Donal et Conor assimilèrent l'information avec un air grave. Puis Conor jeta un regard à Donal pour voir sa réaction.

— C'est une d-d-décision ferme ?

Elle réussit à rire pour la première fois de la journée.

— Une décision ferme ? Bien sûr que oui.

Le train entrait en gare. Ils rassemblèrent leurs affaires. Dans le couloir, ils aperçurent le contrôleur.

— Demande-lui m-m-maintenant, p-p-pour les toilettes, murmura Donal à Conor en lui touchant le bras.

— Je lui dirai que c'est toi qui tiens à le savoir.

Le contrôleur s'arrêta à leur hauteur et dévisagea Conor.

— Dois-je comprendre que cette jeune saucisse aimerait continuer avec nous jusqu'à Rosslare ?

— Oh non, dit Nora. Il a école demain.

— Je ne suis pas une saucisse !

Le contrôleur rit.

Dans la voiture, un souvenir lui revint tout à coup et elle se surprit à le raconter aux garçons.

— C'était au début de notre mariage. On voulait aller à Dublin, ce devait être pendant les vacances d'été. En arrivant à la gare, on a découvert qu'on venait de rater le train à une minute près. On était complètement dépités. Or le chef de gare ce jour-là n'était pas le type habituel, mais un jeune, qui avait eu votre père pour professeur. Il nous a dit de remonter dans notre voiture et de filer jusqu'à Ferns. Il allait s'arranger pour retenir le train là-bas jusqu'à notre arrivée, a-t-il dit. Il n'y avait qu'une dizaine de kilomètres jusqu'à Ferns, c'était l'arrêt suivant. Et voilà comment nous sommes arrivés à Dublin ce jour-là.

— C'est toi qui c-c-conduisais ou c'était lui ? demanda Donal.

— C'était papa.

— Il a dû rouler comme un fou, observa Conor.

— Il conduisait m-m-mieux que toi ?

Elle sourit.

— C'était un très bon conducteur. Tu ne t'en souviens pas ?

— Je me souviens q-q-qu'une fois il a écrasé un rat.

Les rues de la petite ville étaient désertes. Les garçons, bien réveillés à présent, avaient envie de poursuivre l'échange, de poser d'autres questions. Une fois à la maison, pensa-t-elle, elle allumerait un feu ; ils ne tarderaient pas à avoir envie d'aller se coucher après cette longue journée.

— Mais p-p-pourquoi n'êtes-vous pas juste allés à D-D-Dublin en voiture ?

— Je ne sais pas, Donal. Je vais devoir réfléchir.

— On ne pourrait pas aller à Dublin en voiture une autre fois ? demanda Conor. Comme ça on pourrait s'arrêter où on voudrait.

— Oui, bien sûr.

Ils étaient arrivés.

— Ça me plairait de faire ça, dit-il.

Le feu crépitait. Les garçons étaient en pyjama, prêts à aller au lit. Toute trace d'agitation les avait quittés et elle savait qu'ils s'endormiraient dès la lumière éteinte. Elle se demanda s'il y avait eu des visiteurs ce soir-là en leur absence. Elle imagina une silhouette approchant dans l'obscurité, frappant à la porte, n'obtenant aucune réponse et repartant après avoir patienté quelques minutes.

Elle fit une tasse de thé et s'assit dans son fauteuil près de la cheminée. Elle mit la radio, mais c'était l'heure des résultats sportifs. En montant à l'étage, elle constata que les garçons dormaient profondément. Elle les regarda une seconde ou deux avant de refermer la porte et de les abandonner à la nuit. Elle redescendit en pensant qu'il y avait peut-être quelque chose d'intéressant à la télévision. Elle alluma le poste, attendit que l'image se matérialise. Comment occuper les heures ? En cet instant, elle aurait tout donné pour être de nouveau dans les rues de Dublin. L'image apparut. C'était une sitcom américaine. Elle la regarda un peu, mais les rires enregistrés l'irritaient et elle finit par éteindre le téléviseur. Le silence descendit sur la maison.

Elle pensa au livre de poche qu'elle avait acheté à Dublin. Elle ne se rappelait plus quelle raison avait guidé son choix. Elle alla dans la cuisine et le prit dans son sac. À peine ouvert, elle le reposa et ferma les yeux. À l'avenir, avec un peu de chance, elle aurait moins de visites. À l'avenir, quand les garçons seraient couchés, elle aurait plus souvent la maison pour elle. Elle apprendrait comment occuper ces heures. Dans la paix des soirées d'hiver, elle réfléchirait à la façon dont elle pourrait s'y prendre pour vivre désormais.

2

Sa tante Josie lui rendit une visite impromptue un samedi soir fin janvier. Un feu brûlait dans la cheminée et les garçons regardaient la télévision pendant que Nora lavait la vaisselle dans la cuisine. En entendant frapper, sa pensée réflexe fut qu'il fallait ôter son tablier et vérifier son apparence dans le miroir ; au lieu de cela, elle s'essuya les mains et se dirigea tranquillement vers la porte. Elle comprit que c'était sa tante avant même de lui avoir ouvert. La silhouette dont on devinait le contour net, impatient, autoritaire de l'autre côté du verre dépoli dégageait une aura caractéristique.

— J'étais en ville, Nora, commença Josie hors d'haleine. John m'a déposée, il avait des choses à faire, mais il passera me reprendre tout à l'heure. Je voulais voir comment tu allais.

Nora avait effectivement eu le temps d'apercevoir la voiture de John, le fils de Josie, qui manœuvrait pour repartir. Elle s'effaça et laissa entrer sa tante.

— Les garçons sont là ?

— Ils regardent la télévision.

— Comment vont-ils ?

Nora ne pouvait pas la recevoir dans la pièce de devant. Il y faisait trop froid, même en allumant le radiateur électrique. Mais Josie parlait fort, et si elle l'emmenait dans le séjour les garçons seraient obligés d'éteindre la télévision, ou de se coller au poste pour entendre. Elle ne savait plus quelle émission ils regardaient ni à quelle heure elle était censée finir. Les deux frères passaient rarement un moment ensemble ces temps-ci ; elle regretta de ne pas avoir apprécié à sa juste valeur le calme de la maison avant l'arrivée de sa tante.

— Eh bien, il fait chaud dans ton living ! Félicitations.

Josie salua les garçons, qui se levèrent à contre-cœur.

— Oh, mais ils ont encore grandi, ma parole ! De vrais petits hommes. Donal m'a rattrapée, je crois bien.

Nora perçut le regard des garçons et faillit demander à Josie de parler moins fort le temps que leur émission se termine.

— Et les filles ? Comment vont-elles ?

— Très bien, dit Nora en baissant le volume de sa propre voix.

— Fiona n'est pas venue passer le week-end ?

— Non, elle a décidé de rester à Dublin.

— Et Aine ?

— Elle va bien.

— L'école de Bunclody est excellente. Je suis contente qu'elle soit là-bas.

Nora mit deux nouvelles bûches sur le feu.

— Je t'ai apporté des livres, dit Josie en posant le sac à commissions qu'elle tenait à la main. Je ne sais pas s'ils vont te plaire. Il y a quelques romans ; le reste est ce qu'on pourrait appeler de la théologie, mais ce n'est pas aussi terrible que ça en a l'air. Celui du dessus est de Thomas Merton, je te l'avais signalé juste après l'enterrement, si tu t'en souviens, et puis il y a un Teilhard de Chardin. J'avais parlé de lui à Maurice quand il était à l'hôpital. Bref, tu me diras ce que tu en penses.

Nora coula un regard vers Donal et Conor. Ils étaient rivés à l'écran. Elle faillit leur dire de monter le son.

— Enfin, dit Josie, je suis contente de savoir que tout le monde va bien. Aine doit beaucoup travailler, j'imagine. C'est rude, les études, de nos jours. Beaucoup de compétition.

Nora acquiesça poliment.

— Les garçons regardent peu la télévision, dit-elle. Mais ils aiment beaucoup cette émission. Elle ne va pas tarder à finir, d'ailleurs.

Donal et Conor ne tournèrent pas la tête.

— Oh, quand ils étaient chez moi, ils lisaient sans arrêt. La télé, c'était juste à l'heure des informations. On ne regardait aucune de ces détestables émissions américaines. On ne sait jamais à quoi s'attendre, avec ces Américains et leurs émissions.

Donal se tourna pour répondre à Josie mais fut incapable de prononcer le moindre mot ; elle ne l'avait jamais vu bégayer à ce point, échouer avant même d'avoir pu commencer sa phrase. Conor eut un geste spontané pour lui venir en aide. Nora, elle, fut tentée de parler à sa place, quitte à deviner ce qu'il voulait dire, pour mettre fin à ce son étranglé qu'il émettait malgré lui, sourcils froncés par l'effort. Elle détourna le regard, espérant que cela l'aiderait à se détendre. À la fin, Donal comprit qu'il n'y arriverait pas. Il se relâcha et, au bord des larmes, se tourna de nouveau vers l'écran.

Nora se demanda soudain s'il existait un endroit, une autre petite ville, ou un quartier de Dublin, où elle pourrait s'installer dans une maison semblable à celle-ci, une modeste maison mitoyenne dans une rue bordée d'arbres, où personne ne leur rendrait visite et où ils pourraient vivre tranquilles tous les trois. Puis elle se surprit à pousser sa pensée plus loin – une telle possibilité, un tel endroit, une telle maison signifierait aussi que ce qui avait eu lieu puisse s'effacer, que son fardeau lui soit ôté, que le passé soit restauré et se prolonge sans effort dans un présent dénué de souffrance.

— Qu'en penses-tu, Nora, n'es-tu pas de mon avis ? demanda Josie en la fixant du regard.

— Mon Dieu, Josie, je n'en sais rien, dit-elle en se levant.

Sa tante avait peut-être changé de sujet entre-temps ; le mieux était sans doute de lui proposer un thé avec un sandwich ou une part de gâteau. Josie la devança.

— Ne te donne pas de mal ! Une simple tasse de thé, ce sera parfait.

Dans la cuisine, Nora faillit sourire à la pensée que les garçons ne détourneraient pas la tête de l'écran à moins que sa tante ne leur adresse la parole d'une façon qui ne leur laisse pas le choix. À en juger par le silence qui régnait dans le séjour, Josie réfléchissait activement à la question. Que pourrait-elle leur dire qui les oblige à lui accorder leur attention ? Nora fit bouillir l'eau, disposa tasses et soucoupes sur un plateau sans cesser de tendre l'oreille, mais seules lui parvenaient les voix étouffées du poste. Un-zéro pour les garçons, pensa-t-elle.

L'émission se termina et les garçons s'apprêtèrent à quitter la pièce. Elle ne les avait jamais vus se comporter de façon si étrange. Timides, mais pas seulement cela – mal à l'aise, presque impolis. Donal était tout rouge ; il évita de croiser son regard.

Josie, qui avait entre-temps évoqué ses projets de jardinage dans le potager aménagé par ses soins à côté de l'enclos, parlait à présent de ses voisins. Après le départ des garçons, elle interrogea Nora sur la façon dont ils avaient passé Noël.

— Pour moi, dit-elle sans attendre la réponse, je suis bien contente que ce soit terminé. Pendant tout le mois de janvier, je le répète à qui veut l'entendre. Et on sent déjà que les journées rallongent.

— Nous avons eu un Noël tranquille, dit Nora. Moi aussi, je suis contente que ce soit passé.

— Mais cela a dû être agréable pour toi d'avoir les filles à la maison ?

— Oui. Chacun a ses sujets de préoccupation. Parfois nous ne savons pas quoi dire. Mais nous avons tous fait de notre mieux.

Après avoir admiré le cardigan de Nora, Josie se mit à parler boutiques de mode, un sujet qui ne l'intéressait guère en temps normal.

— Il y a ce magasin à Wexford, comment s'appelle-t-il déjà ? Fitzgerald ! Je l'avais remarqué en passant, et j'avais deux heures à tuer en attendant que John finisse ce qu'il avait à faire. Alors je suis entrée, et ne voilà-t-il pas une vendeuse charmante toute prête à m'aider. Alors j'ai commencé à essayer des tailleurs. Tu aurais vu les prix ! Oh, elle m'a équipée et suréquipée, elle est allée me chercher toutes sortes d'accessoires, et elle continuait encore de m'en proposer d'autres qui m'iraient peut-être mieux selon elle. Moi, je voulais juste tuer le temps, et ces essayages m'ont duré une bonne heure. Elle n'arrêtait pas de parler – et cette couleur-ci, et cette nuance-là, et telle coupe, et telle nouvelle tendance, ce qui m'allait, ce qui ne m'allait pas… Quand enfin je me suis rhabillée et que j'étais prête à partir, elle s'est mise à protester en criant que je lui avais fait perdre son après-midi ! Elle m'a suivie jusqu'à la porte pour me déclarer que je n'avais pas intérêt à remettre les pieds dans sa boutique.

Nora riait tant qu'elle en avait mal aux côtes. Josie, elle, restait imperturbable ; seule l'étincelle dans son regard la trahissait.

— Alors je n'irai pas chez Fitzgerald acheter mon tailleur de printemps, conclut-elle en secouant la tête avec tristesse. Le culot de cette femme ! Je n'en reviens pas.

Elle ramassa son sac à main et en tira une grande enveloppe.

— Regarde ça, dit-elle. L'autre jour, j'ai fait un peu de ménage dans la vieille maison, ce qui m'arrive rarement, ou alors je commence et puis je m'arrête au beau milieu, et tout a l'air si affreux que je me dis que feu mon mari va demander le divorce pour négligence. Une veuve divorcée, imagine ça ! Quoi qu'il en soit, voilà ce que j'ai trouvé. Elles étaient sans doute là depuis toujours. Je me suis dit que je te les montrerais.

L'enveloppe contenait une pochette rigide très abîmée, couleur sépia ; à l'intérieur, des photographies noir et blanc rangées d'un côté, avec les négatifs de l'autre. Nora prit les photos et reconnut immédiatement son père sur la première. Le bébé assis sur ses genoux n'était autre qu'elle-même. Sur la photo suivante, on voyait son père et sa mère ensemble. Ils devaient avoir une vingtaine d'années et posaient fièrement dans leurs plus beaux habits. Les autres étaient encore des portraits de ses parents, séparément ou ensemble ; sur certaines Nora bébé était avec eux.

— Je ne les avais jamais vues, dit-elle. Je ne savais même pas qu'elles existaient.

— Je crois que c'est moi qui les ai prises. Mais je n'en suis pas sûre. Je sais que j'avais un appareil photo, j'étais la seule à en avoir un à cette époque. J'ai dû les faire développer, et puis je les ai oubliées dans un coin.

— Il était beau, non ? Tu ne trouves pas ?

— Qui ? Ton père ?

— Oui.

— Oh que oui ! Nous disions tous qu'elle avait intérêt à se dépêcher de l'épouser, sinon une autre aurait vite fait de prendre la place.

— Mes parents ont-ils jamais vu ces photos ?

— Je ne pense pas. À moins que celles-ci ne soient des copies. C'est curieux. Je ne me souviens de rien. Elles ont pu être prises par quelqu'un d'autre, mais que faisaient-elles chez moi dans ce cas ?

— Ils savaient si peu de chose… Nous tous, d'ailleurs. Nous ne savions rien. J'étais avec lui quand il est mort.

— Vous étiez tous autour de lui.

— Non. Il n'y avait que moi. J'avais quatorze ans.

— Ta mère a toujours dit que vous étiez tous là au moment de sa mort. C'est ce qu'elle a toujours dit, Nora.

— Je sais. Elle le disait même en ma présence. Mais elle l'a inventé. Ce n'est pas vrai. J'étais seule avec lui, et j'ai attendu une minute ou deux avant de courir en bas prévenir les autres. J'ai attendu parce que je voulais les préserver, je crois, ou peut-être me préserver moi-même. Je suis restée assise en silence, avec lui qui venait de mourir. Et après, quand j'ai dit à ma mère ce qu'il en était, elle est partie dans la rue en hurlant, je n'ai jamais compris pourquoi, et la moitié de la ville a déboulé chez nous alors qu'il était encore chaud dans son lit.

— Ils ont dû réciter le rosaire, j'imagine.

— Oh ! J'espère bien ne jamais entendre un autre rosaire.

— Nora !

— C'est la vérité. Mon Dieu, c'est la vérité. Alors autant la dire.

— Elles sont très réconfortantes, parfois, les vieilles prières.

— Eh bien, moi, elles ne me réconfortent pas. Pas le rosaire, en tout cas.

Josie prit les photos et les regarda à son tour.

— Tu es toujours restée la chérie de ton père. Même après la naissance des autres.

Elle tendit à Nora une photo où on la voyait sur les genoux de sa mère, qui posait droite devant l'objectif avec une sorte de raideur, comme si ce bébé ne lui appartenait pas vraiment.

— Je crois qu'elle se sentait un peu désemparée avec toi, dit Josie. Tu as toujours su ce que tu voulais. Dès le premier jour.

— C'était plus facile pour les deux autres.

Josie se mit à rire.

— Tu te souviens de ce qu'elle a dit de toi un jour ? C'était ma faute, je lui avais demandé lequel de ses gendres elle préférait, et elle m'a répondu qu'à la réflexion, elle préférait encore ses deux gendres à sa fille Nora. Je n'avais même pas prononcé ton nom. Franchement, je ne sais pas ce que tu lui avais fait !

— Moi non plus. Mais j'avais bien dû faire quelque chose. Ou peut-être que non.

Josie rit de nouveau.

— Quand je t'ai répété ce qu'elle avait dit, je peux t'assurer que tu n'étais pas contente. J'en ai pris pour mon grade.

— Je suis sûre que j'ai trouvé ça drôle. Mais peut-être après coup seulement.

— Enfin, j'ai retrouvé ces photos, et même les négatifs, alors Pat Crane pourra en tirer des copies pour tes sœurs, si ça leur dit.

— Ça va les contrarier de voir qu'elles ne sont pas dessus.

— Elles seront contentes d'avoir une nouvelle photo de votre mère quand elle était jeune. Je ne crois pas qu'il en existe beaucoup. Cela leur fera plaisir, je pense, de voir à quoi elle ressemblait dans sa jeunesse.

Nora perçut le sous-entendu, à savoir qu'elle, Nora, ne partageait pas ce plaisir. Elle sourit à Josie.

— Oui, bien sûr, dit-elle.

Les garçons descendirent leur souhaiter une bonne nuit bien avant le départ de Josie. Nora monta les voir un peu plus tard ; ils dormaient profondément. Plus tard encore, une fois Josie partie et après avoir fermé la porte à clé et éteint toutes les lampes du rez-de-chaussée, elle monta à son tour se préparer pour la nuit. Elle lut le début du livre de Thomas Merton que lui avait apporté sa tante mais s'aperçut très vite qu'elle n'était pas concentrée. Elle éteignit la lampe de chevet et attendit dans le noir de se sentir glisser vers le sommeil.

Elle n'aurait su dire quelle heure il était. Mais on était encore en pleine nuit. L'un des garçons avait hurlé. Un cri si déchirant qu'elle crut que quelqu'un s'était introduit dans la maison. Que faire ? Se précipiter à la fenêtre, alerter les voisins, en réveiller au moins un qui pourrait appeler la police ?

Deuxième cri. C'était Donal. Le silence de Conor était tout aussi effrayant, sinon plus. Elle ne savait que faire, s'il fallait chercher de l'aide ou aller dans leur chambre. Elle entrouvrit sa porte, s'immobilisa sur le palier. Donal criait des mots sans suite. Elle comprit alors qu'il faisait un cauchemar. Elle entra dans leur chambre et alluma le plafonnier. En l'apercevant, Donal se mit à crier plus fort, comme si elle, Nora, était la cause de son angoisse. Elle voulut s'avancer vers lui ; il se recula dans le lit et fit mine de la repousser frénétiquement.

— Donal ! dit-elle. Ce n'est qu'un rêve.

Ses cris s'étaient mués en sanglots de détresse. Elle voyait ses ongles s'enfoncer dans ses bras.

— Mon chéri, ce n'est qu'un cauchemar. Ça arrive à tout le monde.

Conor s'était réveillé et les dévisageait calmement.

— Ça va ? lui demanda-t-elle.

Il hocha la tête.

— On pourrait descendre lui chercher un verre de lait. Donal, qu'en penses-tu ? Tu veux un verre de lait ?

Donal se balançait d'avant en arrière en sanglotant. Il ne répondit pas.

— Ça va aller, lui dit-elle. Je t'assure. Tout va bien. Tout va bien.

— Non, dit Conor à voix basse.

— Pardon ?

— Non, il ne va pas bien.

— Qu'est-ce qu'il a ?

Conor ne répondit pas.

— Conor, si tu le sais, dis-le-moi.

— Il n'arrête pas de crier pendant la nuit.

— Mais pas comme ça.

Conor haussa les épaules. Elle se tourna vers Donal.

— De quoi rêvais-tu ?

Donal se balançait toujours. Aucun son ne franchit ses lèvres.

— Tu me le diras si je t'apporte un verre de lait ? Tu veux un biscuit ?

Il fit non de la tête.

Elle descendit à la cuisine et versa deux verres de lait. L'horloge indiquait quatre heures moins le quart. Dehors la nuit était compacte. Elle remonta l'escalier. Sur le seuil de leur chambre, elle vit les garçons, qui se regardaient, détourner les yeux à son approche.

— Qu'est-ce qui s'est passé ? demanda-t-elle. Un cauchemar, c'est tout ?

Donal acquiesça.

— Tu t'en souviens ?

Il fondit en larmes.

— Veux-tu que je laisse la lumière allumée ? Je peux aussi laisser la porte ouverte. Tu veux ?

Il hocha la tête.

— Quelles étaient les paroles qu'il prononçait tout à l'heure ? demanda-t-elle à Conor.

Elle le vit soupeser sa réponse.

— Je n'en sais rien.

— Est-ce que c'était la visite de Josie ? Est-ce que c'est ça, Donal ? C'est Josie ? Tu ne l'aimes pas ?

Son regard allait de l'un à l'autre.

— Alors ?

Ni l'un ni l'autre ne répondit. Conor paraissait prêt à se pelotonner sous les couvertures. Il n'avait pas touché à son verre de lait. Donal but le sien lentement, en évitant son regard.

— On en parle demain matin alors ?

Il hocha la tête.

56

— On pourra aller à la messe de onze heures. Comme ça, on fait la grasse matinée.

Donal et Conor échangèrent un regard.

— Ça ne va pas ? demanda-t-elle.

Le regard de Donal semblait attiré par quelque chose qui aurait surgi derrière elle, sur le palier. Elle se retourna. Il n'y avait rien.

— Je laisse également la porte de ma chambre ouverte. Tu veux ?

Hochement de tête.

— Tu crois que tu vas pouvoir te rendormir ?

Donal vida son verre et le posa sur le sol.

— Et appelle-moi si tu fais un autre cauchemar.

Il se força à sourire.

— Et si j'éteignais dans la chambre en laissant la lumière allumée sur le palier ?

— D'accord, murmura-t-il.

— Les cauchemars ne reviennent pas une fois qu'on s'est réveillé. Je crois que tu vas bien dormir maintenant.

Le lendemain, pendant qu'elle préparait leur petit déjeuner, elle comprit que Donal ne lui dirait rien de son rêve, même s'il s'en souvenait. Elle décida de ne pas aborder le sujet à moins qu'il ne l'y invite. Elle ne voulait pas prendre le risque d'accroître son anxiété. Elle irait voir le Dr Cudigan et lui demanderait s'il existait un remède contre le bégaiement. Mais elle irait seule, sans Donal. Il ne fallait pas en faire un problème. Accorder trop d'attention au phénomène ne ferait que l'aggraver. Peut-être d'ailleurs finirait-il par s'atténuer et disparaître de lui-même ? Ses professeurs n'en avait jamais fait état. Peut-être ne se produisait-il qu'à la maison ? Que ce bégaiement puisse accompagner Donal toute sa vie, ou même seulement toute son adolescence, cette perspective l'effrayait trop ; elle ne voulait même pas y penser.

Au cours du petit déjeuner, puis sur le chemin de la cathédrale et pendant toute la durée de la messe, elle repensa à l'instant où Josie était entrée dans le séjour et que les garçons avaient levé les yeux. Chez Conor particulièrement, mais aussi chez Donal, elle avait perçu comme un malaise et, oui, presque de la peur. Sur le moment, elle avait pensé qu'ils s'inquiétaient de devoir renoncer à la fin de leur émission. Or ensuite, quand elle avait mentionné le nom de Josie après le cauchemar de Donal, ils étaient restés silencieux. Elle décida de le mentionner de nouveau à l'improviste et de guetter leur réaction ; d'un autre côté, mieux valait peut-être ne rien faire, juste espérer que Donal ne fasse plus de mauvais rêves et que les garçons s'habituent peu à peu à l'idée que leur père était mort mais que la vie continuait, et qu'elle continuerait de changer, et que certains de ces changements seraient même pour le mieux.

Le nom de Josie ne fut pas évoqué au cours des jours suivants ; pourtant le souvenir de la réaction des garçons ce soir-là ne la quittait guère. Elle finissait par se demander si cette visite n'avait pas été de la part de Josie une sorte de test, pour voir comment les garçons réagiraient à sa présence, ou pour deviner s'ils avaient parlé d'elle à leur mère. Elle revivait intérieurement la soirée, la façon dont sa tante, à peine entrée, s'était mise à parler sans interruption, comme si elle était inquiète ou mal à l'aise. Plus elle y pensait, plus cela lui paraissait étrange. Josie avait accueilli les garçons chez elle pendant les deux derniers mois de la vie de Maurice. Ils n'avaient pas été en contact avec elle depuis les funérailles, et il lui semblait qu'ils auraient dû se montrer plus bavards en la revoyant. Des allusions au temps passé chez elle, des plaisanteries, des références à des choses qu'ils auraient faites ensemble – voilà ce qui eût été normal. Or ils avaient manifesté la même froideur qu'elle. On aurait cru qu'elle était une étrangère pour eux. Ou peut-être pire encore.

Fiona arriva le vendredi soir pour le week-end. Samedi, Nora leur annonça qu'elle avait des courses à faire à Wexford et qu'elle serait de retour à l'heure du thé. Fiona leva les yeux de son livre mais ne posa aucune question. Quant aux garçons, ils ne réagirent pas. Ils étaient sans doute trop jeunes encore pour imaginer que leur mère puisse mentir sur ses intentions.

Elle prit la route de Bunclody puis, s'écartant du fleuve, bifurqua vers la maison de Josie. Elle pouvait jouer de malchance – sa tante pouvait être sortie ou avoir de la compagnie – mais elle préférait ne pas s'annoncer et ne pas ruminer seule trop longuement la question de savoir ce qui avait pu se produire au cours des mois que les garçons avaient passés chez elle jusqu'à la mort de Maurice.

Elle n'avait rien préparé. Elle ne savait même pas par où commencer, et c'était peut-être mieux ainsi. Elle se dirigeait simplement vers la maison de Josie, convaincue que la marche à suivre lui apparaîtrait dès l'instant où elle serait face à sa tante. Josie s'était fait construire une annexe dans le prolongement de la vieille ferme ; une décision mûrie après le mariage de John et après qu'elle-même avait pris sa retraite d'enseignante. Elle était très fière du résultat et de la façon dont le nouveau bâtiment s'harmonisait avec l'ancien : les fenêtres avaient la même forme et l'ardoise du toit était de la même couleur. Elle s'était aménagé un appartement d'été au premier étage : un séjour avec vue sur les monts Blackstairs, une petite chambre et une salle de bains attenante. Au rez-de-chaussée elle avait une autre chambre avec salle de bains, un agréable séjour équipé d'une cheminée ainsi qu'une petite cuisine. La largeur des portes, annonçait-elle à ses visiteurs, était calculée pour laisser passer un fauteuil roulant. Mais elle n'avait pas encore choisi l'étage où elle vivrait du jour où elle serait impotente. S'imaginer impotente la faisait rire. Elle passait ses journées à jardiner, à lire, à écouter la radio et à parler au téléphone.

Tout en conduisant, Nora essayait de se rappeler pour quelle raison il avait été décidé à l'époque que les garçons iraient chez Josie, si c'était elle, Nora, qui en avait fait la demande ou si sa tante avait spontanément proposé de les accueillir. Elle avait beau fouiller sa mémoire, certaines images associées à cette période étaient si vives, certaines heures si pleines, certains instants si intenses et inoubliables que le reste s'effaçait comme derrière une vitre noyée de pluie. L'arrivée à l'hôpital en compagnie de Maurice, avec la claire conscience qu'il n'en ressortirait sans doute pas vivant. Et puis le moment où il avait dit qu'il voulait revoir le ciel une dernière fois, et qu'il voulait le faire seul, qu'elle devait l'attendre dans le hall. Elle l'avait regardé s'éloigner et elle avait vu, au moment où il franchissait les portes vitrées, qu'il pleurait. Tout cela était encore trop récent et trop à fleur de peau pour qu'elle puisse avoir un souvenir précis de choses telles que l'organisation, pendant ce temps, du séjour des garçons chez Josie.

Elle aurait dû s'en souvenir, elle le savait. La décision ne s'était pas prise toute seule ; mais cette solution avait dû sembler naturelle et évidente sur le moment. Elle avait été reconnaissante à Josie de les recevoir. Et par la suite elle avait été soulagée de les savoir à l'abri, loin de la maison, quand Maurice était revenu et que son état s'était détérioré de tant de façons dont ses deux fils ne devaient pas être les témoins.

Maurice, cependant, n'était pas mort à la maison. Vers la fin, ses souffrances étaient trop aiguës, ses facultés trop diminuées, elle ne pouvait plus s'occuper seule de lui. Il avait fallu le transférer à Brownswood, l'ancien sanatorium situé en dehors de la ville et reconverti en hôpital général. Ce jour-là, Maurice avait franchi le seuil couché sur un brancard, les yeux fermés. Il n'avait pas prononcé une phrase cohérente depuis des jours. Pourtant, elle en était convaincue, il savait qu'il quittait sa maison pour la dernière fois. Elle lui tenait la main. Quand il tentait de la serrer, il perdait le contrôle de ses doigts, qui devenaient pareils à des griffes. Au moins, les garçons n'avaient pas eu à vivre cela.

Elle remonta en cahotant le chemin semé de nids-de-poule, s'arrêtant une première fois, puis une seconde, pour ouvrir et refermer les deux portillons, louvoyant entre les flaques boueuses. Les fossés étaient à nu, hormis quelques fleurs d'un rouge vif dont elle ne connaissait pas le nom. Le ciel s'était assombri, les nuages étaient bas au-dessus des montagnes. Elle freina devant la maison, descendit de voiture et resta quelques instants plantée au milieu du gravier, frissonnante, indécise. La voiture de John n'était pas là. Valait-il mieux commencer par frapper à la porte de l'ancien corps de ferme ? Ou le contourner et frapper à la porte de la cuisine de Josie – qui était la seule entrée de la partie qu'elle occupait ? Aucun signe de vie. Elle décida d'aller directement chez Josie. Ses chaussures s'enfonçaient dans l'herbe trempée. Il avait dû pleuvoir récemment. En jetant un coup d'œil par une fenêtre, elle vit un fauteuil, une table d'appoint, des lunettes posées sur un journal ouvert. Sur une autre table, des lis colorés se mêlaient dans un vase à ces fleurs rouges qu'elle avait aperçues quelques instants auparavant dans le fossé. Par une autre fenêtre elle distingua un grand lit défait et des livres éparpillés au sol, comme tombés du lit. Elle sourit à l'idée que Josie profitait bien de sa retraite.

Elle frappa. Pas de réponse. Soudain elle prit la mesure du silence qui l'entourait – uniquement troublé par le croassement des corneilles au loin et par le bruit d'un tracteur qui approchait ; ou plutôt non, pensa-t-elle, qui s'éloignait au contraire. Elle regarda autour d'elle. Les hêtres et les mélèzes masquaient en partie le toit de la grange. Un chemin serpentait dans l'herbe vers ce qui était autrefois le verger. Elle se souvenait d'une lointaine récolte surabondante de pommes et de poires, due au fait qu'on n'avait pas pris la peine de tailler les arbres – c'était en tout cas ce que lui avait expliqué Josie. Et ensuite, après cette extraordinaire production, les arbres étaient morts, du moins certains d'entre eux, et les autres n'avaient plus donné de fruits à part quelques pommes sauvages dont personne ne voulait. Il était plus commode d'acheter ses pommes au supermarché, avait dit Josie, et personne n'aimait les poires de ce verger, qui restaient dures même quand on prenait la peine de les laisser mûrir.

Josie avait entre-temps décidé de consacrer son énergie à un nouveau jardin, qu'elle avait aménagé un peu plus loin, du côté de l'enclos. John avait bêché la terre et elle s'était acheté des manuels pour apprendre à cultiver fleurs et légumes. Avec l'âge, disait-elle à qui voulait l'entendre, elle comprenait peu à peu l'intérêt de vivre dans une ferme et le sens de choses telles que l'engrais, et même de la terre et pourquoi pas des saisons. Nora croyait presque entendre sa voix tout en avançant sur le sentier à sa recherche, se courbant pour éviter les ronces.

Elle ouvrit la clôture mobile du nouveau jardin. Josie cultivait quelque chose qui requérait de longues rangées de bambou et de fil de fer. Des framboisiers ? À côté, elle identifia des plants de pommes de terre bien alignés dans leur sillon. Les parterres de fleurs étaient derrière ; mais il n'y avait pas de fleurs en janvier. Tout cela devait demander un travail considérable. Comment le dos de Josie résistait-il à l'effort ? En se retournant, soudain, elle l'aperçut et comprit que sa tante l'observait en silence depuis un moment.

— Nora ! Tes chaussures vont s'abîmer.

Elle tenait à la main une binette et un bouquet de tiges. Ses gants de jardinage paraissaient trop grands pour elle.

— Je ne t'avais pas vue, dit Nora.

— Je voulais te laisser le temps d'admirer mon travail.

Il y avait une pointe de défi dans sa voix, comme si elle jugeait son territoire envahi. Elle devait s'interroger sur la raison de cette visite ; pourtant elle s'exprimait d'une voix parfaitement naturelle.

— Je crois que j'en ai assez fait pour aujourd'hui. Tu vois, je suis en train de tout préparer pour semer quelques vivaces dès que le temps le permettra. Je m'y mets de bonne heure le matin. Ensuite je lis le journal en prenant mon petit déjeuner, et après je reviens contempler mon œuvre. À cette heure-ci, en général, j'ai terminé. J'allais finir de ranger les outils.

Elle s'était approchée de Nora tout en parlant. Elle marchait à petits pas, lèvres serrées. Elle paraissait préoccupée.

— Tu verras, Nora, quand tu seras vieille. Alors tu comprendras. C'est un drôle de mélange. D'un côté, une capacité à se réjouir des moindres petites choses, et de l'autre une grande insatisfaction générale. Je ne sais pas ce que c'est. Souvent, je ne suis pas fatiguée, et pourtant le simple fait de me lever m'épuise.

Elle lui prit le bras pour franchir la clôture mobile et ôta ses gants pendant qu'elles traversaient le verger.

— Allons là-haut. C'est mieux rangé, et puis j'ai une bouilloire neuve et un petit frigo sur le palier et tout et tout. Je suis à toi dans une minute, juste le temps de me laver les mains.

Nora avait oublié combien ce premier étage était haut de plafond. Le séjour était empli d'une lumière grise, lourde, diffuse, qui se reflétait dans le gris du tapis, les murs blancs, les abat-jour d'un bleu intense, les coussins bleus du canapé, le tapis bariolé et la longue bibliothèque pleine de livres, donnant à l'ensemble un air d'opulence et de confort impossible à imaginer quand on remontait l'allée et qu'on voyait de l'extérieur la maison flanquée de son verger aux arbres morts.

Debout à la fenêtre, Nora mesura pour la première fois combien ses deux fils avaient dû perturber l'existence pour laquelle cette maison avait été conçue et aménagée avec tant de soin. Le léger désordre lui-même faisait partie de cette existence, dont le sens était qu'elle ne fût pas bousculée. Sur le moment, il lui avait paru raisonnable de les envoyer chez sa tante plutôt que chez l'une de ses sœurs. Catherine lui avait proposé de les prendre, mais elle habitait Kilkenny et elle avait ses propres enfants dont elle devait s'occuper. Una, sa sœur cadette, avait emménagé chez eux pour veiller sur Aine – et sur Fiona, quand celle-ci venait le week-end. Elle n'aurait pas pu se charger des garçons par-dessus le marché, pas plus que Margaret, la sœur de Maurice, qui les adorait pourtant. Et elle n'aurait pas pu les laisser à des voisins ou à des cousins. Josie, elle, disposait de temps et d'espace, elle habitait près de la ville, les garçons la connaissaient, ils connaissaient John et sa femme, ils connaissaient la ferme ainsi que l'extension où vivait Josie. Sur le moment, l'arrangement avait donc paru raisonnable. Mais à la réflexion, songea Nora en se détournant du paysage et en scrutant une fois de plus le décor où vivait sa tante, il ne lui semblait plus du tout raisonnable de les avoir laissés là si longtemps.

Josie, qui s'était recoiffée et avait enfilé un pull en cachemire, entra en poussant devant elle une petite desserte où elle avait disposé théière, tasses et soucoupes, ainsi qu'un sucrier et un pot à lait.

— Il faut laisser le temps au thé d'infuser, dit-elle en s'approchant de Nora. La température est agréable ici en été, et maintenant que le chauffage fonctionne bien on a chaud même en hiver. Je m'inquiétais à l'idée que l'air deviendrait sec et difficile à respirer, mais pas du tout.

— Josie, je voulais te poser une question concernant les garçons.

— Comment vont-ils ? fit Josie en s'éloignant vers la desserte.

— Je ne t'ai jamais demandé comment s'étaient passés les deux mois où ils sont restés chez toi.

— Comment ça s'est passé pour moi, tu veux dire ?

Nora ne répondit pas.

— Enfin, je t'avais proposé de m'occuper d'eux. C'était une proposition sincère.

— Comment ça s'est passé pour eux, fit Nora à voix basse.

— Nora. Me reprocherais-tu quelque chose ?

— Non. Je te pose la question, c'est tout.

— Alors assieds-toi et cesse de me regarder avec ces yeux.

Nora prit place sur le canapé. Josie s'assit dans le fauteuil le plus proche. Il y eut un court silence.

— Donal est revenu avec un bégaiement terrible, dit Nora.

— Oui, c'est vrai. Ça a commencé ici.

— Et Conor. Je ne sais pas ce qu'il a. Et Donal a fait un cauchemar samedi dernier. C'était affreux.

Josie approcha la table roulante et versa le thé.

— Sers-toi de lait et de sucre. Je ne sais pas combien tu en veux.

— Que leur est-il arrivé pendant qu'ils étaient ici ?

Josie versa un peu de lait dans son thé, ajouta un morceau de sucre. Elle le goûta et reposa sa tasse.

— J'imagine qu'ils ont été impressionnés par le silence, dit-elle.

— Le silence. C'est tout ?

— Oui. Ce sont des enfants de la ville. Et j'aurais peut-être dû m'arranger pour qu'ils jouent avec des garçons du coin, mais ils ont dit qu'ils ne voulaient pas. Alors ils sont restés ici. Et c'était silencieux. Et ils pensaient que tu viendrais peut-être, mais tu n'es jamais venue. Chaque fois qu'une voiture remontait l'allée, ils se figeaient. Puis le temps est passé. Je ne sais pas ce qui t'a pris de les laisser ici sans leur rendre visite une seule fois.

— Maurice était en train de mourir.

— Conor mouillait son lit presque chaque nuit. Vraiment, je ne sais pas ce qui t'a pris.

— Je n'avais pas le choix.

— Eh bien, voilà. Qu'est-ce que tu croyais ? Que tu les reprendrais et que tout redeviendrait comme avant ?

— Je ne sais pas ce que je croyais. J'ai voulu te poser la question, c'est tout.

— C'est fait.

Il y eut un silence. Nora ouvrit la bouche une première fois, puis une seconde, mais se ravisa.

— Je m'occupais de Maurice, dit-elle enfin.

— Comme tu voudras. Quand Conor n'allait pas bien, j'essayais de lui parler, de le rassurer. Mais je ne savais pas si tu viendrais, ni quand. Quant à Donal, je n'ai jamais su ce qu'il pensait. C'est lui qu'il va falloir surveiller. Ou peut-être va-t-il falloir les surveiller tous les deux. Il a téléphoné à cette pension de famille où tu logeais. Tu ne l'as pas rappelé.

— La situation évoluait de jour en jour.

— Moi aussi, j'ai essayé de te joindre, et tu n'as jamais rappelé.

— Tout le monde me téléphonait pour avoir des nouvelles de Maurice.

— Et moi ? J'étais « tout le monde » ?

— Je ne savais pas combien de temps…

— Et les garçons non plus. Alors nous avons tous fait notre possible. Vers la fin, ils ont commencé à aller mieux. Conor ne mouillait plus son lit qu'occasionnellement.

— Je ne savais pas. Je te remercie de ce que tu as fait.

— Rentre auprès d'eux maintenant, Nora.

— Oui, Josie. C'est ce que je vais faire.

Elle se leva sans finir son thé. Elle crut que Josie se lèverait à son tour, mais sa tante resta assise. Épaules voûtées, regard rivé au tapis.

— À bientôt alors, peut-être, dit Nora.

— Je passerai vous voir quand je serai en ville.

Nora descendit l'escalier et contourna de nouveau le corps de ferme jusqu'à la voiture. La visite n'avait pas duré plus d'une demi-heure. Elle avait encore le temps de se rendre à Wexford et de faire quelques achats avant de rentrer.

3

Jim, son beau-frère, était installé dans un fauteuil devant la cheminée. Il attendit que les garçons soient sortis pour tirer de la poche intérieure de sa veste quelques feuillets pliés.

— Tu es vraiment sûre de vouloir ces prières-là pour les cartes de remerciement ?

— Oui, dit Nora.

— Nous espérions que tu aurais changé d'avis.

Margaret, sa belle-sœur, sourit et ajouta sur un ton de confidence, comme si Jim n'avait pas été là :

— Jim ne les aime pas. Pour ta mère et pour la nôtre, Dieu sait qu'on s'était vraiment contentés de prières simples.

— Et ce sera plus cher, dit Jim.

— C'est un geste pour Maurice. Et ça me ferait plaisir.

— Nous ne connaissions pas du tout ces prières, dit Margaret.

Nora prit le premier feuillet et lut à voix haute :

— *Trop jeune pour mourir, disent-ils. Trop jeune ? Non. Béni, plutôt, d'avoir été fait si vivement immortel. Il a échappé aux mains tremblantes de l'âge.*

Elle leva la tête :

— C'est parlant, non ? Avoir été fait si vivement immortel…

— Pourquoi ne te chargerais-tu pas de faire imprimer ces cartes-là ? Et nous, nous ferions les autres, toutes simples. Nous avons de vieux amis qui vivent à la campagne, et puis nous avons ceux de Kiltealy, et les Ryan à Cork – ça leur paraîtrait vraiment trop étrange, Nora. Ils seront très contents de recevoir une carte toute simple en souvenir de Maurice.

— Mais si nous faisons cartes séparées, ne vont-ils pas croire que nous sommes fâchés ?

— Ils savent combien nous sommes proches, Nora, surtout maintenant.

— C'est peut-être la meilleure solution, dit Jim.

Nora comprit alors que Jim et Margaret en avaient longuement discuté entre eux. Ce compromis lui convenait. Elle était contente de ne pas leur avoir cédé en acceptant les cartes ordinaires avec les prières que tout le monde connaissait.

On frappa à la porte. L'un des garçons alla ouvrir pendant que les trois adultes prêtaient l'oreille. Une voix de femme. Nora rangea calmement les feuillets ; elle ignorait l'identité de la visiteuse. Elle se leva et alla dans l'entrée.

— Oh, madame Whelan ! Entrez donc. Quel plaisir de vous voir !

Maurice était mort depuis six mois à présent. Les visites s'espaçaient ; certains soirs, à son grand soulagement, il ne venait personne. Elle ne connaissait pas spécialement Mme Whelan, et ne se souvenait pas que ses fils aient eu Maurice pour professeur ; peut-être avaient-ils fréquenté le lycée professionnel. Habitaient-ils même encore en ville ? Elle n'en était pas sûre.

— Je ne vais pas rester, annonça Mme Whelan d'emblée après avoir salué Margaret et Jim.

Elle accepta de s'asseoir malgré tout, mais sans ôter son manteau ni son foulard.

— J'ai un message pour vous. Je ne serai pas longue et, non, je ne veux pas de thé, je vous remercie, je vais juste vous transmettre mon message, voilà. Je ne sais pas si vous le savez, mais je travaille chez les Gibney. Peggy Gibney m'a chargée de vous dire qu'elle voudrait vous voir, et William aussi, après le déjeuner, à la date qui vous conviendra. Elle est toujours là, mais si vous précisez une date, elle sera vraiment sûre d'y être.

Elle se tut, hors d'haleine. Margaret et Jim l'observaient attentivement ; pour eux aussi, constata Nora, il était clair qu'il ne s'agissait pas d'une invitation ordinaire. Nora n'avait pas revu Peggy Gibney depuis des années. Elles avaient été en classe ensemble, et Nora avait travaillé pour William avant son mariage, du temps où l'entreprise était dirigée par Gibney père. À présent, William possédait tout, la minoterie et aussi les activités annexes, la société Gibney étant désormais le principal grossiste de la ville. Peggy et William n'étaient pas du genre à distribuer des invitations pour le plaisir. Depuis qu'il avait pris possession de la maison paternelle, William était devenu, à en croire la rumeur, assez arrogant.

— Leur jour sera le mien, madame Whelan, je n'ai pas de préférence.

— Disons mercredi, alors ? À quinze heures ou quinze heures trente ?

— C'est parfait.

Mme Whelan refusa encore une fois le thé qu'on lui proposait en répétant qu'elle ne s'attarderait pas.

Quand elle fut seule avec Nora dans l'entrée, elle baissa le ton et enchaîna très vite :

— Ils veulent que vous reveniez travailler dans l'entreprise. Mais mieux vaut faire semblant de rien et attendre qu'ils vous en parlent d'abord.

— Une place se libère ?

— Ils vous expliqueront tout eux-mêmes de vive voix.

Quand Nora revint dans le séjour, Jim et Margaret levèrent la tête ensemble, en quête d'un indice de ce qui s'était dit dans l'entrée. Nora s'assit. Le silence se prolongea ; pour dissiper la tension, elle ajouta un peu de charbon et tisonna le feu.

— Les Gibney se portent bien, d'après ce que j'ai cru comprendre, essaya Margaret. Ils se sont lancés dans toutes sortes d'activités en plus de la minoterie. Tous les fermiers s'équipent chez eux, on voit les camions faire la queue devant leur libre-service. Et leur commerce de gros marche toujours très bien. Et les deux fils, me dit-on, sont aussi entreprenants que leur père.

— Les Gibney ne sont pas du genre à se laisser oublier, approuva Jim.

Donal et Conor vinrent leur souhaiter une bonne nuit. Jim et Margaret en profitèrent pour se lever en disant qu'il était l'heure de rentrer. Nora les raccompagna dans l'entrée.

— Alors on est d'accord pour les deux séries de cartes, dit Jim. Mais on garde la même photo sur les deux, peut-être ?

— Oui.

Nora ouvrit la porte. En passant devant elle, Jim lui remit furtivement une enveloppe.

— Juste pour t'aider à passer le cap, dit-il. Et on n'en parle plus.

— Je ne peux pas accepter, Jim. Tu as déjà tout payé.

— Juste pour passer le cap.

Elle comprit alors que, pour Jim, son retour au travail après vingt et un ans d'absence ne serait pas seulement une nouvelle bienvenue ; c'était ce qu'il attendait d'elle. Avant de descendre les marches du perron, il se retourna et lui adressa un regard entendu. Jim connaissait tout le monde en ville ; elle se demanda soudain s'il n'était pas pour quelque chose dans la visite impromptue de Mme Whelan.

Elle retourna s'asseoir dans le séjour. Après la mort de son père les religieuses étaient passées voir sa mère pour évoquer l'avenir de Nora. Sœur Catherine, en particulier, avait demandé s'il ne serait pas possible de réunir la somme nécessaire pour payer les trois années de lycée, après quoi Nora pourrait obtenir une bourse et faire des études universitaires qui lui permettraient de décrocher à coup sûr un emploi bien rémunéré dans l'administration. Sa mère, qui n'avait pas d'argent, avait sollicité les deux côtés de la famille, ce qui avait achevé de la brouiller avec eux. Nora étant connue pour son intelligence, il avait toutefois été possible de lui trouver un emploi de bureau. C'était ainsi qu'elle avait débuté chez Gibney ; elle avait quatorze ans. L'année suivante, elle avait commencé à prendre des cours du soir en sténodactylo pour améliorer ses chances de promotion. Les premières années, elle versait l'intégralité de son salaire à sa mère, qui vendait des cigarettes à l'unité dans son petit magasin et arrondissait ses fins de mois en chantant à la cathédrale à l'occasion des mariages, quand les familles avaient de quoi la payer. Nora, sa mère et ses sœurs avaient ainsi vécu de presque rien en attendant que Catherine et Una quittent l'école et trouvent du travail en ville, en tant qu'employées elles aussi.

Nora était restée onze ans en tout dans l'entreprise, à raison de cinq jours et demi par semaine. À la maison, elle supportait sa mère tant bien que mal ; au travail, elle se surpassait avec une efficacité dont certains se souvenaient encore. Puis elle s'était mariée ; ses enfants étaient nés ; jamais elle n'aurait imaginé retourner là-bas un jour. Pour elle, Gibney appartenait à un passé révolu. Tout ce qu'elle avait gardé de cette époque était une amie, qui avait fait un bon mariage elle aussi et qui avait par la suite quitté la ville avec son mari. Nora et Greta s'accordaient à considérer Gibney comme cette entreprise où elles avaient travaillé des années durant pour la seule raison que les circonstances ne permettaient pas de rendre justice à leur intelligence – intelligence qu'elles avaient toujours pris soin de cultiver par la suite dans leur vie de femmes mariées.

Elle pensait à la liberté que lui avait donnée son mariage avec Maurice. Celle par exemple d'entrer dans ce séjour à n'importe quelle heure du jour, dès les enfants partis à l'école ou dès qu'un bébé faisait la sieste, de prendre un livre et de le lire ; la liberté d'aller dans la pièce de devant et d'observer la rue par la fenêtre, ou Vinegar Hill de l'autre côté de la vallée, ou les nuages dans le ciel. Elle pouvait laisser ses pensées vagabonder, puis retourner dans la cuisine ou s'occuper des enfants quand ils rentraient de l'école. C'était une vie fluide, où les contraintes figuraient comme un élément parmi les autres. Elle avait beau être sollicitée, mobilisée, ses journées lui appartenaient. Pas une fois, au cours des vingt et un ans où elle avait tenu ce foyer, elle ne s'était sentie piégée ou condamnée à l'ennui. Cette existence allait maintenant lui être retirée. Son seul espoir était que William Gibney n'ait pas, en réalité, de travail à lui proposer. Retourner à cette vie de bureau revenait à retourner dans une cage. Mais s'il lui faisait une offre, elle ne pourrait pas se permettre de la refuser. Ses années de liberté étaient finies. C'était aussi simple que cela.

Elle relut les prières qu'elle avait choisies pour la carte de Maurice, et les mots l'arrachèrent un instant à ses préoccupations – cette obligation de gagner sa vie, l'immensité de sa perte. Puis elle les lut de nouveau et ses yeux se remplirent de larmes. Elle était contente que Jim et Margaret soient partis, les garçons endormis. Elle relut les premiers mots : *Nous Te les rendons, Seigneur, ô Toi qui nous les as donnés…*

C'était bien cela. Elle avait rendu Maurice ; il n'y avait rien de plus à en dire. Elle relut la deuxième prière. *Certains ignorants disent de celui-là qu'il a été fauché dans la fleur de l'âge. Il n'a pas été fauché. Au contraire il a été précipité dans la fleur, la plénitude de la vie, emporté loin de cette existence où nous attendons seulement que la mort nous trouve. Il en a réchappé, cet homme dont on nous dit qu'il fut frappé de malheur. Trop jeune pour mourir, disent-ils. Trop jeune ? Non. Béni, plutôt, d'avoir été fait si vivement immortel. Il a échappé aux mains tremblantes de l'âge.*

Ces mots, pensa-t-elle, faisaient preuve de trop d'assurance. Où qu'il fût en cet instant, elle était sûre que Maurice se languissait d'elle et du réconfort de cette maison, comme elle se languissait de lui, elle qui aurait tout donné pour effacer cette dernière année et que Maurice lui soit rendu.

Le mercredi matin, elle alla en ville et s'entretint avec Bernie, la coiffeuse, d'une nouvelle teinture dont elle avait entendu parler, car elle se demandait si le moment n'était pas venu de s'occuper de ses cheveux gris.

— Mais je n'ai pas envie qu'ils deviennent bleus, ajouta-t-elle.

— Je vois, dit Bernie.

— Et trop noirs, on verrait qu'ils sont teints. Et je n'ai jamais été blonde, tout le monde en ville sait que je n'ai jamais été blonde. Y aurait-il un châtain correct, qui ait l'air naturel ?

— Peut-être.

Bernie lui montra un emballage où l'on voyait une photo d'une femme brune et bouclée. Nora hésitait.

— On pourrait peut-être en mettre juste un peu, pour commencer ?

Bernie secoua la tête.

— Le mode d'emploi précise bien qu'il faut mettre tout le paquet. Je l'ai déjà essayé sur plusieurs clientes, il a beaucoup de succès. Vous seriez étonnée d'apprendre qui l'utilise.

— Entendu. Allons-y.

Après avoir appliqué le produit, Bernie posa sur ses cheveux un filet en nylon et la laissa avec une pile de magazines. Soudain, Nora s'aperçut qu'elle ne serait sans doute pas rentrée à temps pour préparer le déjeuner des garçons. Elle regretta son initiative. Bernie s'occupait de deux femmes qui étaient arrivées ensemble et semblaient devoir se consulter à chaque coup de ciseaux. Nora essaya d'attirer son attention.

— Ne bougez pas, j'arrive ! cria Bernie.

Une fois le produit rincé, Bernie lui conseilla de ne pas se regarder tout de suite. L'effet définitif ne serait visible qu'après le brushing, dit-elle. Nora obéit, tout en sentant les regards appuyés des deux clientes qui suivaient attentivement les étapes du coiffage. Elle regretta de ne pas avoir pris conseil avant de se lancer. Mais auprès de qui ? Elle supposait que ses sœurs se teignaient les cheveux, toutefois elles n'avaient jamais abordé le sujet en sa présence. Un coup d'œil au miroir lui fit réaliser que cette coupe était destinée à une femme beaucoup plus jeune qu'elle ; les deux clientes le savaient, et c'était la raison pour laquelle elles l'observaient avec tant de satisfaction.

Plus le brushing avançait, plus cela prenait l'aspect d'une perruque. Et la couleur mettrait longtemps à s'estomper. Bernie, dont elle apercevait le reflet dans le miroir, était à l'évidence enchantée du résultat. Il ne servirait à rien de se plaindre.

— Ça ne fait pas un peu jeune ?

— Oh, ça vous va ! C'est une coupe très à la mode.

— Je n'ai jamais eu de coupe à la mode.

Quand ce fut fini, elle mesura l'étendue du désastre. Toute personne qui la croiserait désormais penserait qu'elle avait perdu la tête et cherchait à se donner l'allure d'une jeune femme alors que son mari venait de mourir.

— Il va vous falloir quelques jours pour vous habituer, dit Bernie. Mais personne ne garde ses cheveux gris, de nos jours, c'est terminé.

— La couleur n'est-elle pas un peu artificielle ?

— Ça va s'atténuer d'ici quelques jours et, après, les gens penseront que vous avez toujours été ainsi. Vous m'avez l'air très inquiète, mais je vous assure que dès ce week-end vous serez enchantée d'avoir franchi le pas.

— On ne peut pas l'enlever ?

— Non, mais elle s'estompera petit à petit et je vous garantis que dans un mois vous serez de retour pour le même traitement. Je n'ai jamais vu quelqu'un revenir au gris. La prochaine fois on pensera aussi à faire quelques mèches pour éclaircir l'ensemble. C'est le dernier cri, tout le monde en raffole.

— Des mèches ? Oh non, je ne crois pas.

Dans la rue, elle se redressa de toute sa hauteur en espérant que les femmes de Court Street et de John Street seraient occupées à préparer le déjeuner, qu'elle n'en verrait aucune sur le pas de sa porte et qu'elle ne croiserait aucune connaissance en chemin. Elle dressa la liste des pires rencontres possibles – les personnes qui déploreraient le plus vivement le fait qu'elle eût choisi de se teindre les cheveux, et encore, dans une nuance qui n'avait jamais été la sienne, alors que son mari était enterré depuis six mois à peine. Elle pensa à Jim, qu'elle devrait affronter dans moins d'une semaine. Et Margaret ! Ils seraient terriblement déroutés.

Soudain elle reconnut Mme Hogan de John Street qui venait vers elle, l'air impassible, soit qu'elle ne l'avait pas reconnue, soit qu'elle espérait la dépasser sans un mot. Mme Hogan était presque arrivée à sa hauteur quand elle fit un bond et s'immobilisa, le visage chiffonné.

— Eh bien ! dit-elle. Pour une surprise… Il va falloir un moment pour s'habituer.

Nora força un sourire, mais garda le silence.

— C'est Bernie ?

Nora acquiesça.

— On m'avait bien dit qu'elle avait reçu un nouvel arrivage de produits. Mon Dieu, il va falloir que j'y aille aussi, j'imagine, un de ces jours.

Si Mme Hogan, avec ses chaussures éculées et son tablier noué à la taille, se sentait le droit de commenter son apparence, alors, pensa Nora, il n'y avait aucune raison qu'elle ne puisse faire de même.

— Eh bien, vous savez où la trouver, dit-elle en posant sur la coiffure de Mme Hogan un regard sans équivoque.

Celle-ci mit un moment à comprendre qu'elle était peut-être en train de se faire insulter.

Leur échange avait redonné courage à Nora, qui décida qu'elle ne ferait plus halte pour personne. Pour autant, elle savait qu'elle avait commis une erreur. Lui était-il jamais arrivé d'agir ainsi sur un coup de tête, sans réfléchir aux conséquences ? Un jour, c'était avant son mariage, elle s'était arrêtée en rentrant du travail devant Warren's Auctioneers, la brocante au pied de Castle Hill, où il y avait ce jour-là une caisse de vieux livres. Elle venait de repérer un recueil de Browning ; elle se rappelait qu'on leur avait fait lire un poème de lui à l'école, et qu'elle l'avait aimé. Elle en était à feuilleter le volume quand la vieille Mme Carty de Bohreen Hill avait surgi à ses côtés. Ensemble, elles avaient regardé le prix, qui était noté au crayon sur la page de garde. C'était très cher et, d'ailleurs, Nora n'avait pas d'argent. Elles s'étaient éloignées ensemble le long de Friary Place, elles avaient remonté Friary Hill. Au moment de se séparer en haut de la colline, Mme Carty avait extrait le livre de son manteau.

— Il ne manquera à personne, je pense. Mais ne dites jamais où vous l'avez trouvé.

En rentrant chez elle avec ses cheveux teints, elle éprouvait la même sensation que ce jour-là en revenant chez sa mère avec le recueil de poèmes de Browning dans son sac. C'était la même culpabilité, la même peur que quelqu'un l'ait suivie et la dénonce.

À peine arrivée, elle se dépêcha de mettre les pommes de terre à bouillir. Elle ouvrit une boîte de petits pois et fit griller à la poêle trois côtes d'agneau.

Les garçons revinrent de l'école. Les pommes de terre n'étaient pas encore cuites. Elle leur cria depuis le premier étage que le déjeuner serait bientôt prêt. Assise devant sa coiffeuse, elle se demandait s'il y avait quoi que soit qu'elle pût faire pour donner à ses cheveux une apparence plus normale. Tout au moins, elle aurait dû empêcher Bernie de vaporiser cette laque poisseuse qui répandait une odeur sucrée.

Dès qu'ils l'aperçurent, les garçons s'immobilisèrent, comme pétrifiés. Donal détourna aussitôt les yeux. Conor s'approcha d'elle et lui toucha les cheveux.

— C'est tout dur. Tu l'as trouvé où ?

— Je suis allée chez le coiffeur. Ça te plaît ?

— Il y a quoi en dessous ?

— En dessous de quoi ?

— De ce que tu as sur la tête.

— Ce que j'ai sur la tête, ce sont mes cheveux.

— Tu vas sortir avec ça ?

Donal leva un instant le regard avant de se détourner de nouveau.

Nora n'était pas sûre de ce qu'elle devait mettre pour son entrevue avec les Gibney. Si elle était trop habillée, ils pourraient croire qu'elle ne manquait de rien, qu'elle se considérait leur égale et leur rendait une simple visite de politesse. Mais elle ne pouvait pas non plus se permettre d'y aller en tenue de tous les jours. Ce dilemme ne faisait d'ailleurs que commencer. Si l'embauche se concrétisait, les autres employées verraient en elle une amie de William et de Peggy Gibney. Certaines parmi elles y travaillaient déjà de son temps, mais elle n'était restée en contact avec aucune. Elle était certaine que son retour serait mal perçu.

Une fois sa décision prise de se rendre en voiture jusqu'à la place de la gare pour ne laisser à personne l'occasion de commenter sa nouvelle coiffure, elle se sentit mieux et cessa d'avoir peur. Elle examina sa garde-robe, choisit un tailleur gris, un chemisier bleu foncé, et décida qu'elle mettrait ses meilleures chaussures. Elle ne pouvait pas se permettre de discuter salaire en prenant le thé – elle ignorait même s'ils comptaient lui faire une proposition ; mais, dans un cas comme dans l'autre, il était important de ne pas arriver chez eux en ayant l'air d'une personne dans le besoin.

Ce fut Mme Whelan qui lui ouvrit et la précéda dans un vaste salon situé à droite de l'entrée. Nora vit des meubles sombres, très rembourrés, des murs chargés de tableaux, le tout baignant dans une semi-pénombre bien qu'on fût en milieu d'après-midi ; l'unique fenêtre tout en hauteur laissait à peine entrer la lumière.

Peggy Gibney se leva de son fauteuil. Quand son cardigan glissa de ses épaules et que Mme Whelan se précipita pour le ramasser, elle ne la remercia pas, comme si le geste faisait partie du service dû à une femme de son rang. Elle fit signe à Nora de prendre place dans le fauteuil face au sien et se tourna vers Mme Whelan.

— Maggie, voudriez-vous appeler le bureau et prévenir M. Gibney que Mme Webster est arrivée ?

Pendant ce temps, les souvenirs de Nora affluaient. Quand Peggy était tombée enceinte, William et elle n'étaient pas mariés, et les parents de William désapprouvaient leur alliance. Le bureau de Nora jouxtait celui du vieux M. Gibney ; un jour elle l'avait entendu dire à William que Peggy n'avait qu'à prendre le bateau pour l'Angleterre, accoucher là-bas et trouver une famille d'adoption dans la foulée. William était ressorti blême du bureau et Nora avait cru qu'il irait transmettre le verdict à Peggy. Au lieu de cela, il l'avait épousée. Peggy avait donné naissance à son bébé dans une maternité de la ville. Les parents de William avaient fini par s'habituer à elle, et ils s'étaient attachés au petit. Et voilà qu'à présent Peggy Gibney trônait dans ce salon et s'adressait à Nora comme s'il n'avait jamais régné la moindre incertitude quant à son statut.

Elle avait aussi perdu les inflexions insouciantes propres aux habitants de la ville. Elle s'exprimait sur un ton réfléchi, légèrement préoccupé.

— Eh bien, dit-elle, comme si elles avaient été en pleine conversation, je dois avouer que je ne comprends pas comment les gens font pour s'en sortir, avec tous ces impôts et le coût de la vie.

Nora l'interrogea sur son frère et ses sœurs, mais il apparut que c'était une mauvaise entrée en matière.

— Ils vont bien, Nora, ils vont bien. Chacun a sa vie, n'est-ce pas ?

Nora en déduisit qu'ils n'étaient guère invités dans cette maison. En revanche, quand elle l'interrogea sur ses enfants, Peggy s'illumina.

— Ah ! William tenait absolument à ce que chacun soit diplômé avant de revenir travailler dans l'entreprise. C'est important de disposer d'une expertise (elle prononça le mot « expertise » avec une lenteur étudiée). Alors William Junior est expert-comptable, Thomas est expert en productivité et Elizabeth a suivi une filière commerciale dans l'un des meilleurs instituts universitaires de Dublin, si bien qu'ils sont tous autonomes maintenant.

— C'est formidable, Peggy.

Nora pensa à la vieille Mme Lewis de Mill Park Road, qui ne savait parler que de la carrière de ses enfants et concluait chacun de ses monologues en disant qu'elle allait tout faire pour que Christina, sa benjamine, devienne sténodactylo. Là, dans la pénombre guindée du salon de Peggy, elle dut se faire violence pour réprimer un fou rire. Heureusement, Peggy changea de sujet.

— On me dit qu'il y a beaucoup de transformations en ville. Je ne sors pas beaucoup, et nous allons à Rosslare dès que nous en avons l'occasion. C'est très calme là-bas, mais peu importe où je suis, j'ai toujours trop à faire.

Nora ne savait plus qui lui avait raconté que Peggy employait une bonne à plein temps en plus de Mme Whelan.

— Je n'arrive pas à convaincre William de prendre de vraies vacances. Oh, je le connais, il ne cesse de s'inquiéter pour tout. Alors il fait des allers et retours en voiture. Ce ne sont pas ce que j'appelle des vacances.

Quand William fit son entrée, il parut à Nora plus petit que dans son souvenir. Il portait un costume sombre. En lui serrant la main, elle se demanda s'il souffrait encore de la façon dont son père s'était comporté avec lui autrefois, en le retirant de l'école à seize ans, en le payant une misère pendant des années et en le traitant d'imbécile en public. Mais son père était mort depuis longtemps, William avait hérité, et ce passé était peut-être effacé de toutes les mémoires sauf de la sienne.

— Merci d'être venue, dit-il en s'asseyant, pendant que Mme Whelan apportait le thé et les biscuits. C'est aimable, très aimable à vous…

Il parlait avec distraction, comme si ses pensées glissaient déjà vers un sujet plus grave et plus urgent.

Nora le dévisagea avec calme. Elle n'allait pas le remercier de quoi que ce soit.

— Mon père disait toujours que vous ne commettiez jamais la moindre erreur, et que personne ne pouvait se comparer à Greta Wickham ou à Nora Webster. Même quand tout allait bien, il avait l'habitude de dire : « Si Nora et Greta étaient encore ici, on n'en serait pas là. »

— Oh, il vous tenait en haute estime, renchérit Peggy. Et quand ils étaient encore au lycée, William Junior et Thomas parlaient toujours de leur professeur, Maurice Webster, et ce n'étaient que des éloges. Je me souviens d'un jour, Thomas était fiévreux, nous voulions tous qu'il reste au lit, mais lui ne voulait rien entendre car il avait deux heures de comptabilité ce jour-là avec M. Webster et pas question de les manquer. D'ailleurs, quand il a eu son diplôme à Dublin, le fait est qu'ils ne voulaient pas le lâcher là-bas et qu'il a eu de très belles propositions. Nous lui avons conseillé de bien réfléchir, mais il a préféré rentrer. Même chose pour William Junior. Avec Elizabeth, on ne sait pas. Elle serait capable de finir n'importe où. C'est elle que nous devons avoir à l'œil.

Il y avait quelque chose d'un peu forcé dans la loquacité de Peggy, sa liberté de ton, cette façon péremptoire de parler d'elle et de ses enfants comme d'un sujet d'admiration évident et universel. Nora crut sentir qu'il s'agissait surtout de la rabaisser par comparaison. William employait une centaine de personnes, au bas mot. Elle pouvait concevoir que Peggy ait eu du mal à rester simple, mais elle ne voyait aucune raison de réagir autrement que par le silence.

William, c'était une autre affaire. Il marmonnait, répétait deux ou trois fois le même mot avant de s'interrompre comme s'il en cherchait un autre qui fût plus pertinent.

— Nous avons toujours veillé à garder une ouverture, Nora, une ouverture…

Nora lui sourit.

— Il faut dire, enchaîna Peggy, que certaines filles savent à peine orthographier l'anglais et additionner deux et deux, mais pour ce qui est de l'insolence et de prendre des jours de congé, pardon.

— Allons, allons, dit William. Allons, allons.

Nora l'observa attentivement pour tenter de déceler si Peggy l'exaspérait, lui aussi, mais il semblait trop distrait pour prêter la moindre attention à sa femme.

— Et l'allure de certaines d'entre elles ! Elizabeth dit que…

William l'interrompit.

— Thomas estime beaucoup Mlle Kavanagh, la chef comptable, qui dirige d'ailleurs le service administratif. Il en sait plus long que moi, et si je pouvais vous demander de voir les détails avec Thomas, les détails, donc…

Il s'interrompit en regardant Nora comme s'il ne savait pas quoi ajouter.

— Dieu sait, reprit-il le regard rivé au tapis, que je suis seulement le gérant, le directeur de l'entreprise. Mais Thomas pourrait vous présenter à Mlle Kavanagh, et puis vous pourriez, vous voyez ce que je veux dire, commencer quand vous voulez. Vous pourriez commencer quand vous voulez.

— Vous parlez de Francie Kavanagh ?

— J'imagine, oui, même si cela fait sans doute longtemps que personne ne l'a appelée ainsi.

— Oh ! bien sûr ! intervint Peggy. Vous la connaissez. Thomas la porte aux nues. Êtes-vous restées en contact ?

— Pardon ? fit Nora, glaciale.

— Je veux dire, êtes-vous restées amies, Mlle Kavanagh et vous-même ?

La question impliquait que Peggy, elle, n'avait pas le loisir de se tenir informée de ces détails, ni de rester amie avec qui que ce soit. Nora se demanda néanmoins ce qu'elle savait. Si elle avait par exemple le souvenir d'un certain jeudi, vieux d'au moins vingt-cinq ans – l'épisode avait sûrement fait jaser à l'époque – où Greta et elle avaient décidé de profiter de leur demi-journée de congé pour se rendre à Ballyconnigar à vélo. Francie Kavanagh avait demandé si elle pouvait les accompagner. Elles avaient accepté, puis elles avaient accéléré jusqu'à la semer et ensuite, au lieu de bifurquer vers Ballyconnigar, elles étaient allées à Morriscastle. Et le lendemain, en apprenant qu'elle avait été victime d'une crevaison sur la route du retour – la nuit, entre-temps, était tombée, il s'était mis à pleuvoir à torrent, Francie avait dû se réfugier sous un arbre et n'était finalement rentrée qu'au petit matin –, au lieu de s'excuser, elles lui avaient ri au nez. Francie Kavanagh ne leur avait plus jamais adressé la parole après ce jour.

William et Peggy l'observaient. Elle n'avait pas répondu à la question de Peggy à propos de Francie Kavanagh et il était maintenant trop tard pour le faire. Pendant toutes les années où elle, Nora, avait élevé ses enfants, Francie était donc restée dans l'entreprise, où elle avait avancé jusqu'au rang de chef de bureau ; et Peggy Gibney, qu'elle voyait à présent porter sa tasse de thé à ses lèvres d'un geste indolent, était restée dans cette maison, et dans sa maison de Rosslare pendant l'été, jusqu'à devenir cette femme du monde factice imitée de sa belle-mère et des autres épouses de commerçants de la ville. Elle se sentait aussi loin de ces deux femmes que le silence pouvait l'être du bruit.

Quand William se leva, l'atmosphère de la pièce changea d'un coup. Aucun mot n'avait été prononcé, pourtant le message était limpide : les amabilités étaient closes, elle pouvait disposer. Elle se leva à son tour. Peggy resta assise. Raccompagner les visiteurs ne faisait pas partie de ses attributions. William serra la main de Nora.

— Pourrez-vous passer voir Thomas lundi à quatorze heures ? Demandez-le à l'accueil, oui, c'est cela, à l'accueil.

Il sortit, l'air absorbé. Nora l'entendit ouvrir et refermer la porte d'entrée. Mme Whelan apparut – elle devait rôder dans le hall – et lui tendit son manteau.

— Votre visite lui aura fait très plaisir, murmura-t-elle en la reconduisant. Elle voit rarement du monde, vous savez.

— Ah, vraiment ?

Nora reprit conscience de ses cheveux teints en surprenant le regard de Mme Whelan qui l'observait avec une curiosité presque vorace.

4

Elle ne parla à personne de l'arrangement qu'elle avait conclu avec Thomas Gibney ni du fait qu'elle s'apprêtait à revoir Francie Kavanagh pour la première fois en plus de vingt ans. Elle aurait dû en informer au moins Jim et Margaret. Mais quand elle les revit, ils ne lui demandèrent pas comment s'était passée la visite chez les Gibney, et elle leur en fut reconnaissante. Aux questions de sa sœur Una, elle se contenta de répondre qu'elle n'avait pas encore pris sa décision.

— Mais au club de golf j'ai entendu dire que tu retournais travailler là-bas.

— Le club de golf est un endroit formidable pour se procurer toutes sortes d'informations, répliqua Nora. Je m'y inscrirais tout de suite si je savais jouer au golf ou si je m'intéressais suffisamment à la vie privée des autres.

Quand son autre sœur, Catherine, lui écrivit pour lui proposer de venir passer quelques jours en famille dans leur ferme des environs de Kilkenny, Nora répondit qu'elle pourrait venir le vendredi suivant après la fin des cours et rester jusqu'au dimanche. Avant de tomber malade, Maurice aimait beaucoup dîner chez eux le samedi soir, discuter récoltes et prix des céréales avec le mari de Catherine, se disputer au sujet de la politique et apprendre les dernières nouvelles concernant les voisins. Souvent, les deux couples sortaient boire un verre après dîner en laissant les enfants sous la garde de Fiona ou d'Aine. Les garçons aussi aimaient bien aller là-bas. Ils appréciaient le changement, le fait de dormir dans des chambres inconnues, dans une maison bien plus vaste que celle à laquelle ils étaient habitués.

La remarque de sa mère, pensa-t-elle, était juste : tout le monde lui préférait Maurice, y compris ses propres sœurs. Quand ils sortaient à quatre, les hommes parlaient ensemble et Catherine les écoutait, les interrogeait, abordait des sujets dont elle savait qu'ils pouvaient les intéresser. Nora ne le prenait pas en mauvaise part. Elle n'écoutait qu'à moitié de toute façon car, contrairement à Maurice, elle n'avait pas d'avis tranché sur ce qui se passait dans le pays. De plus, Catherine, Mark et Maurice étaient croyants de la même façon. Ils croyaient aux miracles et au pouvoir de la prière, tout en appréciant les efforts de modernisation consentis par l'Église. Personne ne demandait son opinion à Nora. Elle-même n'était pas très sûre d'en avoir une, mais elle savait qu'elle ne partageait pas leur façon de voir ; à son goût l'Église aurait pu se moderniser bien davantage et plus vite. Et elle n'avait pas leurs certitudes. Sur d'autres sujets également, sa perception différait de la leur ; mais elle avait toujours préféré ne pas se mêler à la discussion. Elle se demandait si cela allait changer maintenant, avec la mort de Maurice, si elle allait devoir prendre l'habitude de parler davantage.

Le temps que les garçons rentrent de l'école, elle avait préparé et rangé les bagages dans le coffre de la voiture. Elle leur proposa un compromis : Donal monterait à l'avant jusqu'à Kiltealy, et Conor prendrait le relais jusque chez Catherine.

Dans le temps, il y avait toujours eu ce moment où ils passaient devant une certaine ferme, un peu après The Milehouse ; quelle que soit la conversation en cours à ce moment-là dans la voiture, Maurice se raidissait et rentrait en lui-même. Elle n'en avait jamais parlé avec lui. Il ne souhaitait pas en parler ; elle le savait car, lors de la veillée funèbre de sa belle-mère, Margaret et l'un des cousins avaient évoqué le sujet devant elle. Le grand-père de Maurice avait été expulsé de cette ferme à la fin du siècle précédent ; quand il était arrivé en ville avec sa femme et leurs enfants, il lui restait en tout et pour tout quelques livres, quelques vêtements dans un sac et une mauvaise réputation auprès de la police en raison de ses convictions politiques. Nora s'était toujours étonnée de l'intensité de la réaction de Maurice, cette sombre préoccupation qui l'envahissait chaque fois au moment de dépasser cette ferme, comme si le fait d'en parler eût été une profanation, la violation d'une souffrance ancienne et solennelle.

Non loin de Tullow, il existait une maison où sa propre mère avait travaillé comme servante. Le père de famille, à moins que ce ne fût son frère ou son fils, avait l'habitude de la serrer d'un peu trop près dans la journée, et parfois aussi pendant la nuit. Sa tante Josie lui avait raconté qu'on avait dû à la fin faire appel au prêtre, qui était allé voir le responsable du magasin Cullen à Enniscorthy en l'adjurant de sauver la vertu d'une jeune fille isolée dans une ferme du côté de Tullow. Cette histoire de prêtre, de vertu et de fermiers, père, frère et fils, avait paru invraisemblable à Nora, qui en avait ri. Josie avait insisté sur la véracité des faits. Nora avait ri encore plus et Josie l'avait mise en garde : elle ne devait répéter cette histoire à personne, et surtout pas sur le ton de la plaisanterie, car les gens n'auraient pas bonne opinion d'elle s'ils savaient qu'elle riait de ce genre de sujet.

La route était étroite et Nora devait se concentrer sur la conduite. Ces vieilles histoires allaient sombrer dans l'oubli. Personne n'aurait plus l'idée d'honorer la mémoire d'une lointaine expulsion, encore moins de s'en indigner. Les grands-parents de Maurice étaient enterrés sous une dalle anonyme ; bientôt, personne ne saurait plus qui ils étaient. Et ses propres sœurs ignoraient probablement jusqu'à l'existence de la maison de Tullow et de la vie de leur mère là-bas, avec ces hommes. Elles ignoraient sans doute même que leur mère avait été domestique entre le moment où elle avait quitté sa famille et celui où elle avait commencé à travailler au magasin Cullen d'Enniscorthy.

À Kiltealy, comme convenu, Conor changea de place avec son frère. Une fois installé à l'avant, il se mit à lui raconter des histoires sur ses camarades et ses professeurs. Il paraissait heureux à l'idée de revoir la ferme et de passer du temps avec ses cousins.

— Est-ce que la maison de tante Catherine est hantée ?

— Non, c'est juste une vieille maison, plus grande que la nôtre, mais elle n'est pas hantée.

— Plein de gens y sont morts, quand même.

— Je ne sais pas.

— Comment une maison devient-elle hantée ?

— Je crois que ce sont des bêtises, ces histoires de maisons hantées.

— Celle des Phelan dans Back Road est hantée. Un soir, Joe Devereux a vu un homme devant chez eux, et l'homme n'avait pas de visage. Il était en train d'allumer une cigarette, mais il n'avait pas de visage.

— Je pense que c'était juste l'effet de l'obscurité et des ombres, dit-elle. Si Joe avait eu une lampe de poche, il aurait vu son visage.

— C'est pour ça qu'on marchait tous sur l'autre trottoir quand on rentrait du couvent de la Présentation.

— La bonne nouvelle, c'est que tu n'as plus à y aller.

La voix de Donal s'éleva à l'arrière.

— T-T-Tout le monde sait qu'il y a un f-f-fantôme là-bas.

— Ah ? Je n'en ai jamais entendu parler.

Les garçons restèrent silencieux pendant la traversée du village de Borris, mais Nora sentit qu'ils y pensaient encore.

— Je crois que les fantômes et les esprits sont une pure invention, dit-elle.

— Et le S-S-Saint-Esprit alors ?

— Donal, tu sais bien que ça n'a rien à voir.

— N'empêche que moi, je ne monterais jamais au grenier tout seul dans la maison de tante Catherine, dit Conor. Même en plein jour. Jamais de la vie.

Le temps d'arriver à destination, le silence s'était fait dans la voiture. Elle avait tenté de changer de sujet, de détourner leur attention des fantômes et des maisons hantées. Mais ces routes sinueuses, ces chemins longs de plusieurs kilomètres qui aboutissaient à des fermes isolées qu'on ne voyait de nulle part à la ronde, ces fossés mal entretenus et ces arbres dont les branches projetaient leur ombre sur la chaussée, tout cela les y ramenait malgré eux. Nora se souvenait qu'au début de son mariage Catherine avait parlé d'une maison, une vieille bâtisse enfouie sous le lierre qui appartenait à un cousin de Mark, où les meubles se déplaçaient d'eux-mêmes et où les portes s'ouvraient sans raison. Catherine et Mark en parlaient très volontiers et n'avaient aucun doute quant à la réalité de ces phénomènes. Elle ne se rappelait plus les détails, s'il s'agissait d'une histoire d'argent, d'un testament, d'un conflit de personnes ou de quelqu'un qui avait été injustement chassé. Elle espérait juste qu'ils n'auraient pas l'idée d'en parler aux garçons pendant le week-end.

Sa sœur Catherine était quelqu'un qui ne prenait jamais le temps de s'asseoir. Leur mère avait été ainsi, elle aussi, toujours active, toujours à s'agiter. De l'avis de Nora et d'Una, c'était pire chez leur mère, car celle-ci méprisait les femmes qui s'autorisaient à s'asseoir alors qu'il y avait du travail à finir. Pendant toute sa vie de femme mariée, Nora s'était arrangée pour rester assise dans toute la mesure du possible une fois expédiée la vaisselle du soir. Rien ne devait l'obliger à se relever et à retourner dans la cuisine, sauf à la rigueur pour préparer un thé pour Maurice et elle, ou une bouillotte en hiver.

Dès qu'elle eut posé son sac dans la chambre – celle où elle avait toujours dormi avec Maurice quand ils venaient ensemble –, elle éprouva le besoin irrépressible de ne plus en sortir, de faire dire qu'elle ne se sentait pas bien et qu'elle avait besoin de se reposer. La tête de Catherine en voyant sa nouvelle coiffure n'avait rien arrangé, bien sûr ; elle était restée muette, ce qui signifiait qu'elle gardait ses commentaires pour plus tard, et Nora ne doutait pas un instant qu'elle aurait plein de choses à dire.

La ferme de Mark était grande. Catherine n'avait jamais confié à son côté de la famille quelle en était la superficie exacte, ce qui signifiait qu'il y avait bien plus d'hectares de terre qu'elle n'était disposée à l'admettre. Dans le cas contraire, elle aurait adoré se plaindre de la petite taille de l'exploitation. Catherine avait toujours acheté ses vêtements en solde, et son mariage n'y avait rien changé, mais pour le reste elle n'hésitait plus à la dépense, surtout quand il s'agissait d'équiper la maison. Mark avait une phrase qui avait toujours fait beaucoup rire Nora et Maurice : « Un objet n'est cher que le jour où on l'achète. » Ce type de raisonnement leur était totalement étranger.

Moyennant quoi, il y avait toujours deux voitures flambant neuves garées devant la maison, des ajouts récents au mobilier et de nouveaux ustensiles de cuisine achetés chez Switzer ou Brown Thomas à Dublin. Nora était certaine que Catherine se faisait également couper les cheveux à Dublin, ou peut-être dans un salon spécial de Kilkenny réservé aux épouses des riches fermiers des environs. Pour elle, se faire teindre par Bernie Prendergast d'Enniscorthy eût été impensable.

Si Maurice avait été là, pensa-t-elle, toute l'attention aurait été concentrée sur lui, et il y aurait répondu avec son aisance et son charme habituels. En descendant l'escalier, dont le tapis étouffait le bruit des pas, et en notant la qualité du nouveau papier peint et le fait que les gravures héritées de la mère de Mark venaient d'être réencadrées, elle comprit soudain que l'attention qu'on lui témoignait à elle, désormais, était en réalité de la pitié. Catherine et Mark étaient sans doute contents de l'avoir pour le week-end. Ils se montreraient aimables et accueillants, mais une fois leur devoir accompli ils seraient heureux de la voir repartir. Quand elle aurait commencé à travailler, pensa-t-elle, elle aurait un prétexte tout trouvé pour ne pas revenir de sitôt.

Donal et Conor mettaient toujours un certain temps à s'acclimater à la vie de la ferme. Certaines activités leur plaisaient, comme aller au verger avec leurs cousins à condition de ne pas s'approcher des orties. Et ils aimaient bien jouer avec la pompe qui fournissait la maison en eau de source et qu'on actionnait à la main. Mais quand on leur proposait d'enfiler une vieille veste et une paire de bottes pour aller voir les animaux, assister à la traite des vaches ou se rendre dans un lieu où on risquait de déraper sur une bouse, ils réagissaient avec méfiance et attendaient, sur le qui-vive, de voir s'il ne serait pas possible de rester plutôt à l'intérieur et d'écouter la conversation des adultes.

En entrant dans la cuisine, la première chose que remarqua Nora fut le nouveau lave-linge. Il avait été livré la veille de Dublin, lui expliqua Catherine, qui était aux prises avec le mode d'emploi.

— Il y a un séchoir qui va avec, mais nous ne l'avons pas encore déballé. Je me disais que j'allais d'abord essayer de faire marcher celle-ci. J'aurais dû demander au plombier qui a fait le raccordement de s'en occuper. Je croyais qu'il suffirait de lancer le premier chargement de linge, mais Dilly Halpin, une amie à moi qui a le même modèle, m'a dit au téléphone qu'elle avait presque dû passer un diplôme universitaire avant de comprendre les instructions.

Elle fit de la place à Nora ; Donal, Conor et deux de leurs cousins observaient la scène.

— Ce serait vraiment un comble qu'elle ait un défaut de fabrication et qu'on soit obligé de la renvoyer. Je n'arrive même pas à la faire démarrer.

Elle lui montra les schémas détaillés.

— Il y a plein de programmes différents, un pour les draps et les serviettes, un pour les chemises et les chemisiers, un pour les tissus délicats, etc. Il y a aussi des instructions en allemand et en français, comme tu peux le voir, et peut-être la traduction est-elle mauvaise, je ne sais pas, c'est peut-être plus clair dans les autres langues.

Nora se demanda si les autres avaient déjà dîné ; quand les enfants demandèrent à Catherine s'ils pouvaient regarder la télévision, elle accepta tout de suite, aucune allusion à un possible repas. Les garçons n'allaient pas tarder à avoir faim. Catherine croyait-elle qu'ils avaient mangé avant de prendre la route ? C'était curieux. Et elle parlait d'une traite, sans lui laisser la possibilité d'intervenir. Elle se comportait en réalité comme si Nora n'avait pas été là.

Une fois qu'elle eut remarqué ce détail, elle ne put penser à rien d'autre. Catherine ne parlait pas toute seule : elle était tout à fait consciente de sa présence, mais la teneur de ses propos excluait d'office toute participation. Le faisait-elle exprès ? Dans ce cas, la manœuvre était grossière, et il eût été facile de la déjouer. Pourtant Nora avait le sentiment d'un comportement naturel. Elle l'avait déjà remarqué chez Catherine, mais cette fois le phénomène était plus net, solide comme un arc-boutant fait pour résister plus que pour soutenir. Nora se sentait comme enfermée dans un espace étanche avec sa sœur qui discourait sans fin sur son lave-linge et son séchoir. Enfin Catherine se leva et partit dans l'entrée téléphoner à Dilly Halpin, qui accepta de venir tout de suite afin de l'aider à mettre en route, si possible, la nouvelle machine.

— Ne dis pas à Dilly que je te l'ai raconté, mais le week-end dernier je suis allée à Dublin avec elle et nous avons logé chez sa sœur et son beau-frère, qui est avocat. Oh, c'est une maison merveilleuse. Située à Malahide, tu vois ? Et ils ont leur propre bateau. C'était très moderne, je n'ai jamais rien vu de semblable. La famille du beau-frère a une fortune dans le bâtiment, mais il a très bien réussi aussi de son côté. Et l'autre sœur de Dilly, qui est une femme très agréable, est mariée à un Murphy de la Haute Cour de justice. Ils sont très bien placés dans le Fianna Fáil. Une autre de ses sœurs est mariée à un Delahunt. D'après ce que m'en dit Dilly, ils sont fabuleusement riches.

Nora n'avait jamais encore entendu sa sœur prononcer le mot « fabuleusement » ou évoquer une famille en ces termes.

— Bref, samedi soir, ils nous ont emmenés dîner à l'hôtel Intercontinental. Nous étions six, Con et Fergus, les beaux-frères de Dilly, ses deux sœurs, et nous. Je n'ai jamais goûté des plats comme ceux qu'on nous a servis là-bas, sans parler des vins… Je ne te dirai pas le montant de l'addition, mais je sais lire à l'envers et j'ai failli avoir une crise cardiaque. Même à Mark, je n'ai rien dit. Il n'aurait jamais l'idée de dépenser des sommes pareilles, en tout cas pour un dîner. Et le restaurant était comble. Il y avait toutes sortes de gens. Le lendemain, Dilly est venue avec moi choisir le lave-linge et le séchoir. Je voulais les mêmes que les siens.

Conor, qui était apparu à la porte de la cuisine, attendit que Catherine reprenne son souffle.

— Quand est-ce qu'on mange ? Les autres ont déjà dîné, et nous ?

Catherine le considéra d'un air vague comme si elle n'avait pas bien entendu. Conor ne se démonta pas.

N'obtenant pas de réponse de sa tante, il se tourna vers sa mère.

— Vous n'étiez pas en train de regarder la télévision ? demanda Catherine.

— On n'a pas dîné.

— Ah bon ?

Catherine se tourna vers Nora, l'air perplexe. Nora se sentit mise en demeure de se justifier.

— Nous avons pris la route dès que les garçons sont rentrés de l'école. Je pensais que nous dînerions ici.

— Ah, quel dommage ! Bon, Dilly ne va pas tarder à arriver, et Mark va rentrer aussi bien sûr, mais je ne sais pas à quelle heure exactement.

Elle avait l'esprit ailleurs. Nora faillit dire qu'un sandwich ou des toasts aux haricots feraient l'affaire, mais se ravisa et ne dit rien, comme si le problème ne la concernait pas. Elle était presque en colère. Le regard de Conor allait de sa mère à sa tante.

— Ah, quel dommage ! répéta Catherine. J'aurais dû y penser avant.

Soudain elle se fit polie et affairée. Nora eut le sentiment qu'elle avait perçu sa réaction, bien qu'elle n'eût rien dit. Catherine se rendit dans l'office et ouvrit l'énorme réfrigérateur.

— J'ai des hamburgers, dit-elle. Et je pourrais faire sauter des pommes de terre. Tu penses que ça leur conviendrait ? Et pour toi, Nora, peut-être un steak ? ou des côtelettes ? Pourquoi les garçons ne mangeraient-ils pas devant la télé ?

— Fais ce qui est le plus simple pour toi.

Quand Dilly Halpin arriva, Nora prit la relève devant les fourneaux pendant que les deux femmes se plongeaient dans le mode d'emploi. Elle se concentra sur les subtilités de la cuisinière tout en pensant que

Catherine n'aurait vu aucune objection à ce qu'elle mange dans la pièce voisine avec les enfants, bien au contraire. Elle décida qu'elle n'en ferait rien. Elle attendrait d'avoir servi Donal et Conor et de s'être assurée qu'ils ne manquaient de rien avant de préparer son propre repas.

Une fois le lave-linge lancé, quand Dilly Halpin eut fini de convaincre Catherine que le séchoir était d'un maniement facile – il suffisait de l'allumer et de l'éteindre –, elle disposa son couvert pendant que Catherine recommençait à s'affairer. Nora proposa de faire du thé. Elles acceptèrent. Quand tout fut prêt, elle apporta à la table ses côtelettes avec du pain bis et du beurre et versa le thé. Elle se demanda si c'était sa présence qui rendait les deux autres femmes hésitantes et presque guindées. Au lieu de se parler, Catherine et Dilly paraissaient réciter des répliques à son intention en évoquant des enchères auxquelles elles avaient assisté du côté de Thomastown, où le mobilier d'une grande maison était mis en vente.

— J'ai fait une offre pour une paire de chenets, dit Dilly. Ils étaient du dix-huitième siècle, mais je ne les ai pas eus car j'étais en concurrence avec un antiquaire de Dublin. J'avais beau lui lancer des regards noirs, ça n'a servi à rien. Tu t'en es mieux sortie, Catherine, avec cet adorable tapis. Où comptes-tu le mettre ?

— Je vais faire la surprise à Mark et le mettre dans notre chambre à coucher. J'aurai besoin d'aide d'ailleurs, car il faudra en glisser une partie sous le lit. J'espère qu'il remarquera le changement, c'est tout ce que je peux dire.

— Oh, mon Dieu, cette vente a duré une éternité. À la fin, je n'en pouvais plus, il fallait absolument que je trouve des toilettes, alors j'ai décidé d'entrer dans la maison. J'ai enlevé l'écriteau « Résidence privée, entrée interdite » et j'étais déjà dans l'escalier quand j'ai été surprise par une femme – ce devait être la tante des propriétaires, le genre vieille fille protestante, voyez ? Je lui ai dit que j'avais juste besoin d'aller aux toilettes et que je n'en avais trouvé nulle part. Alors elle m'a dit que je pouvais aller où bon me semblerait entre Thomastown et Inistioge, mais que j'avais intérêt à redescendre cet escalier dare-dare. Là-dessus, elle a fait deux pas vers moi d'un air menaçant. Parole ! Quelle vieille peau ! J'étais hors de moi. Alors quand je suis repartie un peu plus tard avec ma voiture et que j'ai vu des moutons dans un pré, sur la propriété, je me suis arrêtée pour leur ouvrir la barrière.

— Tu as bien fait, dit Catherine.

— Bien sûr que oui ! J'espère qu'ils les cherchent toujours. Le culot de cette femme ! Ils croient encore que ce pays leur appartient !

— Tu ne sais pas ce que nous avons encore à subir par ici, Nora.

— Elle a de la chance que je n'aie pas acheté ses chenets. Si je les avais eus avec moi, je ne sais pas de quoi j'aurais été capable.

Dilly et Catherine étaient au comble de l'indignation. Nora se mit à rire. Devant leur regard stupéfait, elle tenta de s'expliquer.

— C'est juste l'image des chenets...

Elle dut se lever de table et sortir. Elle riait encore. Catherine était devenue écarlate et ne disait plus rien. Nora vérifia que les garçons étaient devant la télé avec leurs cousins, puis elle alla dans la salle de bains où elle resta jusqu'à ce que le fou rire soit passé. Quand elle eut la certitude de pouvoir se contrôler, elle retourna dans la cuisine. Dilly Halpin était partie. Catherine s'affairait, le visage fermé. Même plus tard, après le retour de Mark, Nora constata que sa sœur lui adressait à peine la parole. Elle décida de redoubler d'amabilité envers son beau-frère. Plus elle se montrait animée et avenante avec lui, plus l'exaspération de Catherine augmentait.

— C'est facile pour toi, Nora, dit-elle à un moment. Mais nous, nous sommes obligés de vivre ici, et je peux te dire que même si je fréquente les protestants des grandes maisons par l'intermédiaire du club de golf ou des bonnes œuvres, et même s'ils connaissent Mark et qu'ils savent qui étaient ses parents, eh bien, quand ils nous croisent dans la grande rue de Kilkenny, c'est à peine s'ils nous regardent. Je ne sais pas ce qu'on est allées faire à cette vente aux enchères, Dilly et moi.

— Quelle vente aux enchères ? demanda Mark.

Nora se tourna vers lui.

— Dilly, l'amie de Catherine, a attaqué une protestante à coups de chenet.

— Quoi ? Jamais de la vie !

— Elle était charmante, Catherine. Mais sincèrement, j'ai cru qu'elle plaisantait. Je veux dire, entre les chenets et les moutons, c'était difficile de garder son sérieux.

— Quels moutons ? demanda Mark.

Ils se couchèrent de bonne heure. Nora fut soulagée d'être seule et de ne plus entendre parler de vente aux enchères, de grandes maisons et de lave-linge. Il était clair que Catherine, Dilly et elle n'avaient aucun centre d'intérêt commun. Elle se demanda ce qui l'intéressait, elle, désormais. Elle fut forcée de répondre : rien. La préoccupation qui l'habitait ne pouvait être partagée par personne. Jim et Margaret avaient été avec elle au moment de la mort de Maurice ; pour cette raison, leur échange était fluide quand ils se voyaient. Même s'ils ne l'évoquaient jamais ouvertement, ce qu'ils avaient vécu ensemble à l'hôpital sous-tendait chacune de leurs paroles. C'était présent au même titre que l'air qu'ils respiraient – tellement présent qu'on n'en parlait pas. Pour eux, désormais, toute conversation était une manière de survivre, de se débrouiller avec leur mémoire. Pour Catherine, Dilly et Mark, au contraire, il n'y avait rien de plus banal. Nora ne savait pas si elle serait jamais capable d'avoir à nouveau une conversation banale, ni quels sujets elle pourrait aborder sans se forcer, avec un intérêt sincère.

Pour l'heure, elle n'avait aucun sujet de préoccupation autre qu'elle-même. Et elle sentait qu'autour d'elle l'opinion générale était qu'on en avait assez entendu là-dessus, qu'il était temps pour elle de cesser de ruminer et de s'intéresser un peu à autre chose. Mais il n'y avait rien d'autre. Il n'y avait que cela qui s'était produit. Elle avait l'impression d'être sous l'eau et d'avoir renoncé à lutter pour remonter prendre de l'air à la surface. Rejoindre les autres dans le monde qu'ils habitaient lui paraissait impossible ; ce serait trop, elle ne le désirait même pas. Comment expliquer cela à quelqu'un qui cherchait à savoir comment elle allait ou qui lui demandait si elle avait surmonté le choc de la mort de Maurice ?

Le lendemain, elle se réveilla de bonne heure. La perspective de la journée à venir l'épouvantait. Elle se demanda si les garçons ressentaient la même chose. Et Fiona et Aine ? Ressentaient-elles chaque matin cette angoisse de devoir affronter le monde ? Et Jim et Margaret ? Peut-être, songea-t-elle, avaient-ils trouvé d'autres sujets de préoccupation. Elle aussi en avait, si elle y réfléchissait – l'argent, par exemple, ou ses enfants, ou le travail. Le problème pour elle n'était pas là. Le problème était qu'elle était seule désormais et qu'elle n'avait aucune idée de la manière dont elle allait réussir à vivre. Elle allait devoir apprendre, mais c'était une erreur de tenter de le faire en allant chez les autres. C'était une erreur d'être ici, dans ce lit étranger, alors que son propre lit à la maison l'était déjà suffisamment. L'étrangeté de sa propre maison n'exigeait cependant pas d'elle qu'elle se montre active et de bonne humeur. Elle n'allait plus commettre cette erreur, résolut-elle. Elle n'était pas près de passer une autre nuit loin de chez elle.

En descendant, elle trouva Catherine en compagnie d'une femme du village qui l'aidait dans les tâches ménagères. Elle avait décidé de faire un grand nettoyage de la cuisine et du cellier avant d'installer le nouveau séchoir à côté du lave-linge. Chaque assiette du vaisselier avait été retirée de son étagère afin d'être dépoussiérée, et Catherine passait à présent en revue le contenu de chaque tiroir pour trier ce qu'elle voulait garder et ce qui était bon à jeter. Conor et l'un des cousins l'assistaient dans ce travail. Donal, assis à l'écart, haussa les épaules en voyant Nora comme pour lui signifier que tout cela n'avait rien à voir avec lui et qu'il n'y était pour rien.

— Fais-toi un thé, Nora, dit Catherine. Et si tu réussis à trouver le pain et le grille-pain… Mon Dieu, je serai contente quand tout ça sera fini, mais maintenant au moins, j'ai toute l'aide que je peux souhaiter.

— Je vais faire un tour, dit Nora.

Catherine se retourna, l'air surpris.

— Il va pleuvoir d'un moment à l'autre ! Je ne pense pas que ce soit le bon moment pour aller se promener, et d'ailleurs on va aller à Kilkenny tout à l'heure. Je dois acheter du détergent pour la machine. Tu sais, je regrette presque de l'avoir achetée. C'est juste que Dilly prétend que ça divise la charge de travail par deux.

— Je trouverai bien un parapluie.

— Ils sont dans l'entrée. Tu feras attention, si tu sors par là ? La porte a tendance à se bloquer quand il fait humide comme aujourd'hui.

Voilà ce que personne ne lui avait expliqué. Elle n'avait plus accès aux sentiments ordinaires, aux désirs ordinaires. Catherine le percevait, et ne savait comment réagir, ce qui n'arrangeait rien, bien au contraire. En longeant le chemin en direction de la route, Nora fut submergée par une colère incontrôlable, dont elle savait pourtant qu'elle allait devoir la contrôler malgré tout. Il ne servait à rien de penser qu'elle ne reviendrait pas chez sa sœur, il ne servait à rien de ressentir vis-à-vis d'elle cette véritable rage réservée jusque-là au médecin responsable du service où Maurice avait été hospitalisé pendant ses derniers jours. Cette rage qui la poussait à écrire au médecin des courriers imaginaires, qui étaient tantôt des lettres d'injures, tantôt des lettres froides où elle le menaçait de révéler ce qui s'était passé alors que son mari était à l'agonie, et que lui n'avait rien fait pour soulager ses douleurs. Tant de fois elle était partie à sa recherche après avoir supplié les infirmières d'intervenir. Les infirmières étaient toutes venues au chevet de Maurice, elles s'étaient tenues là, avec elle, au pied du lit, en hochant la tête et en disant qu'elle avait raison, qu'il fallait faire quelque chose. Mais le médecin – rien que d'y penser, elle accéléra le pas, oubliant les nuages noirs qui s'amoncelaient dans le ciel –, le médecin n'était pas venu dans la chambre une seule fois. Il lui avait dit que son mari était très malade, que son cœur était très faible, et qu'il ne voulait pas prescrire quelque chose qui risquait de l'affaiblir encore davantage.

Et ainsi Nora, Jim et Margaret étaient restés seuls à son chevet, le rideau tiré tout autour du lit afin que les autres patients de la salle et leurs visiteurs ne voient rien. Mais ils entendaient tout. Et quand le père Quaid était venu du presbytère, et quand sœur Thomas était venue du couvent de Saint-Jean-de-Dieu, ils avaient entendu, eux aussi. Nora et Margaret tenaient la main de Maurice et tentaient de le calmer, de le réconforter en lui disant qu'il irait bientôt mieux, or elles savaient toutes deux qu'il continuerait de souffrir jusqu'au moment où il mourrait.

La mort cependant n'arrivait pas. Et Maurice souffrait tant qu'il devenait dangereux de lui donner la main, tant il la serrait fort. Il était plus vivant que jamais, dans sa détresse, sa panique, sa terreur, et ces souffrances qui semblaient le brûler de l'intérieur. Par moments il hurlait ; on eût dit le feulement d'un animal ; et alors on l'entendait même dans le couloir, et jusque dans le hall d'accueil.

Ce médecin, pensa Nora, n'avait sûrement pas envisagé au cours de ses études qu'il pourrait échouer dans un endroit tel que celui-là, un petit hôpital de province promis à une fermeture prochaine. Il était le seul médecin référent, de jour ou de nuit, il était donc très difficile de le joindre. Il vivait comme une humiliation le fait d'avoir été affecté dans un établissement sans bloc opératoire ni chambres individuelles, sans cardiologues ni professeurs traversant les services en coup de vent à la tête d'une troupe d'internes. Il ne savait rien de la souffrance ni de la mort. Nora se rappelait en détail la façon dont il se comportait quand par hasard elle réussissait à le trouver : un homme très pris à qui elle faisait perdre son temps. Elle éprouvait à son égard une haine active et profonde, qui lui procurait un plaisir étrange tandis qu'elle avançait sous la pluie fine qui s'était mise à tomber.

La pluie s'intensifia. Soudain une voiture s'arrêta à sa hauteur. C'était Catherine. Donal était à l'avant ; il descendit pour la laisser monter et lui tint la portière avec un sourire, comme s'ils étaient complices. C'était la première fois qu'elle le voyait sourire depuis des mois. Dans la voiture qui les ramenait à la ferme, elle ne put penser à rien d'autre.

Catherine la reconduisit dans la cuisine comme une enfant qui n'aurait pas suivi les conseils des adultes.

— Regarde dans quel état sont tes chaussures !

— Je pense qu'elles vont sécher.

En montant se changer, Nora aperçut le roman qu'elle avait emporté dans ses bagages. Elle redescendit l'escalier sur la pointe des pieds et, au lieu de retourner dans la cuisine, elle ouvrit la porte du salon. Partout, des tableaux, des bibelots, des vases, des lampes : l'héritage de Mark au même titre que les meubles, qui étaient dans la famille depuis des générations et que Catherine avait fait recouvrir par un tapissier de Dublin. Cette pièce servait rarement. Le fait qu'elle y entre comme cela dans ses vêtements de tous les jours et s'installe dans un fauteuil pour lire un livre aurait sûrement le don d'exaspérer Catherine. Qui était toujours en train de nettoyer la cuisine. Nora ôta ses chaussures et approcha un repose-pieds. Elle regretta de ne pas être arrivée plus loin dans sa lecture afin de pouvoir s'y plonger complètement. Après un moment elle reposa le livre, se laissa aller contre le dossier du fauteuil et ferma les yeux. Elle revit le visage de Donal quand il lui avait tenu la portière et se demanda ce que Catherine avait bien pu lui dire quand ils étaient partis à sa recherche sous la pluie. Ses paroles – ou, plus probablement, son silence impatient, ou sa mine ulcérée – avaient amusé Donal, et cette pensée amusait Nora à présent.

Dès que les garçons et elle seraient partis, Catherine téléphonerait à Una ; elle ne pourrait pas ne pas le faire, même si elle avait paradoxalement hérité quelque chose du sens de l'économie de leur mère et n'aimait guère dépenser son argent en coups de fil, surtout quand ils risquaient de durer un certain temps, comme ce serait le cas de celui-là. Catherine ne pourrait pas se retenir de raconter à Una combien Nora avait manqué de respect à son amie Dilly Halpin, au point de lui rire au nez, et comment elle avait ensuite à tout prix voulu se promener sous la pluie, si bien qu'il avait fallu partir à sa recherche, et puis, une fois de retour à la maison, comment elle n'avait pas hésité à s'installer au salon et à prendre le repose-pieds qu'elle, Catherine, avait fait retapisser récemment. Una, pensat-elle, lui prêterait une oreille compatissante.

Le temps que la cuisine reprenne son aspect habituel, il était treize heures. Catherine adorait sa cuisine, constata Nora. Elle paraissait heureuse tandis qu'elle s'activait autour du fourneau et parlait aux personnes qui entraient et sortaient, parmi lesquelles deux hommes qui travaillaient pour Mark. Elle avait étalé sur la table un exemplaire de l'*Irish Independent* et s'arrêtait parfois pour lire un bout d'article. Nora, assise en face d'elle, essayait de s'intéresser à ce que racontaient les enfants lorsqu'ils faisaient une brève incursion dans la pièce. Elle apprit par Conor que Donal avait trouvé un jeu d'échecs et qu'il apprenait les règles à l'un de ses cousins.

Catherine entreprit de préparer le déjeuner. Nora faillit lui proposer son aide, puis ramassa le journal et commença à le lire distraitement. Depuis le jour où Maurice était parti pour l'hôpital, elle avait complètement cessé de s'informer. Elle pensa soudain qu'elle pourrait peut-être commencer à lire l'*Irish Times*. C'était un journal protestant, mais c'était de loin le meilleur. Il avait quelque chose de plus sérieux que les autres ; les articles étaient plus longs et mieux écrits. Quand Jim et Margaret lui rendraient visite, elle le cacherait. Elle savait qu'ils lisaient l'*Irish Press*. De toute façon, ils estimeraient que c'était une dépense inutile pour elle.

L'atmosphère changea dès l'instant où Mark entra dans la cuisine et ôta sa casquette avec un air suggérant qu'il attendait ce moment depuis le début de la matinée – pas seulement le repas, mais le plaisir de la compagnie. Il respirait une aisance, une détente, que Nora appréciait à présent, après avoir longtemps pensé qu'elle tenait au fait d'avoir grandi dans cette ferme en ayant la certitude d'en devenir un jour le propriétaire. Mais c'était plus que cela : ce naturel et cette élégance de manières se seraient manifestés dans n'importe quel contexte. Maurice, lui, était toujours préoccupé par quelque chose, un livre, un sujet d'actualité, et il se plaignait souvent de ce que les enfants faisaient du bruit – même s'il y mettait toujours de la douceur et qu'on ne s'en formalisait donc pas, les enfants moins que quiconque.

Catherine, constata-t-elle, se transformait peu à peu sous l'effet de la présence de Mark. Elle s'intéressait à tout ce qu'il disait, lui posait des questions intelligentes, s'agitait moins, ne donnait plus l'impression de vouloir faire deux choses à la fois. Pendant que les enfants mettaient la table, Nora se surprit à être contente d'être là, avec eux, de ne pas être seule avec ses pensées. C'était la première fois qu'elle se sentait un tant soit peu délivrée du poids de ce qui s'était passé. Délivrée par le simple fait d'écouter Mark et Catherine échanger des propos ordinaires, dans une atmosphère détendue ; comme si cela lui permettait d'expirer l'air résiduel de ses poumons et de rester assise ainsi, sans pensées et sans émotions. Elle ignorait que ce fût possible. Elle se demanda combien de temps cela durerait.

Catherine avait toujours le projet de se rendre à Kilkenny après le repas. Nora refusa net de l'accompagner.

— J'ai envie de lire un livre dans un fauteuil confortable et d'être seule.

— Cela me paraît une sage idée, dit Mark. Trouver à se garer là-bas un samedi après-midi, c'est quasi impossible.

— Nous avons besoin d'acheter certaines choses, et je n'en ai pas pour longtemps, et peut-être les enfants se coucheront-ils de bonne heure ce soir ? Nous pourrons nous asseoir et nous détendre à ce moment-là.

Nora vit Donal s'assombrir. Comme elle, il ne voulait aller nulle part. Surtout, il ne voulait pas être assimilé aux autres enfants et envoyé au lit de bonne heure. Dans ces cas-là, il avait une façon caractéristique de baisser la tête, puis de la relever juste le temps de regarder chacun avec appréhension avant de fixer de nouveau le sol.

— Donal restera ici avec moi, dit Nora.

Donal ne releva pas la tête. Le programme esquissé par Catherine l'avait perturbé ; il aurait besoin d'un moment pour s'en remettre. Il fut convenu que l'un des cousins resterait jouer aux échecs avec lui, et que les autres, Conor compris, iraient à Kilkenny.

— Tu sais, dit Mark à Nora, rien au monde ne pourrait me persuader d'aller à Kilkenny. Je dois m'y rendre deux fois par an pour voir le comptable, mais je préférerais le payer pour qu'il vienne ici et que je n'aie pas à aller là-bas. Thomastown ou Callan, je ne dis pas, mais Kilkenny – il y a trop de magasins. Trop de gens dans les magasins. Trop de gens qu'on connaît plus ou moins. En voici une, en revanche, qui n'en a jamais assez.

Il désigna Catherine, qui se mettait du rouge à lèvres.

— Et quand ce n'est pas Kilkenny, c'est Dublin. Bon, Dublin encore, ça peut aller, surtout le jeudi, même si j'ai entendu dire qu'on y était moins en sécurité qu'avant.

— Te persuader d'acheter des vêtements, dit Catherine, voilà une mission que je ne souhaiterais même pas à mon pire ennemi.

Mark ne tarda pas à renfiler sa casquette et ses bottes. Le travail de la ferme devait être un soulagement permanent pour lui. Cette pensée la fit sourire. Catherine avait vidé le contenu de son sac à main sur la table. Elle cherchait quelque chose ; quand elle l'eut trouvé, elle remit tout dans le sac et resta ensuite un instant debout à regarder autour d'elle. Nora comprit en un éclair ce que signifiait ce regard : Catherine s'attendait qu'elle lave la vaisselle en son absence. Elle décida aussitôt qu'elle ne s'approcherait de l'évier à aucun moment de sa visite.

— Je crois que je vais faire du feu dans le séjour, dit-elle. J'ai un peu froid.

La maison était équipée du chauffage central, mais Nora savait qu'il était rarement branché. La cuisine était chauffée par le fourneau en fonte.

— Nous n'avons pas fait de feu depuis Noël, dit Catherine. Et encore, pour quelques heures seulement. Je ne sais pas dans quel état est la cheminée.

Nora hocha la tête en attendant que sa sœur ajoute qu'elle pouvait essayer malgré tout. Rien ne vint. Nora décida alors de fouiller la vieille bibliothèque sur le palier du premier étage pour trouver un livre dont le début serait plus palpitant que celui qu'elle avait essayé avant le déjeuner. Ensuite elle passerait l'après-midi au lit. Elle pourrait même faire une sieste. Elle aimait beaucoup l'idée d'un samedi après-midi au lit pendant que sa sœur écumait Kilkenny en traînant les enfants d'un magasin à l'autre.

La nuit était tombée quand ils revinrent. Nora avait dormi un peu et était à présent assise dans le salon. Elle avait déniché un radiateur électrique.

— On étouffe ici ! dit Catherine en entrant.

— Tu veux dire qu'il fait à peine tiède. Le reste de la maison est un frigo. Je ne sais pas comment vous faites.

— Le chauffage central consomme énormément de fuel. La chaudière est trop vieille. On doit la faire remplacer.

Nora, qui était plongée dans son roman, aurait aimé que sa sœur la laisse tranquille jusqu'à l'heure du coucher. Elle comprit soudain que Catherine voulait pouvoir se dire qu'elle avait fait sa part et que c'était là tout le sens de cette visite. Si tel était son désir, pensa Nora, alors elle pouvait bien s'occuper de la cuisine et du ménage et la laisser lire son roman tranquille. Elle pensa au coup de fil que Catherine ne manquerait pas de passer à Una ; à présent elle pourrait ajouter à la liste de ses griefs l'évier plein de vaisselle et le radiateur monté au maximum dans le salon.

Ce soir-là, quand les enfants furent couchés et que le calme fut redescendu sur la maison, Mark demanda à Nora si elle avait des projets. Elle leur raconta alors qu'elle allait retourner travailler pour les Gibney. Elle ne l'avait encore annoncé à personne, dit-elle. Ni à Jim et Margaret, ni à Fiona et Aine, ni aux garçons.

— Je le leur dirai le moment venu.

Au regard que lui lança sa sœur, Nora comprit qu'Una lui avait déjà répété ce qu'elle avait entendu au club de golf.

— Ils ont de la chance de te récupérer, dit Catherine.

— Je n'avais pas le choix. Je n'ai aucune qualification à part la sténo et la dactylo, que j'ai d'ailleurs oubliées. J'imagine que tout le monde me plaint, mais à part les Gibney personne ne m'a prise suffisamment en pitié pour me proposer un travail.

— Tu ne peux pas te débrouiller avec ta pension de veuve et vos économies ?

— Nous n'avions pas d'économies. Nous n'avions rien, à part la maison de Cush. Alors je l'ai vendue, j'ai mis une partie de l'argent de côté pour parer aux imprévus, et je vis actuellement grâce au reliquat. La pension s'élève à six livres par semaine.

— Pardon ? fit Mark.

— Il y aura peut-être une pension complémentaire à laquelle j'ai droit pour les années où j'ai travaillé avant mon mariage, mais elle est soumise à un plafond de ressources et le fonctionnaire de la sécurité sociale croit que j'ai des économies. Ce n'est pas le cas. Quand il se décidera à me croire, j'aurai peut-être droit à cette pension.

— Les Gibney te proposent combien ? demanda Catherine.

Nora sourit.

— Tu te souviens du soir où Billy Consedine a demandé à Mark combien d'hectares il possédait ?

— Je m'en souviens très bien, dit Mark en riant. Il n'a pas eu de réponse, et j'imagine que nous n'en aurons pas davantage. Il cherchait à démontrer que les fermiers vivaient des bienfaits de la terre et que les enseignants étaient les seuls à fournir un vrai travail.

— Tu n'as vraiment pas d'argent ? demanda Catherine.

— Non, mais je vais travailler. Jim et Margaret paient la scolarité d'Aine, et Fiona sera diplômée dans deux ans. Je peux assurer ma subsistance et celle des garçons.

— As-tu pensé à Donal ? Il n'a pas dit un mot depuis qu'il est arrivé. Tante Josie s'inquiète pour son élocution.

— Oui, il bégaie depuis quelque temps. Et il en est très conscient. Mais je le laisse tranquille. Mon espoir, c'est que ça va passer.

— Je me demande s'il ne devrait pas aller voir un orthophoniste.

— Tu sais, quand il parle à sa tante Margaret, il ne bégaie pas du tout. Il bavarde avec elle sans le moindre problème. C'est ce qui me fait penser que ça passera tout seul.

— Margaret a toujours beaucoup aimé Donal. Tu te souviens du premier été, quand vous aviez acheté la maison et qu'elle descendait à Cush en voiture tous les soirs pour le voir ? Même quand il était endormi, elle restait assise à côté du berceau sans rien faire à part le regarder.

Nora sentit sa tristesse revenir à l'évocation de ce temps-là. En croisant le regard de Mark, elle vit qu'il l'observait avec compassion. Elle regretta de les avoir autorisés à l'interroger sur sa vie.

— Tu es sûre que ça va aller, chez les Gibney ? demanda Catherine. Je veux dire, est-ce que ce n'est pas un peu tôt ?

— Je n'ai pas le choix. Et cette vieille chouette de Francie Kavanagh est chef de bureau à présent.

— Francie Kavanagh ? Je me rappelle qu'on l'appelait toujours le Sacré-Cœur, je ne sais plus pourquoi.

— Et tu devrais voir Peggy Gibney ! Elle est encore plus bouffie d'orgueil que ton amie Dilly. Elle peut à peine s'adresser au commun des mortels.

— Dilly est bouffie d'orgueil ? demanda Mark.

— Oh que oui, dit Nora sans quitter Catherine du regard.

— Dilly m'a fait remarquer en partant que tu avais l'air en pleine forme. Ce doit être ta nouvelle coiffure.

— J'attendais le moment où tu aborderais le sujet.

— Il y a une femme merveilleuse à Kilkenny, dit Catherine. Nous ne jurons que par elle, toutes autant que nous sommes. J'aimerais vraiment que tu ailles la voir lors de ta prochaine visite, ne serait-ce que pour évoquer les possibilités.

— C'est cinq livres l'heure, dit Mark.

— Mais non, voyons, Mark, pas du tout. Sincèrement, tu devrais y aller.

— Sûrement, dit Nora avec un sourire. Tu as sûrement raison.

5

À leur retour le dimanche soir, la nuit tombait. La maison était froide. Elle se dépêcha de faire du feu dans le séjour et décida de laisser Donal et Conor tranquilles. Ils avaient subi suffisamment de pression pendant tout le week-end ; maintenant qu'ils étaient rentrés, ils pouvaient faire ce qu'ils voulaient. Ils dînèrent de toasts aux haricots et Conor regarda la télévision pendant que Donal errait de pièce en pièce.

Sur la route, quand elle s'était arrêtée à Kiltealy pour que les garçons puissent changer de place, elle avait vu un magasin ouvert et avait acheté le *Sunday Press*. En consultant le programme pour Conor, elle vit que le film qu'on donnait ce soir-là après les informations était *Hantise*, avec Ingrid Bergman et Charles Boyer. Quand Donal revint dans le séjour, elle lui en parla.

— C'est l'un des meilleurs films que je connaisse, dit-elle.

Avant son mariage, un cinéma provisoire avait été installé dans Abbey Square et elle y était allée avec Greta Wickham. Elle sortait déjà avec Maurice, mais il l'accompagnait rarement au cinéma et, une fois marié, il n'y était plus allé du tout. Il était trop occupé par le parti, par ses articles et par ses copies à corriger. Et il aimait rester seul le soir à la maison en sachant qu'il la retrouverait après. Ça ne l'avait jamais quitté : ce ravissement de savoir qu'ils étaient mariés, qu'ils n'allaient pas devoir se séparer et rentrer chacun chez soi à la fin de la soirée, comme avant leur mariage.

Conor leva la tête.

— C'est quoi, ce film ?

— Ça parle d'une femme dans une maison.

— C'est tout ?

— P-P-Peut-être qu'il lui arrive d-d-des choses dans cette maison.

Conor regarda Nora.

— Il y a des cambrioleurs ?

— Il faut le voir pour comprendre pourquoi c'est un bon film. Et si je te le racontais, tu saurais tout et ça ne servirait à rien de le regarder.

— On a le droit de le voir ?

— Il passe très tard, après les informations de vingt et une heures.

— Et toi ? Tu vas le regarder ?

— Oui, je crois.

— Alors on pourrait regarder le début et voir si ça nous plaît ?

— Tu auras du mal à te lever demain matin.

— C'est Donal qui n'aime pas se lever.

— J-J-J'ai horreur de ça, dit Donal.

Les informations touchaient à leur fin ; les garçons n'avaient pas bougé. Elle ne se rappelait pas avoir jamais regardé un film avec eux et se sentait presque flattée qu'ils acceptent comme vérité son opinion sur *Hantise*.

Peu après le début du film, cependant, elle constata que Conor s'ennuyait ferme, et Donal sans doute aussi. Conor finit par se tourner vers elle.

— C'est tout ? Ça parle juste de ces gens ?

À la première pause publicitaire, elle décida de leur raconter l'histoire du mieux qu'elle pouvait et de les laisser décider s'ils avaient envie de voir la suite.

— L'homme essaie de garder la maison pour lui, dit-elle. Il veut faire interner la femme dans un hôpital psychiatrique pour découvrir où sont cachés les bijoux de la tante. C'est ça qu'il fait dans le grenier. Il cherche les bijoux.

— Pourquoi est-ce qu'il ne la tue pas ? Ce serait plus simple. Il pourrait lui planter un couteau, par exemple, ou lui tirer une balle dans le cœur. Ou la ligoter.

— S'il faisait ça, il risquerait de se faire arrêter. Ce qu'il veut, c'est continuer d'habiter dans la maison sans elle. Mais il ne veut pas aller en prison.

Les garçons assimilèrent ces informations en silence pendant que le film reprenait. Quelques minutes plus tard, dans une scène où Ingrid Bergman, seule dans la maison, prenait peur en voyant vaciller la lumière, Conor se rapprocha d'elle. Il était assis à ses pieds à présent.

Il y avait un aspect de l'histoire dont elle n'avait aucun souvenir. La première fois qu'elle l'avait vu, elle l'avait regardé comme un film à suspense. Là, ce qui la frappait était d'un tout autre ordre. Ingrid Bergman avait l'air extraordinairement seule et vulnérable ; chaque fois que la caméra s'approchait d'elle, son visage trahissait moins la peur que le désarroi. Elle semblait étrangère à tout ce qui l'entourait, en proie à une profonde inquiétude, un profond trouble intérieur. Son regard était plein d'appréhension, son sourire incertain. Cette femme paraissait avoir été secrètement abîmée. Donal et Conor étaient captivés. À la deuxième pause, Donal se rapprocha lui aussi du fauteuil de Nora.

Ils regardèrent la suite avec une attention soutenue. L'homme persuadait la femme qu'elle avait égaré tel objet ou rangé tel autre au mauvais endroit. Il la manipulait, lui mentait ; la domestique en rajoutait en la traitant avec insolence ; l'atmosphère devenait de plus en plus lourde de malaise et de non-dit. Nora se demanda si elle avait jamais vu Ingrid Bergman jouer dans une comédie. Elle songea que si l'on frappait à leur porte à cet instant, aucun d'eux n'irait ouvrir.

Quand arriva la scène où la flamme du gaz vacillait une nouvelle fois, redoublant l'angoisse de l'héroïne, ils la regardèrent avec une appréhension silencieuse. Nora pensa soudain que les garçons n'avaient jamais vu que des films d'aventures ou des épisodes de *Tolka Row*, que Conor trouvait particulièrement drôles à cause de l'accent dublinois des personnages. Ils n'avaient jamais vu un film tel que celui-ci. Il venait percuter quelque chose en eux qui était ouvert et à vif, comme si eux aussi vivaient dans une maison avec une femme qui, malgré ses efforts pour n'en rien laisser paraître, était toujours agitée, anxieuse, et ne révélait pas ses véritables pensées. Plus le film avançait, plus il semblait à Nora impossible qu'Ingrid Bergman ait pu être issue d'une famille heureuse. Mais peut-être se trompait-elle du tout au tout. Peut-être était-elle simplement une grande actrice. Dans un cas comme dans l'autre, ce qu'elle suggérait était d'une nature étrange et secrète, de la même façon que devait paraître étrange et secrète, aux yeux des garçons, l'absence de Maurice, l'idée de son corps enfoui dans la terre. Peut-être aurait-elle mieux fait de ne pas leur en parler, et qu'ils ne passent pas leur soirée du dimanche devant ce film.

Quand ce fut fini, les garçons montèrent se coucher. Elle resta assise dans l'écho laissé par les images qu'elle venait de regarder dans cette maison où elle avait vécu pendant plus de vingt ans avec Maurice. Chaque pièce, chaque chambre, chaque bruit, chaque atome de ce lieu était saturé non seulement de sa perte, mais des années elles-mêmes, et des jours. Là, dans le silence, elle pouvait le sentir, en sachant de quoi il retournait ; mais pour les garçons, cela prenait la forme d'une confusion. Le film était très clair, or il avait eu pour effet de les perturber encore davantage. Elle se demanda si d'autres vieux films lui apparaîtraient à l'avenir chargés comme celui-là de sombres arrière-plans qu'elle n'y avait jamais décelés. Elle continua un moment encore d'imaginer Ingrid Bergman ainsi, innocente, vulnérable, puis elle éteignit les lumières et monta se coucher en espérant qu'elle réussirait à dormir.

Le dimanche suivant était son dernier jour de liberté avant de commencer le travail. Fiona arriva le samedi, et elle lui apprit la nouvelle. Quand elle l'annonça aux garçons, elle eut l'impression qu'ils étaient déjà au courant. Elle était pourtant certaine de ne pas en avoir parlé en leur présence. Le soir où elle l'avait dit à Jim et Margaret, ils étaient couchés depuis longtemps. Aine devait venir le dimanche après-midi. Il était convenu avec des voisins, dont la fille était elle aussi scolarisée à Bunclody, qu'ils l'amèneraient en voiture et que Nora les raccompagnerait à l'heure pour l'étude du soir.

Margaret lisait toujours scrupuleusement le journal, y compris les offres d'emploi. Dans le temps, Nora plaisantait avec Maurice en disant que si un poste d'assistant de l'assistant d'un bibliothécaire était à pourvoir dans l'ouest du comté de Mayo, Margaret en serait informée, comme de la date limite de dépôt de candidature et des références souhaitées. Quand le journal annonça que les élèves dont la famille ne dépassait pas un certain plafond de ressources pouvaient bénéficier d'une bourse universitaire, Margaret relaya aussitôt l'information. Elle était certaine qu'Aine remplissait les critères, le seul problème étant qu'elle avait abandonné le latin, or le latin était nécessaire pour entrer à l'University College de Dublin, où Maurice avait été boursier en son temps. Nora ignorait qu'Aine eût abandonné le latin ; mais, de toute évidence, elle en avait parlé à sa tante.

Le dimanche, Aine apprit à Nora que Margaret lui avait écrit et qu'elle se proposait de lui payer des cours particuliers de latin pendant les vacances. Ainsi elle pourrait le passer en option secondaire, quitte à remporter moins de points, pour mieux se concentrer sur les autres matières. Nora faillit objecter que Margaret ne l'avait pas consultée avant. De fait, Margaret ne l'avait pas consultée du tout ; comme si, d'autorité, elle avait pris sur elle tout ce qui touchait à l'éducation d'Aine. Mais après avoir hésité, elle se tut. Mieux valait ne pas s'appesantir. Elle dit à Aine qu'elle était d'accord avec Margaret, et que ces cours particuliers étaient une bonne idée.

Pendant quelques heures, cet après-midi-là, elle observa la manière dont les garçons se transformaient en présence de leurs sœurs. Conor les suivait dans tous leurs déplacements à travers la maison, et quand il se fit expulser de leur chambre, il redescendit et demanda dans combien de temps Fiona allait devoir retourner à Dublin et Aine à Bunclody. Puis il remonta là-haut, s'assit sur la dernière marche et patienta jusqu'à ce qu'elles cèdent et le laissent entrer.

Donal, qui avait acheté de la pellicule pour son appareil, les fit poser tous ensemble. Le flash ne fonctionnait qu'une fois sur deux, mais Donal ne se découragea pas pour autant. L'appareil autour du cou, il paraissait plus vif, plus motivé que d'habitude.

Après un moment, Nora s'aperçut qu'elle n'était pas indispensable. Si elle s'éclipsait discrètement pour une promenade, pensa-t-elle avec un sourire, aucun de ses enfants ne s'en apercevrait. Ce fut seulement après l'arrivée de sa sœur Una que les filles commencèrent à s'intéresser à elle.

— Tu as bien fait d'aller chez le coiffeur avant de commencer à travailler, dit Aine.

— Je voulais te dire que c'était très joli, dit Fiona. Mais ça m'a fait un tel choc…

Una les interrompit.

— Les filles ! Vous serez autorisées à parler cheveux quand vous aurez notre âge.

— Tu vas travailler à plein temps ?

Nora acquiesça.

— Et les garçons ? Ils vont faire quoi l'après-midi ?

— Je serai revenue pour dix-huit heures.

— Mais ils rentrent de l'école à quinze heures trente ou seize heures.

— Ils pourront faire leurs devoirs.

— On fera le ménage dans la maison, dit Conor.

— Pas dans notre chambre !

— Si, si ! On va fouiller partout et trouver toutes les lettres de vos petits amis.

— Maman, il n'a pas le droit d'entrer dans notre chambre.

— Conor est la discrétion personnifiée.

— Ça veut dire quoi, « la discrétion personnifiée » ? demanda Conor.

— Ça veut dire que tu es un sale petit fouineur,
répliqua Fiona.

— Sérieusement, dit Aine, est-ce qu'il ne vaudrait
pas mieux qu'ils aillent chez quelqu'un en attendant
que tu rentres du bureau ?

— J-J-Je n'irai nulle p-p-part, dit Donal.

— Donal s'occupera de Conor s'il y a un problème, dit Nora. Et je reviendrai pour le déjeuner de
toute façon.

— Qui va nous faire à manger ?

— J'aurai préparé le repas la veille au soir et Donal
mettra les pommes de terre à bouillir en arrivant.

Elle avait le sentiment d'un interrogatoire. Tous les
cinq semblaient soudain nourrir des soupçons à son
endroit, comme si sa décision d'aller travailler était
un stratagème pour échapper à ses véritables devoirs.
Aucun de ses enfants ne savait à quel point elle était
à court d'argent. Quant à Una, Nora ignorait ce que
Catherine lui avait rapporté. La voiture était toujours
là, et la maison ne paraissait pas frappée de pauvreté ;
ils n'avaient aucune idée de la précarité de leur
situation, même après la vente de la maison de Cush.
Si elle ne prenait pas un emploi très vite, il faudrait
vendre la voiture et envisager de déménager pour une
maison plus petite.

— Pourquoi ne cherches-tu pas un travail à
Dublin ? demanda Aine.

— À quel genre de travail pensais-tu ?

— Je ne sais pas. Dans un bureau.

— Je ne veux pas aller à Dublin, dit Conor. Je
déteste les gens de Dublin.

— Ah bon ? fit Una. Pourquoi ?

— Ils sont comme Mme Butler dans *Tolka Row*, ou Mme Feeney, ou Jack Nolan, ou Peggy Nolan. Ils ne font que parler, parler, parler.

— On pourrait te laisser ici, pour que tu sois sûr de ne pas manquer un épisode, dit Fiona.

— Cette femme qu'on appelait le Sacré-Cœur, intervint Una, c'est encore elle qui dirige la partie administrative ? Quel était son vrai nom, déjà ?

— Elle s'appelle Francie Kavanagh.

— Tu te souviens de Breda Dobbs ? Sa fille travaillait là-bas. Oh mon Dieu, je ne devrais peut-être pas vous raconter cette histoire. Conor, si tu la répètes à quelqu'un, je te couperai personnellement les deux oreilles. Avec mes dents.

— Conor sait garder un secret, dit Fiona.

— Je ne dirai rien, promit Conor.

— Eh bien, la fille de Breda détestait le Sacré-Cœur. Elle a travaillé là-bas pendant des années avant de se marier. Et le dernier jour, elle s'est vengée.

Una se tut.

— Qu'est-ce qu'elle a fait ? demanda Fiona.

— Je n'aurais jamais dû commencer cette histoire.

— Continue !

— Eh bien, tout le monde là-bas sait que le Sacré-Cœur ne prend jamais de pause à midi. Elle travaille toute la journée sans manger, et à seize heures elle doit être d'une humeur de dogue. En ce temps-là, elle avait l'habitude de laisser son manteau pendu dans le couloir avec les autres. La fille de Breda la détestait tellement qu'elle a passé une semaine à ramasser des crottes de chien, et puis elle en a rempli les poches du manteau du Sacré-Cœur. Ça, c'était dans la matinée. Vers seize heures, elle a demandé si elle pouvait partir quinze minutes plus tôt que d'habitude vu que c'était son dernier jour, et elle s'est vu répondre, bien sûr que non, retournez à votre bureau plus vite que ça. Le Sacré-Cœur a travaillé jusque tard ce soir-là, alors personne n'a assisté à la scène. Si ça se trouve, elle ne s'en est aperçue que dehors en mettant les mains dans ses poches.

— C'étaient de grandes poches ? demanda Conor.

— Alors maintenant elle accroche son manteau dans son bureau. Mais le détail amusant, c'est qu'elle est revenue au travail le lendemain avec le même manteau, comme si de rien n'était. C'est un vieux manteau marron, si ça se trouve elle l'a toujours.

— Berk, fit Fiona.

— Ça a dû porter malchance à cette fille de faire une chose pareille, dit Nora.

— Oh, elle a épousé un Gething d'Oulart, un type très gentil. Il a monté sa propre affaire. Ils ont un pavillon neuf. Il m'arrive de jouer au golf avec elle, c'est une fille adorable. Elle en avait assez, c'est tout.

— Ç'aurait été pire avec de la bouse de vache, dit Conor.

Plus tard, sur la route vers Bunclody, Aine demanda à Nora si elle savait qu'Una avait un petit ami au club de golf. L'amie d'Aine, assise à l'arrière, dit que sa mère aussi était membre du club et qu'elle avait entendu la même chose.

— Ah bon ? fit Nora.

— Oui, c'est pour ça qu'elle est de si bonne humeur en ce moment. On l'a interrogée quand elle est montée dans notre chambre, mais elle a rougi en disant que les gens du club de golf parlaient beaucoup trop.

Nora fit le calcul. Elle-même avait quarante-six ans, autrement dit Una en avait quarante, ou les aurait bientôt. Catherine et elle pensaient depuis longtemps qu'Una ne se marierait jamais, qu'elle continuerait de travailler dans les bureaux de la malterie Roche et d'habiter la maison où elle avait vécu avec leur mère jusqu'à la mort de celle-ci.

— Alors tu ne sais pas qui est l'heureux élu ?

— Non. Avec Fiona on lui a expliqué que si elle s'entêtait à ne pas nous le dire, on répandrait partout la rumeur que c'est Larry Kearny. Elle était furieuse, mais elle n'a quand même rien lâché.

Larry Kearny était un ivrogne de la ville qu'on voyait souvent assis sur le trottoir devant les pubs d'où il venait d'être éjecté. Bien des années auparavant, Catherine et Una étaient parties jouer au golf dans le comté de Cavan avec Rose Lacey et Lily Devereux. Un soir à l'hôtel elles s'étaient retrouvées à la même table qu'un couple de Dublinois qui n'avaient cessé de vanter leur club de golf habituel en expliquant combien il était chic et distingué. À un moment, Lily Devereux avait pris son ton le plus grande dame pour dire au monsieur qu'il ressemblait beaucoup à quelqu'un d'Enniscorthy, un des meilleurs joueurs de golf du comté de Wexford, son nom était Larry Kearney et étaient-ils par hasard apparentés ? Catherine et Una avaient dû quitter la salle précipitamment, tant elles riaient.

— Qu'est-ce qui te fait rire ? demanda Aine.

— Larry Kearney est-il membre du club de golf maintenant ?

— Non, bien sûr que non.

Plus tard, Donal et Conor l'accompagnèrent en voiture jusqu'à la gare où Fiona devait reprendre le train pour Dublin. Pendant qu'ils filaient se percher sur le pont métallique, Nora remarqua la tristesse de Fiona.

— Tout va bien ? demanda-t-elle.

— Je ne veux pas y retourner.

— Qu'est-ce qui ne va pas ?

— Tout. Les bonnes sœurs, le dortoir, l'institut, tout.

— Mais tu as des amies ?

— Oui, et on est toutes d'accord. On déteste cet endroit.

— Tu iras à Londres cet été, et après il ne te restera plus qu'une année à faire et tu pourras rentrer à la maison.

— Ah bon ? Tu veux que je rentre ?

— Où voudrais-tu aller ?

— Je pourrais rester à Dublin et continuer mes études en cours du soir.

— Fiona, c'est très difficile pour moi ici. Je ne sais pas si j'aurai assez d'argent.

— Tu n'as pas la pension ? Et l'argent de la maison de Cush ? Et tu ne devais pas commencer à travailler ?

— Ils me paient douze livres la semaine.

— C'est tout ?

— Le fils Gibney ne m'a pas vraiment laissé le choix. En clair, c'était à prendre ou à laisser. Le père et la mère étaient tout mielleux, mais c'est le fils qui gère les finances. C'est comme ça dans les affaires – pour ce que j'en connais, c'est-à-dire rien.

— J'imagine que je pourrai trouver du travail par ici, dit Fiona à voix basse.

— On a le temps de voir.

Fiona hocha la tête. Au même moment, Conor leur cria que le train arrivait.

— Je suis désolée pour la maison de Cush, dit Nora.

— Oh, je n'y pense plus. J'étais triste sur le moment, quand j'ai appris la nouvelle, mais maintenant ça va.

Elle ramassa sa petite valise.

Sur le chemin du retour, dans la voiture, Donal dit qu'il avait regardé le *Sunday Press* et qu'il y avait un autre film à la télé ce soir-là.

— Quel en est le titre ?

Comme il ne répondait pas, elle comprit qu'il redoutait de le prononcer.

— Inspire un bon coup et dis-le lentement.

— *Les horizons p-p-perdus.*

— Ça ne me dit rien, mais on peut toujours regarder le début.

— Celui de l'autre fois faisait salement peur, dit Conor.

— Il t'a quand même plu, non ?

— J'en ai parlé à l'école et M. Dunne a dit que je n'aurais pas dû veiller aussi tard.

— Que lui as-tu dit à propos du film ?

— On doit tous raconter une histoire. Vendredi, c'était mon tour.

— C'était en c-c-cours d'anglais ou de g-g-gaélique ?

— Anglais, imbécile.

— Ne traite pas ton frère d'imbécile.

— Ah oui ? Et à ton avis, ça se dit comment, *Hantise*, en gaélique ?

En lisant le résumé de l'histoire dans le journal, le film lui revint aussitôt en mémoire. Elle se souvenait de ce nom, *Shangri-la*, et elle était quasi sûre que Maurice et elle avaient plaisanté un jour en passant devant une maison à Dublin qui portait ce nom-là ; ils s'étaient demandé si les propriétaires avaient osé s'aventurer hors de chez eux pour découvrir leur âge réel. Comparé à *Hantise*, ce film était une féerie sans conséquence et quand les garçons demandèrent s'ils pouvaient le regarder, elle accepta en disant qu'ils pourraient toujours aller se coucher s'ils s'ennuyaient trop.

Mais à peine le film eut-il démarré qu'il se révéla très différent du souvenir qu'elle en avait. L'ambiance était inquiétante et décalée. D'abord ce n'était que la musique, puis survenait l'accident d'avion, effrayant à force de réalisme. À la première pause publicitaire, les garçons lui demandèrent de leur raconter la suite de l'histoire.

— *Shangri-la*, c'est un peu comme *Tír na nóg*, dit-elle. Les gens ne vieillissent pas. Enfin, ils peuvent être vieux, ils peuvent même avoir cent ou deux cents ans, mais ils ont l'air d'être toujours jeunes.

— Aussi vieux que Mme Franklin ? demanda Conor.

— Oui, et bien plus encore. Mme Franklin aurait l'air d'une jeune fille à *Shangri-la*. Mais ce n'est qu'un film, bien sûr.

Ils continuèrent de le regarder. Peu à peu, elle comprit que ce film les ramenait à la réalité de leur situation plus efficacement que toutes les paroles échangées ce jour-là. Elle ignorait si c'était bien ou mal de rester ainsi avec eux dans ce silence uniquement occupé par la musique dramatique et les voix douces émanant du poste de télévision. Elle ne se souvenait pas du nom de l'acteur qui jouait le rôle principal. Elle ne pensait pas l'avoir vu dans d'autres films. C'était un héros générique, solide, romantique, fiable, ouvert et plein de curiosité.

Dans la scène où le lama commençait à faiblir et où l'on comprenait qu'il allait bientôt mourir, Conor se rapprocha d'elle. Elle lui donna un coussin pour qu'il soit mieux. Donal gardait ses distances. Elle avait l'impression que ce film le captivait encore plus que celui de la semaine précédente. À la seconde pause, il garda le regard rivé sur les publicités sans même tourner la tête quand Conor se mit à poser des questions, auxquelles elle répondit de son mieux.

Elle savait ce qui allait arriver à présent dans le film – elle ne s'en était pas souvenue avant ce moment. Les trois personnages s'en allaient, ils traversaient les montagnes dans l'espoir d'être sauvés et ramenés en Angleterre. Mais à peine quitté l'espace sacré de Shangri-la, le visage de la femme commençait à se flétrir. Et puis sa mort, et le frère du héros qui se jetait dans le vide, d'horreur, et puis le sauvetage et le retour en Angleterre.

Pendant la dernière partie du film, Donal commença à s'agiter. Le héros voulait retourner là-bas, il voulait quitter tout ce qui lui était familier et marcher, marcher jusqu'à retrouver l'endroit hors du monde où personne ne le trouverait, où il n'aurait plus la nostalgie de chez lui, où il vivrait à jamais dans un paradis où il ne vieillirait pas. Le message était si évident que Nora n'eut pas besoin de se demander à quoi pensaient les garçons. *C'était ce qu'avait fait leur père.* Elle pensait la même chose, et cette pensée s'inscrivait de la même façon chez chacun d'eux trois, si bien qu'il ne fut pas nécessaire de l'évoquer après la fin du film. Ils éteignirent le poste et elle entreprit de préparer le déjeuner du lendemain pendant que les garçons montaient se coucher.

Le lendemain matin, en traversant la ville à pied pour sa première journée de travail, elle se sentit observée avec attention. Elle s'était levée de bonne heure et avait passé du temps à choisir sa tenue. Il fallait être ni trop élégante, ni trop modeste, ni trop passe-partout. Il ne faisait pas assez froid pour prendre un manteau de laine. Elle avait trouvé un imperméable rouge qu'elle avait acheté juste avant que Maurice ne tombe malade et qu'elle n'avait jamais porté. Il était voyant et peut-être mieux adapté à une femme plus jeune, mais c'était le seul à être assez léger par un matin comme celui-là.

Le temps d'arriver à Court Street, elle comprit que ce choix était une erreur. Ceux qu'elle croisait se rendaient tous au travail, les femmes au St. John's Hospital et les hommes à la malterie Roche, et tous les regards convergeaient vers elle, vers ses cheveux teints et son imperméable rouge. Elle espérait ne pas tomber sur une connaissance qui voudrait s'arrêter et lui poser des questions. Pour éviter les rencontres, elle choisit de descendre par Friary Hill. Elle longea Friary Place, traversa Slaney Place et fut soulagée en atteignant le pont. Elle était presque arrivée. On lui avait dit de demander Mlle Kavanagh à la réception. Pas la peine de feindre des retrouvailles chaleureuses : Francie Kavanagh et elle ne s'étaient jamais appréciées, ça n'allait pas changer maintenant. Son seul espoir était que les circonstances – le fait que ce travail lui eût été proposé par William Gibney en personne, en présence de sa femme Peggy, et que les fils Gibney aient eu Maurice pour professeur – obligent Francie Kavanagh à bien se tenir.

La réceptionniste lui demanda son nom et leva les sourcils quand Nora lui répondit d'une voix cassante. Ce ton ne lui servirait à rien, comprit-elle. Mieux valait y renoncer tout de suite. Elle en adopta un autre, qui se voulait à la fois plein de discrétion, compétent et assuré. Elle n'avait aucune idée de ce qu'on attendait d'elle. Thomas Gibney lui avait dit que Mlle Kavanagh en déciderait mais que ce seraient des tâches nouvelles, qui nécessiteraient un temps d'apprentissage. Elle attendit. D'autres employés passèrent dans le couloir. La plupart étaient des femmes, et beaucoup étaient plus jeunes qu'elle. Certaines avaient l'air d'écolières.

Pour finir, la réceptionniste appela Mlle Kavanagh pour la prévenir de la présence de Nora. Mlle Kavanagh apparut soudain derrière la vitre qui séparait le bureau de la réceptionniste du couloir.

— Je ne sais pas quoi faire avec ça ! Vous avez vraiment choisi le pire jour de l'année. Qui vous a dit de venir aujourd'hui ?

— M. Thomas Gibney. Il m'a dit que je commençais ce matin.

— Oh, M. Thomas Gibney ! Attendez que je le trouve, celui-là !

Mlle Kavanagh se mit à ouvrir et à fermer les tiroirs d'un meuble de rangement. Après un moment elle disparut et ne revint pas. Nora tenta d'attirer l'attention de la réceptionniste, qui ne leva pas la tête. Peut-être fallait-il élever la voix et exiger que quelqu'un s'occupe d'elle. Mais elle n'en était pas sûre.

Pendant qu'elle attendait, la porte s'ouvrit et une jeune femme apparut. Elle était très différente par son allure de toutes celles que Nora avait vu passer jusque-là. Elle avait une belle coupe de cheveux, des vêtements élégants. Même ses lunettes étaient originales.

— Madame Webster ?

— Ah ! dit Nora. Je sais qui vous êtes. Vous ne ressemblez pas aux autres employées, vous devez être Elizabeth.

— Dieu du ciel, j'espère bien que je ne leur ressemble pas !

— Vous êtes une Gibney, ça se voit.

— Je donnerais tout au monde pour ne pas avoir l'air d'une Gibney, mais bon, personne n'a voulu de moi, alors me voilà de retour à Enniscorthy, à travailler pour papa en habitant à la maison. Les deux choses que j'avais juré ne jamais faire.

— J'ai connu votre grand-mère paternelle, dit Nora. Vous êtes son portrait craché.

— Je me souviens bien d'elle. Un jour elle s'est mise au lit et elle ne s'est jamais relevée. Si ça se trouve, elle y est encore.

Nora hésita à demander à Elizabeth si elle pouvait l'aider à localiser Mlle Kavanagh.

— Vous attendez quelqu'un ? demanda Elizabeth.

— Oui, Mlle Kavanagh.

— Et alors ? Elle ne devrait pas être loin pourtant. Toujours à s'activer dans le secteur…

— Je l'ai vue un court instant, ensuite elle a disparu.

— Oui, c'est l'heure où elle a l'habitude de venir hurler un moment dans le service comptabilité. Le mieux est que vous veniez avec moi et qu'on essaie de ne pas se faire repérer.

Nora suivit Elizabeth dans une vaste salle pleine de bruit et d'activité, puis dans une pièce plus petite dont la fenêtre donnait sur les montagnes au loin et, au premier plan, sur la cour où stationnaient camions et voitures en grand nombre. Il y avait deux tables de travail et des armoires à documents.

— Tout ce que j'ai réussi depuis mon retour, dit Elizabeth, c'est d'obtenir de faire transférer Elsa Doyle, sa robe chasuble et son strabisme dans le bureau d'à côté. Elle avait commencé à écouter mes conversations téléphoniques et à vouloir les commenter avec moi.

— Elsa Doyle ? La fille de Davy Doyle ?

— C'est bien cela. Aussi indiscrète que son père, mais moins rusée que lui. J'ai expliqué à mes frères que si elle ne quittait pas ce bureau, je retournais à Dublin gagner ma vie dans la rue. Il faut dire que c'était son bureau à elle jusqu'à mon arrivée. Voulez-vous prendre sa place ?

— Laquelle est-ce ?

Elizabeth indiqua le poste de travail côté porte.

— Pourquoi ne pas le prendre avant que quelqu'un ne vous en empêche ? Je dirai que mon père en a décidé ainsi, et personne ne me contredira.

Nora s'assit pendant qu'Elizabeth quittait le bureau. Elle revint quelques minutes plus tard avec du thé, des biscuits et des tasses sur un plateau.

— Ce sont mes propres biscuits, annonça-t-elle. Je les garde dans une cachette spéciale. Et attention ! Francie vous cherche partout. Elle est sur le sentier de la guerre, elle m'a demandé si je vous avais vue. Je n'ai ni confirmé ni démenti.

— Je devrais peut-être aller la trouver.

— Buvez votre thé d'abord.

Peu de temps après, une employée vint lui dire que Mlle Kavanagh l'attendait et qu'elle-même avait reçu l'ordre de l'accompagner séance tenante dans son bureau. Celui-ci était situé à l'autre bout de la salle commune. Une vitre aménagée dans la cloison permettait de voir tout ce qui se passait dans la salle.

À son entrée, Mlle Kavanagh leva les yeux un instant avant de recommencer à feuilleter une liasse de documents.

— M. William Senior ou M. Thomas vous ont-ils expliqué ce qu'on attendait de vous ? demanda-t-elle, le nez dans ses papiers.

— Non.

— Eh bien, à moi non plus, et ils sont tous deux partis à Dublin, alors nous allons devoir résoudre ce problème par nous-mêmes.

Norà ne broncha pas.

— Cette Elizabeth Gibney est la fille la plus paresseuse d'Irlande. La plus paresseuse, et la plus désagréable. Fille de patron ou pas, je traite tout le monde sur le même pied. Et elle a chassé Elsa Doyle de son bureau. Pauvre Elsa, qui est si serviable.

Soudain elle leva la tête.

— Bon, voici ce que je fais toujours quand quelqu'un commence chez nous.

Elle sortit un classeur.

— C'est une longue addition, dit-elle en tendant à Nora une feuille de papier grisâtre où s'alignaient des sommes à six chiffres sur toute la hauteur du recto et la moitié du verso.

— À vous, dit-elle en lui remettant un stylo-bille. Si vous pouviez me calculer ça comme une brave femme.

Nora se mit au travail, sans faire attention à Mlle Kavanagh qui continuait de la dévisager fixement. Dans le temps cela avait été l'un de ses points forts. M. Gibney, qui ne savait pas compter sans commettre d'erreur, lui demandait toujours de faire les additions pour lui. Quand elle eut fini de compter les chiffres de la première colonne, elle nota le résultat en bas.

— N'écrivez pas sur cette feuille, malheureuse ! Je veux pouvoir la réutiliser. Prenez celle-ci !

Mlle Kavanagh lui tendit un bout de papier. Nora, qui avait perdu sa concentration, décida de recommencer pour être certaine de ne pas faire d'erreur. Elle avait fini les deux premières colonnes et la moitié de la troisième quand Mlle Kavanagh l'interrompit de nouveau.

— M. William Senior ou M. Thomas vous ont-ils dit que vous alliez partager le bureau de cette Elizabeth ?

Nora leva la tête vers elle et soutint son regard.

— Alors ? demanda Mlle Kavanagh.

Nora baissa les yeux et reprit la troisième colonne depuis le début, en essayant d'ignorer la présence de Mlle Kavanagh et de se concentrer entièrement sur son addition. C'était une lutte entre leurs deux volontés à présent. Si Mlle Kavanagh lui adressait encore la parole, elle était prête à lui demander aussi poliment que possible de ne pas l'interrompre. Mais, à cette pensée, elle perdit le compte et ne fut plus certaine de ce qu'elle avait reporté de la troisième colonne à la quatrième. Cette infime hésitation lui fit de nouveau perdre pied.

— Dépêchez-vous, dit Mlle Kavanagh, je n'ai pas toute la journée.

Nora décida de reprendre du début. Elle additionna les chiffres de la première colonne le plus vite qu'elle put, mais le résultat n'était pas celui qu'elle avait noté la première fois. Elle dut recommencer, très lentement cette fois. Si la vision de cette scène lui était apparue un an plus tôt, c'eût été dans un mauvais rêve. L'idée d'additionner des nombres sous la surveillance de Francie Kavanagh était totalement incongrue alors. Cela n'appartenait à aucun avenir envisageable. Une fois de plus, ces pensées mirent à mal sa concentration et elle dut s'arrêter. Elle tourna la tête vers la vitre derrière laquelle les autres employées étaient au travail.

— Il n'y a personne là-bas qui présente le moindre intérêt pour vous, dit Mlle Kavanagh. Alors baissez la tête et regardez vos chiffres.

Elle ne pouvait rien faire d'autre qu'obéir. Elle se demanda l'espace d'un instant si les années passées loin du bureau, les années passées à cuisiner, à s'occuper du ménage et des enfants, puis de Maurice quand il était tombé malade, avaient affecté sa capacité à fixer son esprit sur un seul objet. Dans ce cas, il allait falloir se ressaisir, calculer cette somme sans se laisser distraire. Ce n'était pas insurmontable. Quelle que soit la pensée qui lui vienne, il faudrait la chasser. Les chiffres, rien d'autre. Elle se remit à l'œuvre, refit le calcul avec efficacité et assurance, reporta la somme de chaque colonne sur la suivante et présenta le résultat final à Francie Kavanagh en silence, avec juste un soupçon d'arrogance et de mépris.

Mlle Kavanagh contempla un instant le résultat. Puis elle ouvrit le premier tiroir de son bureau et en tira une machine à calculer. Elle se leva, ouvrit la porte et cria à la cantonade.

— Quelqu'un, s'il vous plaît, vite. Vous ! Mademoiselle Lambert. Venez là tout de suite !

Une fille entra sans lever les yeux vers Mlle Kavanagh ni vers Nora.

— Je veux que vous vérifiiez cette addition. Ah, et ne laissez pas Mme Webster voir le résultat avant moi. Vous me l'apporterez directement. Je serai à la comptabilité. Dépêchez-vous ! Mme Webster a déjà pris toute la matinée pour y arriver.

La fille prit la feuille de papier que lui tendait Mlle Kavanagh et sortit.

La pause-déjeuner arriva enfin. Entre-temps, Nora avait passé la matinée soit à attendre Mlle Kavanagh, soit à se faire rabrouer par elle. Quand elle se retrouva dehors, sur le pont, elle se crut de retour vingt-cinq ans auparavant, avec le même sentiment de libération intense. En quittant le bureau à la pause-déjeuner ou à la fin de la journée, elle avait toujours feint que c'était son dernier jour et qu'elle n'y remettrait jamais les pieds. Là, en traversant Castle Hill avant de remonter vers chez elle, il n'était guère difficile d'éprouver la même sensation. C'était quasi vital. Elle l'éprouverait de nouveau en quittant le bureau à dix-sept heures trente.

6

Après d'intenses négociations, il fut décidé qu'elle travaillerait le matin dans le bureau d'Elizabeth, où elle traiterait les commandes et les factures, et l'après-midi dans la salle avec les autres employées afin de s'occuper des salaires, primes et frais professionnels de tous les commerciaux de l'entreprise. Mlle Kavanagh lui expliqua que c'était la tâche la plus délicate, dans la mesure où chaque représentant était payé selon un barème propre, mais qu'en cherchant un peu dans les archives elle trouverait toutes les informations nécessaires. Tout cela avait en effet été négocié individuellement autrefois avec les représentants les plus anciens. Et depuis quelques années, les nouveaux étaient pris en charge par M. Thomas. Aucun des représentants ne savait combien étaient payés les autres, précisa Mlle Kavanagh, et il était inutile de les en informer, mais tous étaient pleins de soupçon et de ressentiment.

— Si c'était moi, dit-elle, ils travailleraient à la prime, sans salaire, et là, on verrait vite les résultats. Et leur comportement s'en améliorerait d'autant, croyez-moi. Et si l'un d'entre eux vient vous voir sous prétexte que c'est vous qui vous occupez d'eux maintenant, ne levez même pas la tête. Dites une courte prière et envoyez-les-moi. Et s'ils vous tendent une embuscade en mon absence, dites-leur que vous avez ordre de Mlle Kavanagh de ne leur parler sous aucun prétexte.

Nora était distraite car elle venait de repérer un manteau marron pendu à un crochet et se demandait si c'était celui dont avait parlé Una.

— Madame Webster, dois-je supposer que vous m'avez comprise ?

— Je vous ai parfaitement comprise, répondit Nora avec froideur.

Sur la douzaine de représentants que comptait l'entreprise, certains disposaient d'un véhicule, d'autres non. Certains avaient une indemnité kilométrique plus importante que d'autres, et certains bénéficiaient aussi d'un accord stipulant que s'ils réalisaient tel chiffre d'affaires telle année, leur indemnité kilométrique, ou leur prime, ou les deux dans certains cas seraient revalorisées l'année suivante. Dans une armoire de classement, elle découvrit un tiroir entier de notes de frais dont certaines étaient assorties de précisions détaillées concernant les taux d'indemnisation. Un autre tiroir contenait des courriers de réclamation émanant des représentants, qui lui donnèrent une idée précise des spécificités négociées avec les uns et les autres.

Quand elle évoqua ces complexités devant Elizabeth, celle-ci éclata de rire.

— Mon père, William le Vieux, dit que c'est la seule manière d'entretenir une saine émulation.

Peu à peu, Nora s'aperçut qu'en dépit de sa morgue Mlle Kavanagh ne comprenait rien au système. Une fille nommée Marian Brickley avait tout géré pendant des années avant de se marier et de quitter l'entreprise. Depuis, c'était le chaos. L'action de Mlle Kavanagh se limitait à menacer quiconque venait se plaindre de l'expulser de son bureau. Plusieurs filles avaient successivement été chargées de résoudre le problème, et la confusion avait empiré jusqu'au moment où une poignée de représentants étaient allés voir William Gibney Senior, qui avait délégué l'affaire à son fils Thomas. Celui-ci avait alors décidé que Nora était la personne toute désignée pour s'occuper des représentants, de leurs primes et salaires, ainsi que de Mlle Kavanagh, qui souffrait d'une grande antipathie personnelle à leur égard et semblait considérer qu'une journée passée sans qu'elle en ait agressé bruyamment au moins un était une journée gâchée.

Nora commença par prendre une pile de chemises cartonnées qu'elle avait repérées dans l'armoire à fournitures au fond de la grande salle. Sans consulter quiconque, elle les rapporta dans son bureau, écrivit sur chacune le nom d'un représentant et entreprit de compiler les notes concernant l'accord que chacun avait conclu avec la famille Gibney. Quand il lui arrivait d'en croiser un dans un couloir, elle l'interrogeait en détail sur l'accord qui le concernait et lui demandait ensuite de préciser sur une feuille volante combien il pensait devoir être payé et à quel titre. La plupart devaient attendre longtemps avant de toucher primes ou indemnités. Nora étant nouvelle, ils restaient dans l'expectative, inquiets ou déterminés selon les cas, n'hésitant pas à la guetter le matin, ou le soir quand elle partait.

L'un d'eux lui expliqua que la procédure habituelle était de noter sur une feuille unique le montant qu'étaient censés toucher les uns et les autres, rien que le montant, avec la mention « Paiement urgent », et puis de passer cette feuille à Mlle Kavanagh. Elle avait découvert des copies de tels documents dans les archives, alors elle ne doutait pas de la véracité de ses dires. Mais un autre lui apprit que les paiements s'effectuaient une fois par mois seulement, à une date qui n'avait jamais été clairement fixée, et que la personne qui décidait de cette date était Mlle Kavanagh.

Si un représentant cherchait à rencontrer Mlle Kavanagh, celle-ci ouvrait la porte de son bureau et s'adressait toujours à lui par ces mots : « Comme vous pouvez le voir, Mme Webster et moi-même sommes débordées. » Puis elle battait en retraite en criant : « Revenez un autre jour, comme un brave homme ! » avant de lui claquer la porte au nez.

Nora mit au point un code à son propre usage pour identifier les représentants. TC signifiait Très Chauve, SO Sac d'Os, GS Grand Sourire, J Jockey, DP Dents Pourries, PL Pellicules. Chacun d'eux eut bientôt son surnom, qu'elle ne révéla à personne sauf à Donal et à Conor, qui les mémorisèrent immédiatement. Elle dut leur faire jurer de garder le silence.

Mlle Kavanagh se querellait avec tout le monde, sauf avec William Gibney Senior et ses deux fils. Dès que ceux-ci se montraient, elle n'était que sourires et courbettes, mais dès qu'ils avaient le dos tourné elle convoquait dans son bureau l'une des dactylos ou des aides-comptables les moins rémunérées et lui hurlait dessus, ou alors elle allait dans la grande salle, s'approchait d'une fille par-derrière et criait : « Que faites-vous ? Que faites-vous en cet instant qui justifie votre présence entre ces murs ? »

Mlle Kavanagh et Elizabeth Gibney s'ignoraient mutuellement.

— Ce qui la rend peu banale, dit Elizabeth à Nora, c'est qu'elle est pire que ce dont elle a l'air. Celle qui était là avant vous… J'imagine qu'on vous a dit qu'elle était partie pour se marier ?

Nora acquiesça.

— Elle l'avait tellement poussée à bout qu'un jour la pauvre femme a ouvert une armoire et s'est mise à jeter les dossiers en l'air en hurlant des choses sur le compte de Miss Francie qui n'étaient pas jolies à entendre. Après elle a enchaîné sur mon père, mes frères et moi, ce n'était pas édifiant non plus, puis elle est partie dans la rue en criant. Il a fallu convoquer sa famille pour la ramener chez elle, ils habitent à Ballindaggin, et Thomas et moi avons dû rester le soir pour remettre de l'ordre dans les dossiers avant que mon père ne découvre le pot aux roses. Il ne tolère pas qu'on critique Miss Francie. Il ne sait pas que je me suis arrangée pour n'avoir aucun contact avec elle. J'ai tout négocié avec Thomas et William le Petit. En fait je les ai menacés. J'ai dit que s'ils ne me donnaient pas un bureau pour moi toute seule et s'ils n'expliquaient pas clairement à la vieille carne que j'étais intouchable, je me vengerais d'une manière dont ils n'avaient pas idée.

Nora appréciait les matinées avec Elizabeth, même après avoir constaté que celle-ci consacrait une grande partie de sa journée de travail à organiser le week-end à venir ou à commenter au téléphone le week-end précédent. Nora n'avait aucun mal à travailler pendant ce temps-là. Elizabeth ne lui parlait que lorsque aucun de ses interlocuteurs téléphoniques habituels n'était disponible. Elle avait deux téléphones, l'un à usage interne et l'autre équipé d'une ligne directe permettant de communiquer avec l'extérieur. Souvent, un seul et même événement de sa vie privée était passé en revue avec plusieurs interlocuteurs successifs. Nora apprit qu'il existait à Dublin un dénommé Roger, qui était stable, fiable, solidement établi, et qui souhaitait voir Elizabeth tous les week-ends.

Certaines semaines, l'énergie de celle-ci était monopolisée par l'urgence de ne pas prendre les appels de Roger. Quand elle pensait que ce pouvait être lui, elle laissait le téléphone sonner dans le vide, puis elle appelait l'une de ses amies et lui demandait conseil sur la meilleure façon d'éviter Roger à Dublin ce samedi-là, tout en s'assurant un peu plus tard auprès de l'intéressé qu'il serait disponible pour l'accompagner à tel dîner ou à telle soirée si jamais elle décidait de monter à Dublin malgré tout.

— Je l'aime bien, confiait-elle à Nora. Je ne sais pas à quoi il me fait penser. Peut-être à une belle voiture à laquelle on est habituée et qui ne tombe jamais en panne. Ou à un manteau d'hiver qu'on ne met jamais mais qu'on est contente d'avoir dans sa garde-robe. Et il est fou de moi, bien sûr, ça aide. Pourtant j'aimerais tellement une histoire ébouriffante ! Je veux dire, quelqu'un d'un peu imprévisible. Un rugbyman international. Mike Gibson, mettons, ou Willie John McBride… Roger m'a emmenée à un dîner d'après match, les joueurs étaient tous là. De toute la soirée, je n'ai pas écouté un mot de ce que me racontait Roger. S'il m'avait expliqué que Dieu était une femme et qu'elle vivait avec son mari à Bellefield, je n'aurais pas réagi. J'aimerais tellement que William ou Thomas jouent au rugby pour qu'ils puissent me présenter convenablement aux membres de l'équipe. J'adorerais aller les voir jouer à Landsowne Road et les retrouver plus tard à la réception au Jury ou au Gresham, quand ils sont tous douchés et habillés, et qu'en me voyant ils sauraient qui je suis.

Elizabeth Gibney quittait le bureau chaque vendredi à seize heures et partait pour Dublin au volant de sa voiture. Là-bas, elle partageait une chambre avec quelqu'un dans un appartement de Herbert Street, sortait avec ses amis le vendredi et le samedi soir et rentrait à Enniscorthy le dimanche en fin de journée. L'après-midi du samedi, elle faisait du shopping dans Grafton Street. Certains week-ends, elle voyait Roger ; d'autres fois, elle oubliait de lui dire qu'elle allait à Dublin, et le lundi matin elle racontait à Nora comment elle avait réussi d'extrême justesse à ne pas tomber nez à nez avec lui lors de telle sauterie dans un club de tennis. Elle passait la semaine à se remettre de son week-end tout en se lamentant de ne pouvoir sortir le soir à Enniscorthy puisque tout le monde l'identifiait d'emblée comme étant une Gibney. Voilà pourquoi, si jamais il lui arrivait de sortir en semaine malgré tout, ce n'était jamais en ville mais toujours à Rosslare ou à Wexford, généralement en compagnie de ses frères et de leurs amis. À l'entendre, ces sorties-là étaient des corvées. Sa vraie vie, pendant la semaine, était au téléphone avec ses amis de Dublin. Nora s'amusait de voir qu'elle ne connaissait le nom d'aucune des employées qui travaillaient pourtant à quelques mètres d'elle. Le seul nom qu'elle connaissait était celui d'Elsa Doyle, la fille qu'elle avait chassée de son bureau. Si l'une des employées venait la voir quand elle était au téléphone, elle priait son interlocuteur de patienter un instant et braquait sur l'intruse un regard glacial jusqu'à ce que celle-ci quitte les lieux, après quoi elle reprenait le fil de son récit.

Un lundi, Elizabeth tarda plus que d'habitude à faire son apparition. Nora découvrit alors que, lorsqu'elle n'était pas distraite par la fille du patron, elle pouvait expédier son travail du matin en moins de deux heures. Maintenant qu'elle avait débrouillé l'écheveau des primes des représentants, elle pouvait même accomplir ses tâches de l'après-midi avant la pause-déjeuner, à condition que Mlle Kavanagh ne la dérange pas. Elle s'aperçut qu'elle aimait travailler ainsi, dans la paix et la solitude du bureau désert.

Quand Elizabeth surgit enfin, vers onze heures, elle était très excitée.

— Personne n'a appelé ?

— Non, dit Nora.

— Aucun des deux téléphones ?

— Personne.

Elizabeth vérifia les deux appareils.

— Vous en êtes sûre ?

— Certaine.

— C'est quoi, officier municipal ? demanda Elizabeth. Quand j'ai posé la question à ma mère, elle a dit que c'était la personne qui gère une ville. Est-ce que c'est vrai ?

— Oui. C'est un bon poste. On peut devenir administrateur de comté par la suite, cela arrive souvent.

— J'en ai rencontré un hier soir.

— De quelle ville ?

— C'est le problème. Je ne m'en souviens pas. Il s'appelait, s'appelle plutôt, Ray, c'est tout ce que je sais. Et quelqu'un m'a présentée comme étant sa fiancée. Alors il en a peut-être une, et elle était à la maison en train de regarder la télé, ou alors je ressemble à la fiancée de quelqu'un.

— Il était agréable ?

— À quatre heures du matin, il m'a demandé si je voulais l'épouser, ou pas loin. Ça, c'était agréable.

— Et qu'avez-vous répondu ?

Elizabeth contrôla une nouvelle fois le fonctionnement des lignes téléphoniques.

— Je l'ai rencontré en même temps que votre sœur et son fiancé au club de golf de Rosslare. Il y avait une réception, j'y suis allée, Thomas est resté avec moi un moment. Au départ j'y étais allée avec lui et sa petite amie, mais après j'ai commencé à parler à votre sœur, qui est très bien, et quand Thomas le Sec et sa copine Eau de Vaisselle ont décidé de rentrer, votre sœur a demandé à son fiancé s'il ne pourrait pas me raccompagner plus tard car on avait le projet d'aller boire un verre ou deux à l'hôtel Talbot. Enfin bien sûr, ce n'est pas lui qui m'a raccompagnée en fin de compte, mais mon officier municipal. Peut-être de Wexford, qui sait ?

— Si c'est le cas, c'est un très bon poste. Et c'est facile à vérifier.

— S'il ne me rappelle pas, vous pourrez téléphoner à votre sœur pour demander plus de détails ?

Nora hésita. Elle voyait régulièrement Una, mais n'avait pas été informée de l'existence d'un petit ami, encore moins d'un fiancé. Si elle l'appelait à présent pour le compte d'Elizabeth, cela pourrait laisser entendre qu'elle l'espionnait.

— Je suis sûre qu'il vous rappellera. Les officiers municipaux sont sans doute très occupés le lundi matin.

— Ou alors il est au téléphone avec sa vraie fiancée.

— Vous avez trouvé Una en forme, alors ?

— Oh oui, ils font vraiment un beau couple tous les deux. Quelqu'un l'a dit hier à Rosslare, et c'est vrai.

7

L'été venu, Fiona partit pour Londres où elle avait trouvé du travail dans un hôtel d'Earl's Court. La vie était belle, écrivait-elle. Les boutiques de mode étaient les meilleures du monde, les marchés du samedi extraordinaires, et Londres surpassait toutes ses attentes. Aine, elle, séjournait dans le Gaeltacht du Kerry, où elle avait rencontré un homme qui se souvenait de son père et de son oncle Jim du temps où ils apprenaient le gaélique tous ensemble, quarante ans auparavant. Il y avait même une femme qui avait été amoureuse de Jim à l'époque ; mais Jim était trop lent, alors elle en avait épousé un autre.

Les garçons allaient au club de tennis presque tous les jours. Conor était toujours là quand Nora rentrait du travail ; il la guettait depuis la fenêtre, elle pouvait le voir en approchant de la maison. Il était trop jeune pour rester seul, et elle essayait de le persuader d'aller chez des amis en attendant le mois d'août, quand Aine reviendrait du Gaeltacht et qu'elle pourrait s'occuper de lui, ou du moins être là pendant la journée.

Le week-end, s'il faisait beau, elle les emmenait en voiture à Curracloe ou à Bentley. Une fois elle poussa jusqu'à Rosslare Strand. Difficile d'imaginer que l'année précédente encore ils avaient passé l'été dans leur maison de Cush comme si rien ne devait jamais changer. Sur la plage à Curracloe, elle s'inquiétait à l'idée que les garçons regardent vers le nord en pensant aux falaises et à la plage plus étroite, plus caillouteuse, qu'ils avaient connue toute leur vie. Mais leur principal souci semblait être de voir où Nora poserait son drap de bain, quel serait l'endroit parmi les dunes le mieux protégé du vent. Conor voulait toujours rester auprès d'elle. Elle ne savait pas si elle pouvait s'autoriser à lire un livre ou le journal, si elle ne devait pas plutôt tenter de deviner ce qu'il avait envie de faire, ou de quoi il avait envie de parler. Donal, lui, apportait toujours le livre de photographie que lui avait offert sa tante Margaret et il était content tant qu'il avait l'assurance qu'on ne l'obligerait pas à se baigner et qu'ils seraient de retour en ville pour dix-huit heures, heure à laquelle il se rendait générale-ment au club de tennis.

Étrange, pensait-elle en les regardant, qu'elle n'eût jamais songé une seconde, dans leur vie d'avant, à se demander s'ils étaient heureux ou non, ni à quoi ils pensaient. Elle s'était occupée d'eux jusqu'au moment où c'était devenu trop difficile. Maurice voulait l'avoir auprès de lui à l'hôpital où on l'avait transféré, à Dublin, après son premier infarctus ; elle ne pouvait pas le lui refuser. Elle n'aurait pas pu le laisser seul à l'hôpital. Elle se souvenait de son regard, de la façon dont il guettait son arrivée chaque matin, et comment la panique cédait le pas au soulagement dès qu'il l'apercevait. Le soir, après l'avoir quitté, elle s'in-quiétait en sachant combien il devait se sentir seul. Il était probablement conscient de la gravité de son état. Mais elle n'en était pas certaine ; quand on l'avait renvoyé chez lui par la suite, il semblait croire que c'était parce qu'il allait mieux. Il devait pourtant se douter qu'elle ne serait pas restée tout ce temps à Dublin avec lui s'il n'avait pas été mourant.

Elle vit que Conor l'observait.

— Tu vas te baigner ? demanda-t-il.

— Tout à l'heure. Pourquoi n'irais-tu pas tester la température de l'eau, voir si elle est assez chaude ?

— Et si elle ne l'est pas ?

— On ira quand même. Mais, au moins, on sera prévenus.

Elle savait que ces moments seraient bientôt pour elle des souvenirs précieux. Dans un an ou deux, Donal ne voudrait plus les accompagner. Peut-être ne venait-il déjà que pour lui faire plaisir, parce qu'il sentait à quel point c'était important pour elle. Il savait déchiffrer les situations et deviner ses pensées d'une manière qui faisait encore défaut à Conor, et qui lui ferait d'ailleurs peut-être toujours défaut. Donal avait saisi, ou deviné, qu'elle songeait à Maurice. Conor, lui, n'avait de pensée que pour ce qu'il avait sous les yeux et pour l'instant à venir. Quand elle était avec Donal, il lui arrivait de prendre peur. Mais c'était pire avec Conor ; elle avait peur pour lui – son innocence, sa loyauté, sa candeur, et ce besoin qu'il avait qu'on s'occupe de lui.

Quand Fiona revint de Londres, Nora invita Jim, Margaret et Una à prendre le thé. Una lui dit qu'elle passerait après le travail, mais qu'elle ne pourrait pas rester. Elle ne donna pas d'explication.

À peine Una arrivée, Fiona monta dans sa chambre et redescendit avec une brassée de vêtements qu'elle avait achetés à Londres. Nora avait bien remarqué la taille de sa valise quand elle était allée la chercher à la gare, mais Fiona n'avait fait aucun commentaire.

Elle leur avait rapporté des cadeaux : une paire de boucles d'oreilles discrètes pour Nora, un chemisier pour Aine et des livres pour les garçons. Mais c'était maintenant seulement, en présence d'Una, qu'elle révélait avoir acquis quantité de robes, de jupes et de hauts, dont certains très légers et très décolletés. Una l'encouragea à faire le mannequin et commenta chaque tenue en disant que Fiona avait vraiment un style à elle maintenant, surtout avec ce foulard sur la tête et ces anneaux aux oreilles. Aine renchérissait, proposait associations et accessoires, se levait pour arranger les cheveux de sa sœur. Il y avait une robe en coton léger, couleur rouille, qu'Una et Aine trouvaient particulièrement à leur goût ; elles proposèrent à Fiona de la mettre avec les boucles d'oreilles, un foulard de la même couleur, sandales légères, jambes nues.

— Si tu allais à la messe ainsi, la ville entière n'aurait d'yeux que pour toi, dit Una.

— Oui, dit Aine, c'est une parfaite tenue du dimanche.

— Il n'est pas question que tu ailles à la messe habillée comme ça.

Les trois autres se tournèrent vers Nora et la dévisagèrent comme une intruse.

— Bon, dit Una. Il faudrait déjà qu'il fasse chaud car elle est vraiment très légère. Mais quelle classe…

Nora l'interrompit.

— À Londres ou dans un magazine peut-être. Pas ici.

Una, Aine et Fiona échangèrent un regard. Il était clair qu'elles avaient parlé d'elle récemment, de vive voix ou peut-être dans les courriers qu'elles s'échangeaient. Pendant la maladie de Maurice, quand les garçons étaient hébergés chez Josie, Una avait vécu dans cette maison avec Aine, et il leur arrivait de retrouver Fiona le week-end. Nora constata soudain que c'était la première fois qu'elle se trouvait seule avec elles trois dans cette pièce depuis la maladie de Maurice. Elles se connaissaient d'une manière qui lui échappait. C'était comme être en présence de trois personnes qui partageaient une langue inconnue ou pire encore : chacune comprenait ce que signifiait le silence des deux autres.

Elle devina au même instant que Fiona et Aine en savaient bien plus long qu'elle sur la vie amoureuse d'Una. Celle-ci leur avait révélé l'identité de son fiancé, elle leur avait confié ses projets. Il y avait vingt ans d'écart entre Una et elles, mais le temps passé ensemble à parler de tout et de rien comme des sœurs avait créé un lien. Nora était exclue de cette complicité ; ou peut-être était-ce de son fait. Elle se sentait infiniment plus âgée qu'elles. Leur entente s'était développée d'une manière si naturelle qu'elles n'en avaient probablement pas conscience. Elle s'était développée à cause de l'absence de Maurice, et de son absence à elle, et elle avait sans doute permis aux filles de camoufler leur souffrance. Nora quitta la pièce sans les regarder et alla dans la cuisine.

Ce fut plus facile quand Jim et Margaret arrivèrent et que les garçons firent eux aussi leur apparition. Margaret ne s'intéressait absolument pas à la mode ; elle était juste contente que Fiona fût rentrée saine et sauve. Après le départ d'Una, Margaret alla voir Donal dans la pièce donnant sur la rue, pendant qu'Aine et Jim évoquaient Ballyferriter et Dún Chaoin, les familles qu'Aine avait rencontrées là-bas et dont Jim avait pu connaître des membres de la précédente génération. Nora vit une lumière s'allumer dans le regard de Jim à l'évocation de certains lieux et de certaines personnes. Il avait soixante-cinq ans, quinze ans de plus que Maurice. Il travaillait encore et n'avait jamais changé d'emploi. Messager pendant la guerre d'indépendance, il avait été interné pendant la guerre civile. Ces années mouvementées, suivies par les étés passés sur la péninsule de Dingle, devaient lui apparaître comme un lointain passé. C'était l'homme le plus conservateur qu'elle eût jamais rencontré. Il avait toujours été ainsi, depuis qu'elle le connaissait.

Margaret, qui travaillait pour l'administration du comté, gagnait mieux sa vie que Jim et avait encore moins de besoins que lui. Elle était contente de payer l'école d'Aine et de donner de l'argent de poche à Fiona et aux garçons. Cela lui faisait plaisir et lui conférait une place dans leur vie et dans leurs projets d'avenir. Une fois qu'ils furent tous à table, Nora s'amusa d'entendre Fiona parler à son oncle et à sa tante des hauts lieux culturels de Londres plutôt que des marchés du samedi et des boutiques de mode. Elle raconta qu'elle était allée voir une pièce de Shakespeare où certains comédiens assis incognito dans le public avaient jailli de leur siège aux moments les plus inattendus.

— C-C-Comment tu as su q-q-que c'étaient des acteurs ? demanda Donal.

— J'allais te poser la même question, dit Margaret.

— Ils étaient costumés et ils connaissaient leurs répliques. Mais c'était un choc incroyable de les voir se lever.

— J'espère que ça ne va pas devenir une mode. On ne saurait jamais à quoi s'en tenir. Votre voisin de gauche pourrait être le Bull McCabe.

— Bon, dit Fiona. Je crois que ça ne se fait qu'à Londres et c'est tout nouveau.

On parla des cours particuliers de latin pour Aine. Margaret voulait à tout prix qu'elle en reprenne à Noël et à Pâques pour être sûre d'avoir son examen. Puis la conversation roula sur la photographie et la meilleure manière d'obtenir des prix intéressants pour la pellicule, le développement et le tirage.

— Tu pourrais reprendre l'activité « Photos de communion » de Pat Crane et Sean Carty, proposa Jim. Passe une annonce dans l'*Echo* en disant que tu prends moitié moins cher.

— Ou que tu fais aussi la couleur.

Donal parut offensé.

— Je n'aime p-p-pas la c-c-couleur.

— C'est vrai, confirma Margaret. Il n'aime que le noir et blanc.

Personne n'avait interrogé Nora sur ses débuts chez Gibney. Pas la moindre allusion à ce sujet, mais le travail de Jim et de Margaret n'avait pas été évoqué non plus. Toute l'attention était concentrée sur les quatre enfants, sur leurs centres d'intérêt et sur leur avenir. Chacune de leurs paroles était reprise, méditée et commentée à la fois par leur oncle et par leur tante. Quand Conor se plaignit de sa raquette de tennis en disant que l'un de ses amis en avait une bien meilleure, cette information fut accueillie avec beaucoup de compréhension et de sérieux. On débattit pour savoir s'il était bien prudent pour Fiona et ses amis de se rendre à Dublin en stop, on compara le prix du train et du car, et le prix de l'aller-retour pour le week-end ou pour la journée seulement.

À la fin de la soirée, Nora eut l'impression d'en avoir plus appris en quelques heures sur la vie de ses enfants qu'au cours des deux mois précédents. Jim et Margaret avaient veillé à ce qu'il n'y ait aucun silence et que chaque sujet abordé soit d'un intérêt manifeste et immédiat pour au moins l'un des enfants présents. Mais il ne fut question à aucun moment du fait que Donal et Conor restaient seuls à la maison après l'école en attendant qu'elle rentre du travail, ni du fait que Mlle Kavanagh la traitait désormais au même niveau que les employées les moins considérées du bureau. Cela avait été une soirée quasi normale, la première depuis très longtemps. En montant se coucher, Nora en éprouva un sentiment de gratitude.

Le lendemain, qui était un lundi, Elizabeth passa la journée à, tour à tour, éviter les appels de Roger et les attendre frénétiquement. Elle parla deux ou trois fois avec Ray et discuta avec Nora du risque que quelqu'un avise Roger de l'existence de Ray, ou qu'elle-même croise Ray à un dîner de rugbymen ou dans le bar d'un clubhouse où elle se trouverait en compagnie de Roger.

— Le problème, c'est que je les aime bien tous les deux, dit-elle. Roger est totalement fiable, il est membre de tous les clubs qui existent sous le soleil et il parle bien. Mais ici en ville, je m'ennuierais à mourir sans Ray. Imaginez une soirée avec William le Vieux, William le Petit et Thomas à discuter stratégie d'entreprise. Ils ne s'arrêtent jamais, même quand ils mangent. Pas étonnant que ma mère ne mette pas les pieds dehors. C'est honteux de s'ennuyer à ce point, elle ne veut pas être mêlée à ça, c'est normal. Je ne sais pas de quoi ils discutent en ce moment tous les trois, mais il est clair qu'ils ont des projets. Ils parlent pendant des heures en faisant des listes et des diagrammes, on croirait qu'ils dirigent le pays.

Plus la vie amoureuse d'Elizabeth se compliquait et s'enrichissait, plus elle passait de temps au téléphone à en commenter les divers aspects avec ses amis. Les factures dont elle était censée s'occuper s'amoncelaient sur son bureau. Un vendredi matin, Nora la vit fourrer une pile de factures dans des enveloppes sans avoir pris la peine de les reporter au préalable dans le registre. Elizabeth avait beau ne pas adresser la parole à Mlle Kavanagh ni travailler sous ses ordres, le registre devait être apporté une fois par semaine dans son bureau afin d'y être scrupuleusement vérifié. D'habitude, malgré le temps passé au téléphone, Elizabeth ne commettait pas d'erreur. Il y avait souvent des points à éclaircir, mais dans la mesure où Mlle Kavanagh n'était pas autorisée à adresser la parole à Elizabeth, elle se tournait vers Nora sur un ton de fureur contenue en lui demandant de transmettre ses questions à Miss Gibney. Parfois elle envoyait l'une des employées, qui se plantait alors devant Elizabeth jusqu'à ce que celle-ci veuille bien raccrocher son téléphone et fournir les informations dont Mlle Kavanagh avait besoin concernant certaines factures.

Quand celle-ci découvrit qu'un envoi avait eu lieu sans qu'aucun montant eût été reporté dans le registre, elle alla voir Thomas Gibney et laissa entendre que la faute devait en être imputée non seulement à Elizabeth, mais aussi à Nora. Celle-ci en fut avisée un après-midi en se voyant convoquer dans le bureau de Mlle Kavanagh, où elle découvrit, outre Mlle Kavanagh elle-même, Thomas Gibney, qui referma la porte derrière elle.

— Cette négligence donne lieu à une situation extrêmement dangereuse, commença Thomas. Nous ne gardons aucune copie des factures. Dès lors, nous n'avons aucun autre moyen de savoir si elles ont été réglées ou non. Un tel manquement ne s'est jamais produit jusqu'ici dans cette entreprise.

Mlle Kavanagh se tenait à ses côtés avec une expression d'infini regret. Nora ne dit rien. Son regard allait de l'un à l'autre.

— Madame Webster, j'ai cru comprendre que le système vous avait été expliqué à plusieurs reprises. Il n'est pas si difficile à comprendre.

Nora ne réagit pas.

— Aucune facture ne peut être envoyée tant que les montants exacts n'ont pas été reportés dans le registre, poursuivit Thomas. Ce qui s'est produit est inexcusable et se traduira potentiellement par une perte financière pour l'entreprise.

— Avez-vous fini, monsieur Gibney ?

— Pardon ?

— Si vous avez fini de parler, vous pouvez peut-être demander à Mlle Kavanagh si ce problème a le moindre rapport avec moi. Elle vous dira que…

Voyant que Mlle Kavanagh allait l'interrompre, elle sortit du bureau, tira la porte derrière elle et se rassit à son poste, dans la salle. Bientôt elle vit Thomas sortir à son tour et se diriger à grands pas vers le bureau de sa sœur. Il y eut des cris. Nora baissa la tête. Le silence s'était fait dans la salle. Tout le monde écoutait. Mlle Kavanagh avait fermé la porte de son bureau et n'en sortit pas de tout l'après-midi.

La semaine suivante, Mlle Kavanagh commença à harceler Elizabeth Gibney. Elle avait apparemment obtenu de Thomas l'autorisation de le faire. Avec Nora, elle se montrait froide mais comme hésitante quant à la marche à suivre. Le matin, elle attendait l'arrivée d'Elizabeth pour lui annoncer qu'elle désirait voir le registre avec toutes les entrées de la veille ; et les factures correspondantes devaient être laissées dans une boîte devant son bureau pour vérification.

Le matin du troisième jour, elle entra dans le bureau à quatre reprises. Chaque fois, Elizabeth était au téléphone. La quatrième fois, Mlle Kavanagh prit une chaise, s'assit en face d'elle et se mit à écouter la conversation d'un air excédé. Elizabeth continua de parler avec son interlocuteur du planning du week-end. Se penchant soudain, Mlle Kavanagh s'empara du registre posé sur le bureau d'Elizabeth, le retourna et entreprit de contrôler les dernières entrées.

— Excuse-moi, dit Elizabeth dans le combiné, je vais devoir te rappeler plus tard. J'ai en face de moi une personne qui ressemble à un torchon mouillé, bonnes manières en moins.

Elle raccrocha.

— Écoutez-moi, mademoiselle Kavanagh, commença-t-elle lentement. Si jamais vous remettez les pieds dans mon bureau et que vous touchez à quoi que ce soit sur cette table, je vais vous trouver une grande et belle cage et je vais vous enfermer dedans. Ça vaudra mieux pour tout le monde, vous y compris.

— Miss Gibney, je ne suis pas là pour me laisser insulter.

— Peut-être que si.

— Je vais me plaindre auprès de votre père.

— Ne bougez pas, Miss Francie. Je vous le passe.

Elle attrapa le combiné de l'autre téléphone, composa un numéro de poste et demanda à être mise en relation avec son père.

— William le Vieux ? Salut, papa. J'ai la Kavanagh en face de moi, elle veut te voir. Oui. Au fait, pourrais-tu lui demander de garder ses sales pattes loin de mes affaires et ses sales pieds loin de mon bureau ? Et pourrais-tu s'il te plaît remettre Thomas dans son chenil ? Oui, je te l'envoie tout de suite.

Nora ne put s'empêcher de féliciter Elizabeth d'avoir remis Mlle Kavanagh à sa place, tout en sachant que c'était aussi facile pour elle qu'impossible pour n'importe qui d'autre. Quand Mlle Kavanagh revint un peu plus tard pour emporter le registre, elles riaient toutes les deux. L'espace d'un instant, Nora croisa le regard de Mlle Kavanagh. Son expression était à la fois blessée et menaçante.

Un samedi soir en octobre, alors que Jim et Margaret étaient en visite, Nora alluma le téléviseur à l'heure des informations. L'édition s'ouvrait sur les images d'une émeute réprimée par la police, dont le présentateur disait qu'elle avait eu lieu l'après-midi même à Derry. Nora se surprit à appeler Donal, qui était dans la pièce voisine, pour qu'il vienne voir. Conor ne tarda pas à arriver lui aussi. Il était en pyjama. Les deux garçons regardèrent la séquence où la caméra faisait une brusque embardée pendant que les gens criaient et se mettaient à courir comme s'ils fuyaient devant quelque chose.

— C'est un film ? demanda Conor.

— Non. Ça vient de se passer.

Le présentateur expliqua que la marche organisée ce jour-là à Derry avait viré à l'émeute après que la police avait distribué des coups de matraque dans la foule. On vit d'autres images. Des policiers levaient leurs matraques sur des hommes qui se protégeaient la tête de leurs mains. L'un de ces hommes, expliqua le présentateur, était Gerry Fitt, député de la chambre des Communes du Royaume-Uni. La caméra montrait des manifestants à terre, puis d'autres qui couraient, serrés de près par la police. Il y eut un gros plan sur une femme qui criait.

À la fin des informations, Conor remonta à l'étage. Donal voulut savoir quel était l'enjeu de cette manifestation.

— C'était une marche pour les droits civiques, dit Jim.

— Des catholiques, précisa Margaret.

— D-D-Derry, c'est en Irlande d-d-du Nord, dit Donal. C'est une couleur d-d-ifférente sur la carte.

— Oui, mais c'est le même pays, dit Margaret.

Jim était tout ouïe, constata Nora. Quand Donal fut sorti, elle baissa le son du téléviseur, pensant qu'il souhaiterait commenter ce qu'ils venaient de voir. Si un tel événement s'était produit du vivant de Maurice, Jim et lui en auraient longuement évoqué tous les aspects. Comme il ne prenait pas la parole, elle lui demanda ce qu'il en pensait.

— Mauvaise passe, dit-il. Je n'aimerais pas y être. Cette fois, ça va être difficile d'en sortir.

Le lendemain après la messe, Nora parla à plusieurs personnes qui avaient vu les images de la veille à la télévision. Elle acheta deux journaux du dimanche pour en apprendre davantage. Plus tard elle partit se promener, mais ne croisa aucune connaissance avec qui elle aurait pu évoquer les événements de Derry.

Elle fut surprise en arrivant au bureau le lundi matin. Elle avait imaginé que l'événement serait sur toutes les lèvres, mais non, tout était comme d'habitude. Elizabeth avait passé le week-end à Dublin ; elle n'avait même pas vu les images à la télévision. Quand Nora lui raconta, elle hocha vaguement la tête, puis commença à passer des coups de fil pendant que Nora se remettait au travail.

L'après-midi, elle vérifiait un dossier dans la grande salle en compagnie d'une des jeunes comptables quand Mlle Kavanagh surgit et se planta derrière elles.

— Qu'est-ce que vous fabriquez toutes les deux, au nom du ciel ?

Nora choisit de faire comme si elle ne l'avait pas entendue.

— Madame Webster, regardez-moi quand je vous parle !

Nora se leva.

— Puis-je vous voir seule à seule dans votre bureau, mademoiselle Kavanagh ?

— Je suis occupée, madame Webster.

— C'est urgent.

Mlle Kavanagh se dirigea à contrecœur vers son bureau, suivie par Nora, qui referma la porte.

— Mademoiselle Kavanagh, dit-elle. Je vais rentrer chez moi à présent.

— Il n'est pas encore dix-sept heures trente que je sache.

— Mademoiselle Kavanagh, quand je travaille, je vous serais reconnaissante de contrôler vos humeurs et de baisser le ton.

— Je suis employée par M. Gibney pour faire tourner ce bureau au mieux de mes compétences, et je n'ai pas besoin de conseils de votre part, madame Webster, ou de la part de toute autre personne dans votre genre.

— Quant à moi, je suis employée pour faire mon travail, mademoiselle Kavanagh, et vos cris ne m'y aident pas.

— Alors allez-y, madame J'ai-besoin-du-calme-de-ma-maison ! Allez ! De ce pas ! Si vous voyez M. Thomas, dites-lui que c'est moi qui vous ai renvoyée chez vous.

Nora traversa la ville. En croisant des connaissances, elle s'efforça de les saluer comme à l'ordinaire. Le temps d'arriver dans sa rue, elle avait retrouvé tant d'énergie qu'elle faillit prendre la voiture pour retourner au bureau et réaffronter Mlle Kavanagh. Elle gravit les marches du perron en fignolant les répliques qu'elle lui adresserait – et aussi à Thomas Gibney, pourquoi pas – quand soudain elle entendit des sanglots. Le bruit s'arrêta dès qu'elle tourna la clé dans la serrure. Grand silence.

— Qui est là ? cria-t-elle. Il y a quelqu'un ?

Donal émergea du séjour, l'air coupable, suivi par un Conor qui avait visiblement pleuré.

— Qu'est-ce qui se passe ? Qu'y a-t-il ?

Ni l'un ni l'autre ne répondit.

— Conor, est-ce que ça va ?

— On n-n-ne pensait pas q-q-que tu rentrerais si tôt.

— Donal, pourquoi Conor pleure-t-il ?

— Je ne pleure pas.

— Mais tu pleurais quand je suis arrivée. Je t'ai entendu.

— Il a essayé d-d-d'ouvrir mon appareil photo.

Il apparut dans la suite de la conversation qu'une forme ou une autre de conflit les opposait chaque jour entre le moment où ils revenaient de l'école et celui où elle rentrait du bureau. Ils avaient l'air de trouver cela normal. Le ton de Donal était plein de défi, celui de Conor presque honteux. Ni l'un ni l'autre ne souhaitait qu'elle s'en mêle. Elle les écouta. Puis elle attendit que Conor ait quitté la pièce.

— Il est plus petit que toi, dit-elle. Il n'y a personne d'autre pour s'occuper de lui.

Donal ne répondit pas.

— Je veux que tu me promettes de ne plus le faire pleurer. Et cache ton appareil dans un endroit sûr. Comme ça, il ne pourra pas y toucher. Tu me le promets ?

Il hocha la tête sans la regarder.

Ce soir-là, elle ne parvint pas à s'endormir. Y avait-il un endroit où ils pourraient aller après l'école, ou quelqu'un qui puisse venir les garder pendant les deux heures qui séparaient la fin des cours de son retour du bureau ? L'année suivante, avec un peu de chance, Fiona décrocherait un poste d'enseignante en ville et elle pourrait être là en fin d'après-midi. D'ici là, il n'y avait rien à faire, sinon parler régulièrement à Donal et surveiller Conor. Elle se souvenait du ressentiment de Donal à l'époque où Conor était bébé et monopolisait l'attention de tout le monde. Et la façon qu'il avait de manipuler son frère quand celui-ci recevait un nouveau jouet – même un ancien jouet à lui auquel il ne s'intéressait plus depuis longtemps ; il s'arrangeait toujours pour garder le contrôle et décider à quel moment Conor aurait le droit d'y toucher. Conor avait toujours laissé faire, comme si cela allait de soi. Mais ce n'était pas vrai. Cela n'allait pas de soi, pas plus que le fait que les deux garçons passent tant de temps seuls ensemble.

Elle imagina la maison à leur retour de l'école : vide, étrangement marquée d'absence. Elle voyait bien qu'ils admettaient comme normale cette nouvelle vie qu'ils menaient – contrairement à elle, qui observait chaque scène, chaque instant, avec une perception aiguë de ce qui manquait, ce qui n'allait pas, ce qui aurait pu être différent. La mort de leur père était allée s'enfouir dans une partie d'eux à laquelle, pour autant qu'elle puisse en juger, ils n'avaient pas accès. Ils ne percevaient pas leur propre malaise. Peut-être était-elle seule à le percevoir ; elle n'en savait pas moins que ce malaise ne les quitterait pas, qu'il mettrait des années à s'estomper. Elle n'aurait pas dû s'étonner de les surprendre en pleine dispute en son absence. Elle ne pouvait qu'être attentive et tenter d'atténuer de son mieux la méfiance qu'ils éprouvaient l'un pour l'autre, et pour tout un chacun dans leur entourage.

Elle s'endormit peu avant l'aube et se réveilla en sursaut : elle n'avait pas entendu sonner le réveil ! Il était neuf heures moins vingt. Elle se leva précipitamment. Les garçons dormaient encore. En se dépêchant, elle pouvait encore leur préparer leur petit déjeuner. Mais elle serait en retard au travail, même en prenant la voiture, ce qu'elle n'avait encore jamais fait jusque-là.

Au bureau, cependant, personne ne remarqua son retard. Elizabeth arriva une demi-heure après elle, uniquement préoccupée par sa soirée de la veille, qui s'était déroulée au Pike Grill de l'hôtel Talbot et ensuite à l'hôtel Kelly de Rosslare.

— Votre sœur m'a raconté une histoire merveilleuse. Je ne sais pas pourquoi je l'ai trouvée si drôle. Elle faisait ses courses chez Paddy McKenna dans Slaney Street quand la nouvelle coiffeuse de chez Wheeler – Tara, Lara, comment s'appelle-t-elle déjà, je ne sais plus – est arrivée en disant qu'elle avait entendu parler d'une superbe bague de fiançailles et serait-il possible de l'admirer ? Et quand Una a tendu la main vers elle, Tara ou Lara a crié qu'elle était divine avant d'avoir eu le temps de bien regarder et de s'apercevoir qu'Una ne la portait pas ce jour-là car elle avait dû la déposer chez le bijoutier pour faire desserrer l'anneau. Et Tara ou Lara qui venait de se donner en spectacle devant toute la boutique ! Mais elle, pas déstabilisée pour deux sous, a continué à parler comme si de rien n'était.

Nora faillit dire qu'elle ignorait que sa sœur était fiancée, mais se ravisa.

— Una était-elle avec son fiancé hier soir ?

— Oh ! Seamus est formidable. William le Vieux dit que c'est le seul homme, à la banque, avec qui il peut parler. Bon, il paraît qu'il fait sensation dans toutes les villes où il passe et qu'à chaque mutation il laisse tomber la dernière en date sans plus de cérémonie. Mais c'est la première fois qu'il se fiance. Ils sont vraiment faits l'un pour l'autre, n'est-ce pas ? J'aimerais pouvoir en dire autant de Roger et moi, ou même de Ray et moi. J'aimerais pouvoir garder une moitié de Ray et une moitié de Roger. Mais ce serait bien ma veine si je me retrouvais avec la moitié de Roger qui est encore plus insipide que l'autre, et la moitié de Ray qui ne trouve pas la paix tant qu'il n'a pas quitté l'endroit où il se trouve pour aller ailleurs.

Nora se demanda quelle était cette banque, et s'il était possible qu'elle connût Seamus de vue.

En revenant au bureau après le déjeuner, elle croisa l'un des routiers de l'entreprise. Elle ignorait son nom, mais c'était un type imposant, rougeaud, aux cheveux tirant sur le roux. Elle avait déjà noté l'impression d'assurance et de liberté qu'il dégageait, contrairement aux représentants et aux employées de bureau.

— Bon sang, lui dit-il, c'est terrible ce qui s'est passé samedi. Tout à fait le genre de chose qui aurait bouleversé votre mari, M. Webster, paix à son âme.

— C'est sûr, oui, acquiesça-t-elle.

— Je me souviens qu'il nous faisait barrer le « London » de Londonderry sur tous les atlas. Je crois que j'en ai encore un à la maison.

— Moi aussi.

— Et la matraque, s'il vous plaît. Contre des manifestants pacifiques.

— Oui, j'ai vu les images à la télévision.

— La dernière fois que j'ai vu un assaut à la matraque, c'est le soir où Bill Haley et les Comets se sont produits au Théâtre Royal de Dublin. On était tous dehors pour avoir une chance de saluer Bill Haley en personne, et après un moment les types en bleu ont décidé que c'était une émeute et nous ont couru après en brandissant leurs matraques. Mais ce qui s'est passé samedi, c'est autre chose. C'était sérieux. Ils marchaient pour les droits civiques. Dans leur propre ville. Je vais vous dire : ce qui s'est passé samedi, c'est une honte.

Le chauffeur était si remonté qu'elle ne réussit à le quitter que lorsque Mlle Kavanagh apparut, suivie par trois représentants qui étaient déjà venus protester la veille en disant qu'ils n'avaient pas touché leur prime. Mlle Kavanagh ordonna à Nora de les suivre.

— Alors, commença Mlle Kavanagh quand tout le monde fut entassé dans son bureau. Ces messieurs ont formé une délégation pour aller trouver M. William Gibney Junior, et M. Gibney les a renvoyés vers moi. Ils veulent savoir combien touchent les autres représentants. Ils veulent voir le montant des primes et le détail des accords qui ont été conclus avec chacun. Je ne sais pas qui ils croient représenter de la sorte mais, ainsi que je l'ai déjà dit à M. Gibney, nous n'avons pas ces renseignements à disposition. C'est une affaire privée entre la compagnie et chaque représentant individuel.

— Eh bien, dit le représentant que Nora connaissait sous les initiales de MeC pour Marche en Canard, dans ce cas, nous aimerions voir les accords qui nous concernent, nous trois ici présents, afin de pouvoir les comparer.

Les deux autres hochèrent la tête.

— Voyez-vous, répliqua Mlle Kavanagh, nous n'avons pas ce type d'information noté quelque part sous quelque format que ce soit. N'est-ce pas, madame Webster ?

Nora pensa qu'elle aurait peut-être répondu différemment si elle avait été moins fatiguée.

— En fait, dit-elle, il se trouve que si. J'ai un dossier pour chaque représentant, et j'ai noté dans chaque dossier les détails de l'accord qui le concerne, ce qui me permet de calculer les primes rapidement et sans erreur.

— Et on peut les voir ?

— Si vous revenez demain, dit Mlle Kavanagh.

— On peut les voir maintenant, et revenir aussi demain.

Nora se souvint qu'elle n'avait noté que des initiales sur les dossiers. Elle espérait qu'ils ne demanderaient pas à quoi correspondaient BT, SB et MeC.

— Si vous me dites dans quelle armoire ils sont, je vais aller les chercher moi-même, proposa Marche en Canard.

— Vous ne touchez à rien du tout ! glapit Mlle Kavanagh.

— Vous avez commencé par nous dire que vous n'aviez pas ces renseignements. Maintenant il s'avère que vous les avez. Nous ne bougerons pas tant que nous n'aurons pas vu nos dossiers.

— Entendu, mais alors juste un coup d'œil, dit Mlle Kavanagh. On n'a pas toute la journée.

Elle fit signe à Nora, qui sortit et revint quelques instants plus tard avec les dossiers des trois représentants. Ils firent de la place sur le bureau de Mlle Kavanagh sans lui demander son avis et ouvrirent les dossiers. Sur une feuille de papier agrafée à l'intérieur de chaque chemise cartonnée,

Nora avait écrit très lisiblement ce qu'il convenait de régler à chacun d'eux. Le premier représentant commença à prendre des notes.

— Attendez de voir ce qui se passera quand les autres auront vent de cela, dit-il.

Après leur départ, Mlle Kavanagh resta assise en silence. Nora alla ranger les dossiers dans l'armoire et s'assit à son poste, dans la grande salle. Elle était recrue de fatigue. Elle aurait été capable de s'endormir sur place. Un regard à sa montre lui apprit qu'il n'était que quatorze heures trente. Elle ne voyait pas comment elle allait endurer le reste de l'après-midi.

— Que faites-vous ?

Mlle Kavanagh avait surgi derrière elle. Sa voix était basse et contrôlée. Nora sursauta et s'aperçut qu'elle n'avait aucune tâche en cours, la surface de son bureau était vide.

— Que faites-vous ? répéta Mlle Kavanagh d'une voix plus basse encore.

— Je m'apprêtais à regarder les demandes de prime qui sont arrivées aujourd'hui.

— Je ne vous demande pas ce que vous vous apprêtiez à faire. Ça, c'est une question à laquelle peut répondre n'importe quelle paresseuse. Je vous demande ce que vous faites.

— À votre avis ? Vous le voyez bien. Je parle avec vous.

Mlle Kavanagh se retourna vers une jeune femme qui venait d'être embauchée dans le service et lui ordonna de la suivre. Puis elle cria en direction de Nora.

— Madame Webster ! Je vous attends dans mon bureau avec tous les dossiers que vous avez constitués sur les représentants !

Nora s'exécuta. Elle sortit tous les dossiers de l'armoire et les apporta à Mlle Kavanagh.

— Sur le bureau ! Posez-les sur mon bureau !

Mlle Kavanagh se tourna vers la nouvelle en brandissant une paire de ciseaux.

— Tenez, prenez ça ! Je veux que chacun de ces dossiers soit découpé en petits morceaux et jeté à la poubelle. J'ai des instructions précises de M. William Gibney Senior. Ce genre de document n'est jugé ni nécessaire ni souhaitable dans cet établissement. Il sait parfaitement ce qui revient à chacun. S'il avait voulu que Mme Webster constitue des dossiers, il le lui aurait demandé.

Elle se tourna vers Nora.

— D'ailleurs, madame Webster, de quoi parliez-vous avec ce routier tout à l'heure devant le bâtiment administratif ? Quelle nouvelle bêtise étiez-vous en train de concocter ?

— Le sujet de notre conversation ne vous regarde pas, mademoiselle Kavanagh.

— Et voilà ! Ça arrive en retard, ça gare sa voiture n'importe où, ça passe la matinée à échanger des ragots avec Miss Gibney, la fille la plus paresseuse d'Irlande, et après rebelote avec les routiers ! Ça ne va pas faire long feu dans cette entreprise, vous savez. M'avez-vous bien comprise, madame Webster ?

— Mademoiselle Kavanagh, je n'ai pas l'intention de vous écouter davantage. Et puis-je vous suggérer de garder pour vous votre opinion sur Miss Gibney et, si possible, sur tous les sujets quels qu'ils soient ?

Mlle Kavanagh ramassa l'un des dossiers et tenta de le déchirer. Mais le carton était trop épais. Elle arracha alors les ciseaux des mains de la nouvelle et entreprit de le découper.

— Vous n'êtes pas dans votre maison de Bally-connigar à présent, madame Webster, vous n'êtes pas au pub Etchingham. Vous n'êtes rien du tout. Vous êtes ici, et vous travaillez pour moi. Et je dirige ce bureau conformément aux souhaits de M. William Gibney Senior, et l'un de ses souhaits est qu'aucune employée ne fréquente les chauffeurs routiers à moins que cela ne fasse partie de ses attributions. Mais vous, vous vous croyez tout permis, avec votre fille par-ci, et votre fille par-là, et votre sœur qui fréquente le club de golf, une péronnelle déplaisante au possible, soit dit entre parenthèses. Et votre mari, parlons-en, c'était un grand homme, ah oui vraiment…

— Je vous interdis de parler de mon mari !

Nora ramassa les ciseaux. Après coup, elle n'aurait su dire pourquoi. Elle sortit du bureau de Mlle Kava-nagh, les ciseaux à la main, attrapa son manteau et partit comme si rien d'extraordinaire ne venait d'avoir lieu. Une fois dans la voiture, elle regarda sa montre. Même pas quinze heures. Elle serait à la maison avant les garçons.

8

En mettant le contact, elle décida soudain d'aller à Ballyconnigar. Il faisait beau, la plage en contrebas de la maison des Keating serait déserte. Elle irait marcher, peut-être cela lui donnerait-il des idées. Que faire ? En aucun cas elle ne pourrait retourner travailler dans ce bureau. Elle se demanda s'il serait possible de vendre la maison et d'en acheter une plus petite, ou de partir pour Dublin. Peut-être serait-il plus facile de trouver du travail là-bas. Et puis Aine y serait l'année suivante, et peut-être Fiona pourrait-elle demander un poste là-bas, et peut-être serait-il possible de trouver une école pour les garçons. Pendant qu'elle réfléchissait ainsi, une image lui vint. Elle se voyait en train de dire au revoir à Jim et à Margaret, et à Una, et cette pensée en amena une autre, la façon dont Mlle Kavanagh avait traité sa sœur de péronnelle déplaisante au possible, et cela la fit rire. Cette formule, et l'allusion au club de golf, et au fait que Maurice et elle allaient parfois au pub Etchingham de Blackwater – ces détails montraient bien que Francie Kavanagh n'avait jamais cessé de l'épier au fil des ans.

Elle se souvint du jour lointain où Greta lui avait annoncé que Francie voulait les accompagner à la plage et qu'on ne pourrait rien faire pour l'en empêcher. Elles avaient été catégoriques, Greta et elle, pas question d'être vues en compagnie de Francie Kavanagh. Tout chez elle – sa voix, son accent, les formules qu'elle employait, ses vêtements, même sa bicyclette – évoquait ces maisons sans eau courante perdues dans la campagne où l'on disait « le grenier » en parlant du premier étage. Elles la trouvaient repoussante. Mais Francie, elle, tenait absolument à les accompagner.

Leurs vélos étant plus légers que le sien, elles avaient pédalé à toutes jambes jusqu'à la distancer, puis à la perdre de vue, et ensuite elles avaient pris la direction de Morriscastle. Nora l'imaginait à présent, Francie arrivant à Ballyconnigar, surprise de ne pas les trouver sur la plage. Elle devait rêver de se transformer, d'être un jour comme elles, de ressembler à une fille de la ville. Greta et elle avaient beau être ignorantes à l'époque, elles n'étaient pas dépourvues d'ambition. Greta avait édicté une règle selon laquelle elles n'avaient le droit d'adresser la parole qu'à des hommes qui maîtrisaient la syntaxe et l'orthographe ; les autres devaient être évités en bloc. Elle l'avait dit comme une plaisanterie, mais peu à peu c'était devenu sérieux. Toutes deux avaient épousé des hommes instruits, toutes deux avaient eu leur permis de conduire ; après la naissance de leurs enfants, toutes deux avaient pris l'habitude de passer leurs étés au bord de la mer et de s'arranger pour y rester le plus longtemps possible. Pour Francie Kavanagh, aller avec elles à la plage était peut-être une façon de partager ces ambitions, aussi modestes soient-elles, de désirer les mêmes choses qu'elles, au moins en partie.

Comme elles avaient ri le lendemain en apprenant sa mésaventure, la crevaison, la pluie battante ! Elles ne s'étaient pas excusées, bien au contraire. Et maintenant elle avait pris la tête du service administratif et passait ses journées à y tournicoter comme une toupie. En bifurquant à Finchogue, Nora se demanda s'il existait un travail normal quelque part où elle ne serait pas obligée de subir les ordres d'une folle qui la haïssait et avait tout pouvoir sur elle. Mais désormais elle ne pourrait pas passer le moindre entretien d'embauche sans devoir expliquer pourquoi elle avait quitté son travail par un bel après-midi d'octobre en emportant une paire de ciseaux.

Elle s'arrêta à Blackwater pour acheter des cigarettes – des Carroll, en paquet de dix – et une boîte d'allumettes. Elle n'avait pas fumé depuis des années. Elle se fit la promesse qu'elle se contenterait de deux ou trois cigarettes seulement et qu'elle jetterait le reste du paquet. La première bouffée lui donna le vertige et lui rappela à quel point elle était fatiguée. Elle baissa la vitre et jeta la cigarette entamée, se laissa aller contre le siège et ferma les yeux. Quand elle les rouvrit, elle vit qu'une femme la dévisageait depuis le pont. Quand la femme se mit en marche vers elle, elle mit le contact et démarra.

Elle aurait bien poussé jusqu'à Cush pour voir si Jack Lacey avait apporté des changements à la maison. Mais sa voiture ne passerait pas inaperçue. Elle joua un moment avec l'idée de rentrer chez elle et de rédiger une lettre de démission bien sentie qu'elle enverrait aux Gibney. Elle composa les premières phrases dans sa tête. Puis son énergie l'abandonna et elle décida de suivre sa première idée et d'aller marcher sur la plage.

Elle fut surprise de trouver la mer couverte de brume. Assise dans sa voiture devant la maison des Keating, elle regardait vers Rosslare, la lourde lumière laiteuse enveloppant la plage jusqu'à Curracloe et Raven Point. En descendant de voiture, elle en éprouva la densité poisseuse, comme s'il y avait de l'orage dans l'air. Elle enfila les chaussures plates qu'elle gardait habituellement dans le coffre. Il n'y avait pas d'autres voitures sur l'aire de stationnement. Elle franchit prudemment la partie pierreuse entre l'herbe et la rivière, traversa la passerelle en bois et prit vers le sud.

En toutes ces années, elle n'était jamais venue si tard dans la saison. On n'était pourtant qu'en octobre ; elle imagina soudain combien la plage devait être étrange en décembre, en janvier, avec les tempêtes, l'hiver, le froid mordant.

Il n'y avait presque pas de couleurs. Le monde qui s'étendait devant elle avait été lavé. Approchant le bord du rivage, elle regarda les galets d'où les vagues se retiraient avec un bruit de succion. Elle observa la précision de la couleur de chaque galet, et cela lui permit d'oublier Francie Kavanagh et les Gibney, de faire taire un instant son inquiétude pour l'avenir.

Elle reprit sa marche. Elle voyait à peine devant elle. On aurait pu penser que cette plage noyée de brume était davantage le monde de Maurice que le sien. C'était le monde rempli d'absences. La mer était calme. On n'entendait que les vagues, assourdies, et le cri des oiseaux de mer volant au ras de l'eau. Elle discernait vaguement le halo du soleil. Il était déraisonnable de penser que Maurice puisse être ailleurs que dans le cimetière où elle l'avait enterré. Mais si lui, ou son esprit, était quelque part dans le monde, de tous les endroits possibles, pensa-t-elle, ce serait celui-ci.

Et si l'esprit de Maurice était présent, il devait avoir ses propres sujets de préoccupation. Les aléas de sa vie à elle – son travail chez les Gibney, l'incertitude quant à l'avenir des enfants, Fiona, Aine, Donal, Conor –, tout cela devait être aussi vague pour lui que pour elle l'horizon noyé de brume de cette plage ; ces réalités passeraient, comme sa vie à lui était passée. Ce qui s'était produit au cours des derniers jours avant sa mort, ce qui avait cessé de fonctionner en lui et le faisait crier si fort qu'on l'entendait dans tout l'hôpital – voilà ce qui devait avoir le plus de réalité pour lui à présent.

Cela lui revint une nouvelle fois. Sa mort. Elle se remémora la chambre. Les personnes présentes – Jim, Margaret, sœur Thomas qui avait récité les prières spéciales, et le vieux père Quaid. Nora avait passé les deux derniers jours à son chevet. Mais il était déjà loin, si loin qu'il les avait peut-être déjà perdus. Peut-être n'étaient-ils plus pour lui que des ombres, de vagues présences, ces proches qu'il avait pourtant aimés, mais l'amour n'avait plus d'importance alors, pas plus que la frontière entre les choses n'avait d'importance au regard de cette brume.

À l'approche de Ballyvaloo, une brise légère fit dériver la luminosité grise vers Curracloe. Elle vit alors qu'une nonne marchait sur la plage en direction de l'allée menant au lieu de retraite des sœurs de Saint-Jean-de-Dieu. Elle portait l'habit noir et avançait avec difficulté. Sans doute l'une de ces sœurs retraitées qui venaient souvent passer à cet endroit quelques jours de vacances ou de méditation.

En approchant, elle reconnut sœur Thomas. Elle fut surprise de la voir là. Elle pensait sans doute que la sœur ne quittait jamais son couvent, encore moins la ville. On eût dit qu'elle l'attendait. Quand Nora la rejoignit, elle la salua chaleureusement en prenant ses deux mains dans les siennes.

Nora eut soudain froid. Elle entendit le vent se lever, un sifflement au loin, mais quand elle regarda vers la mer, tout était calme. La brume était toujours là.

— Vous ne devriez pas venir ici toute seule, dit sœur Thomas. J'étais à Blackwater ce matin rendre visite à une amie. Après elle vous a vue, vous dormiez dans votre voiture, et ensuite vous avez pris la route de la mer. Elle se faisait du souci pour vous, alors elle m'a appelée. Et je suis descendue sur la plage dans l'espoir de vous voir.

— Qui m'a vue à Blackwater ?

— Je me suis dit que j'allais descendre au bord de l'eau, enchaîna sœur Thomas avec douceur. Je ne quitte pas souvent la maison. Aujourd'hui, avec cette lumière, on a plus l'impression d'être au ciel que sur terre...

— Je l'ai repérée, bien sûr. Une femme qui ne peut s'empêcher de se mêler des affaires d'autrui.

— C'est une façon de voir. Ou une femme qui se soucie de vous.

Sœur Thomas lâcha les mains de Nora.

— Je n'ai pas été surprise de vous voir. Il était écrit que nous nous reverrions. Ce sont les voies du Seigneur.

— Ne me parlez plus des voies du Seigneur. Ne me parlez pas ainsi !

— Quand Maurice était aux dernières extrémités, j'ai prié le Seigneur de soulager ses souffrances et les vôtres. Je n'ai pas de besoins personnels, et je ne Lui avais rien demandé depuis longtemps. Mais je Lui ai adressé cette prière, et Il ne m'a pas exaucée. Il devait y avoir une raison à cela, et cette raison nous est cachée. Mais je sais qu'Il veille sur vous, et peut-être est-ce pour cela que nous nous sommes croisées aujourd'hui, afin que je puisse vous le dire.

— Il ne veille pas sur moi ! Personne ne veille sur moi !

— J'ai su en me réveillant ce matin et en disant mes prières que je vous verrais.

Nora resta muette.

— Alors rentrez maintenant avant que le brouillard ne tombe et que vous ne puissiez plus voir la route en conduisant. Les garçons ne vont pas tarder. Vous les trouverez à la maison, de retour de l'école, à vous attendre.

— Je ne peux plus retourner chez les Gibney. Mlle Kavanagh me harcèle. Elle a dit des choses aujourd'hui qui font que je ne peux pas y retourner.

— Ça va s'arranger. C'est une petite ville, elle vous protège. Retournez-y à présent. Et cessez de pleurer, Nora. Le temps du deuil est fini. Vous m'entendez ?

— En marchant ici tout à l'heure, j'ai senti que…

— Je sais, l'interrompit sœur Thomas. Nous sentons tous cela à cet endroit par une journée comme celle-ci. Et même les autres jours. C'est pour cela que nous venons. C'est un refuge pour ceux qui nous ont quittés, et qui sont en route vers l'ailleurs. C'est doux d'être parmi eux par un jour tel que celui-ci.

— Parmi eux ? Que voulez-vous dire ?

— Nous marchons quelquefois parmi eux, je parle de ceux qui nous ont quittés. Ils sont tout remplis d'une réalité qu'aucun d'entre nous ne connaît encore. C'est un mystère.

176

Sœur Thomas serra de nouveau les mains de Nora entre les siennes, puis se détourna et se mit en marche, péniblement, comme si elle souffrait, vers les dunes et vers l'allée conduisant à la maison. Nora attendit, au cas où elle se retournerait, mais elle ne le fit pas, alors Nora se tourna et resta sans bouger quelques instants encore face à la mer couverte de brume. Puis elle rebroussa chemin en longeant le rivage jusqu'à l'endroit où elle avait laissé la voiture. Elle trouva les ciseaux de Mlle Kavanagh toujours posés sur le siège du passager, à côté du paquet de cigarettes. Elle rangea le paquet dans la boîte à gants, mais laissa tomber les ciseaux sur le gravier, afin que quelqu'un les trouve.

9

Nora ne confia à personne ce qui s'était passé au bureau, ni même le fait qu'elle envisageait de vendre la maison et de partir avec les garçons s'installer à Dublin. Elle sourit en pensant à la tête qu'ils feraient tous en voyant le panneau « À vendre », ou en lisant l'annonce dans le journal. Elle avait envoyé un mot à Mlle Kavanagh disant qu'elle était malade ; elle n'allait pas prendre la peine d'écrire à William, à Peggy ou à Elizabeth pour leur annoncer qu'elle ne reviendrait pas. Elle leur laissait le soin de le découvrir par eux-mêmes. Cela ne leur ferait ni chaud ni froid, pensait-elle, à cela près qu'ils n'avaient peut-être pas envie que la rumeur se répande qu'elle avait été maltraitée alors qu'elle travaillait pour eux. Conor, elle le savait, avait dit à Fiona qu'elle n'allait plus au bureau, mais Fiona ne l'avait pas interrogée.

Un vendredi après-midi fin octobre, alors que Fiona et Aine étaient là toutes deux, Una vint exhiber sa bague de fiançailles. Quelques jours auparavant, Nora avait appelé Catherine de la cabine téléphonique située dans Back Road, et Catherine lui avait annoncé avoir eu la visite d'Una et de Seamus. Mark et elle l'avaient trouvé sympathique, dit-elle, cependant Una lui avait confié qu'elle redoutait d'annoncer ses fiançailles à Nora, ne sachant pas comment elle prendrait la nouvelle si peu de temps après la mort de Maurice. Le lendemain, Nora avait eu la visite de sa tante Josie, qui lui avait dit qu'Una épouserait Seamus à la nouvelle année, son seul souci étant de savoir quelle serait sa réaction.

— Tes sœurs ont peur de toi, dit Josie. Ça a toujours été comme ça. Je ne sais pas à quoi ça tient.

Nora commençait à en avoir assez d'Una et de son fiancé, qui lui inspiraient une irritation vaguement mitigée par le souvenir amusant de la description que lui avait faite Elizabeth d'Una et de Seamus cabriolant à Wexford et à Rosslare comme deux jouvenceaux.

— Oh, je sais tout sur ta bague, dit-elle quand Una voulut la lui montrer. Tara Reagan l'a trouvée tout à fait à son goût, paraît-il.

— C'est Elizabeth Gibney qui t'a raconté ça ?

— La ville entière m'en a parlé.

— Tara Reagan n'est qu'une idiote.

— Mais elle sait reconnaître une belle bague quand elle en voit une.

Elle vit Una jeter un regard à Fiona et à Aine – un regard leur confirmant que les choses se passaient exactement aussi mal qu'elle le craignait.

— Enfin, c'est une formidable nouvelle. Catherine me l'a annoncée, et tante Josie aussi. Tout le monde me l'a annoncée, en fait. Alors je sais tout. Félicitations !

Una rougit.

— Je voulais te le dire, et puis finalement j'ai préféré attendre.

— Bien sûr. Pourquoi se dépêcher ? Comme je le disais, la ville entière ne parle que de ça, alors je n'ai eu qu'à sortir de chez moi pour avoir tous les détails.

Una avait envie de partir, c'était évident, mais elle était venue exprès solliciter son approbation, en s'appuyant sur la présence réconfortante de Fiona et d'Aine. Una voulait pouvoir appeler Catherine et Josie et leur dire qu'elle avait enfin annoncé la nouvelle à Nora, et que tout serait désormais plus facile. Nora ressentait tout le poids de leurs conciliabules, de leurs craintes qu'elle puisse d'une manière ou d'une autre s'opposer au mariage de sa sœur ou la blesser par un commentaire cinglant. Elle-même aurait préféré pouvoir prononcer une parole aimable ou encourageante, mais rien ne lui venait, elle n'avait aucune idée de ce qu'elle aurait pu lui dire. Elle avait juste envie que les filles remontent dans leur chambre et qu'Una s'en aille. Plus elles s'attardaient en lui faisant comprendre qu'elles attendaient quelque chose de sa part, plus elle se sentait gagnée par une sorte de rage. Celle-ci avait bien sûr pour origine la scène avec Mlle Kavanagh et le fait qu'elle ne dormait plus correctement depuis qu'elle avait quitté le bureau ce jour-là. Mais elle tenait aussi à l'insistance conjointe d'Una, de Fiona, et d'Aine.

— On m'a dit qu'il travaillait à la banque. Est-il directeur d'agence ?

— Euh, non, dit Una.

— J'ai entendu dire que les meilleurs passaient directeurs très jeunes.

— C'est beaucoup de responsabilités…

— Est-ce la raison pour laquelle il ne se marie que maintenant ?

Una prit son sac à main et se leva.

— J'imagine qu'il n'avait pas trouvé la femme qu'il attendait, intervint Fiona. Jusqu'à ce qu'il rencontre notre Una.

— Je vois, dit Nora.

Elle comprit qu'elle était allée trop loin. Elle chercha de nouveau une réplique susceptible de détendre l'atmosphère, mais rien ne lui vint. Aine se leva et sortit.

— Enfin, dit Nora, c'est une très bonne nouvelle, et je me réjouis à l'idée de le rencontrer.

Una força un sourire. Fiona dévisageait Nora sans ciller.

— Bon, dit Una. Il faut que j'y aille.

Elle quitta le séjour, suivie par Fiona.

Le lundi soir, Mme Whelan sonna à la porte. Donal la fit entrer directement dans le séjour.

— J'ai un message pour vous de la part de Peggy Gibney personnellement, souffla Mme Whelan. Elle aimerait beaucoup vous voir demain après-midi. Si vous pouviez vous libérer pour quinze heures, ce serait parfait, mais elle peut aussi vous recevoir à seize heures.

— Je ne me sens pas encore assez bien pour sortir, madame Whelan.

— Et vous manquez beaucoup à Elizabeth. On m'a dit de vous le dire.

— Certainement. Mais je ne suis pas assez bien pour quitter la maison.

— Alors que dois-je répondre à Mme Gibney ?

— Que je ne suis pas assez bien pour sortir, mais que vous m'avez rendu visite et que nous avons bu une tasse de thé.

— Oh non, madame Webster, ce n'est pas possible.

Nora insista. Elle alla à la cuisine préparer une théière. Les Gibney n'avaient manifestement pas envie qu'on sache qu'ils avaient poussé à bout la veuve de Maurice Webster. Elle ignorait le nom de la jeune fille qui avait été témoin de la scène finale avec Mlle Kavanagh, mais elle avait dû en parler à tout le monde, et le bruit ne manquerait pas de se répercuter jusqu'aux quelques personnes en ville dont l'opinion importait aux époux Gibney.

En apportant le plateau dans le séjour, elle fit son possible pour paraître en excellente santé et au mieux de sa forme. Avec un peu de chance, Mme Whelan dirait aux Gibney que Mme Webster ne paraissait pas malade pour deux sous.

Sœur Thomas sonna à la porte le surlendemain. Elle paraissait plus frêle que dans le souvenir de Nora après leur rencontre sur la plage de Ballyvaloo.

— Je voulais vous voir avant que les garçons ne rentrent de l'école, dit la religieuse une fois installée dans un fauteuil. J'ai découvert le pot aux roses. Vous seriez étonnée d'apprendre qui nous rend visite au couvent. Rien ne nous échappe. Ou peut-être que si, mais dans ce cas ce sont des choses qui ne nous intéressent pas. Alors j'ai tout appris dans les moindres détails, jusqu'à la paire de ciseaux. Francie Kavanagh est une enfant de Dieu, pieuse à souhait. Si les gens savaient ! Alors je suis allée voir Peggy Gibney, qui pourra vous répéter mes paroles et, après cela, Peggy a réuni tout le monde : les membres de sa famille et votre amie, Mlle Kavanagh. Curieusement, ils ont tous peur de Peggy, j'ignore pourquoi, elle est pourtant la douceur incarnée. Elle pourra vous raconter toute l'histoire car je lui en ai donné la permission. Elle n'en a jamais parlé à personne, mais je crois qu'elle veut faire une exception pour vous. Allez donc la voir demain.

— Je ne veux pas retourner là-bas.

— Elle a une nouvelle proposition à vous faire. Ne la refusez pas. Ah oui, j'ai aussi quelque chose à vous demander. Pourriez-vous témoigner un peu de gentillesse à votre sœur ?

— Qui vous a parlé de ça ?

— Elle est venue dans la petite chapelle, vous savez, celle où vous alliez après la mort de Maurice quand vous vouliez éviter de croiser du monde. Et je l'ai vue, et j'ai toujours eu un faible pour elle, la pauvre, à cause de la façon dont elle s'est retrouvée toute seule à la mort de votre mère.

— Que vous a-t-elle dit sur moi ?

— Rien, ou pas grand-chose. Mais suffisamment. Bon, il faut que j'y aille car j'ai des choses à faire. Et vous avez deux choses à faire de votre côté : aller voir Peggy, et veiller sur Una. Et peut-être une petite prière pour nous tous à l'occasion.

— Je ne sais pas quoi dire. Je n'aime pas qu'on soit informé de mes affaires.

— Votre mère était comme ça aussi. Je l'ai connue du temps où elle chantait. Elle avait une voix merveilleuse, mais c'était l'orgueil, ou peut-être le fait qu'elle n'aimait pas que les gens soient informés de ses affaires, je ne sais pas, qui la rendait difficile. Et cela lui a posé beaucoup de problèmes. Vous, vous êtes plus pragmatique. Et c'est tant mieux, nous devrions tous en être reconnaissants.

— Vous voulez que j'aille voir Peggy Gibney demain ?

— Oui, Nora. À quinze heures ou seize heures, ou entre les deux.

— Entendu, j'irai.

— Et vous allez inviter Una avec son fiancé, pour que les garçons puissent faire sa connaissance. Un mariage est un événement très joyeux, et cela peut leur faire plaisir de participer aux préparatifs.

Nora la raccompagna jusqu'à la porte. Sœur Thomas descendit laborieusement les marches du perron.

— Tout ce que j'espère, dit-elle en se retournant, c'est que tout sera plus simple au ciel. Dites une prière pour que les choses soient plus simples quand nous serons au ciel.

Mme Whelan ouvrit la porte. En la voyant, elle souffla qu'elle avait dit à Peggy Gibney que Mme Webster était trop malade pour se déplacer.

— Dois-je lui dire que vous allez mieux ? demanda-t-elle en lui prenant son manteau.

— Si vous voulez.

Peggy Gibney occupait le même fauteuil que la dernière fois, comme si elle n'en avait pas bougé. Il n'y avait ni livre ni journal en vue. Nora se demanda si elle passait tout son temps assise avec ses pensées dans la pénombre de ce salon pendant que les branches des sapins remuaient de l'autre côté de la fenêtre et que Mme Whelan entrait de temps à autre avec une tasse de thé.

— Eh bien, Nora, vous voici donc, dit-elle sur le ton d'un médecin s'adressant à un patient venu retirer un bandage ou vérifier sa tension.

Nora la dévisagea froidement.

— Ça a été la guerre dans cette maison, poursuivit Peggy. Elizabeth est d'une impertinence rare, mais moi, bien entendu, j'incrimine Thomas. Ce qui est une façon d'accuser mon mari sans le dire ouvertement. William Gibney Senior a suffisamment à faire avec tous les changements en cours dans l'entreprise sans avoir à supporter encore des reproches. Et Thomas est tout à fait capable de les assumer, bien sûr.

— Peggy, je n'ai aucune idée de ce dont vous parlez.

Peggy posa un doigt sur ses lèvres ; elle se leva, s'approcha de la porte à pas de loup et l'ouvrit brutalement.

— Maggie, nous aimerions être seules à présent. Si nous voulons du thé, j'irai vous prévenir à la cuisine.

Elle revint s'asseoir.

— Nora, vous allez devoir me dire ce que vous voulez. Moi, je m'arrangerai pour vous l'obtenir.

— Rien.

— Sœur Thomas m'a dit de vous dire de descendre de vos grands chevaux si jamais je vous y trouvais perchée.

— Je ne veux rien, je vous remercie.

— Tout le monde à l'exception d'Elizabeth affirme que Francie Kavanagh est une administratrice remarquable. Elle connaît l'entreprise sur le bout des doigts, ce qui est la raison pour laquelle elle n'a pas besoin de tout noter par écrit. Si elle peut se montrer cassante, d'après ce qu'on m'a dit, c'est que dans le cas contraire elle n'obtiendrait aucun résultat. Mon mari et Thomas la portent aux nues. À mon avis personnel, Francie Kavanagh c'est Attila en jupon, mais comme personne ne m'écoute, même Elizabeth ne sait pas que je suis d'accord avec elle. Bon, personne ne m'écoute, mais, de temps à autre, c'est quand même moi qui fais la loi dans cette maison. Pour commencer, je ferme la cuisine. Je leur dis qu'ils peuvent manger où ils veulent, mais qu'ici ils n'obtiendront rien. Ensuite j'attends. Ensuite je leur explique ce que je veux, et je l'obtiens. Alors tout ce que vous avez à faire, c'est me dire quelles sont vos conditions.

— Je veux passer à mi-temps et que ce soit le matin. Je veux bien recevoir des ordres de Thomas et d'Elizabeth, mais Mlle Kavanagh ne doit pas même être autorisée à tourner son regard dans ma direction.

Je pense pouvoir en faire autant qu'avant, mais j'aurai besoin d'un peu d'assistance. J'accepte que mon salaire soit légèrement réduit, mais pas de beaucoup.

— Entendu, dit Peggy Gibney. Revenez me voir lundi matin. Avec Elizabeth.

— Quel est le rôle de sœur Thomas dans tout cela ?

— C'est une longue histoire, Nora.

— À l'époque où vous sortiez avec William ?

— Vous êtes la seule à être au courant, car vous êtes la seule à avoir entendu la scène entre son père et lui. Et nous vous avons toujours su gré de votre silence. Je devais partir en Angleterre ; c'était ce qu'avait décidé le père de William, comme vous le savez. Alors je suis allée voir les sœurs de Saint-Jean et je leur ai demandé où je pouvais aller. Sœur Thomas venait d'arriver, à l'époque. Oh, elle était très différente des autres. Elle avait travaillé en Angleterre, elle avait tout vu, les filles irlandaises qui débarquaient là-bas. Elle travaillait pour Michael Collins, vous savez. Les sœurs étaient de grandes messagères, et elle était l'une des messagères de Michael Collins. Elle ne vous l'a jamais dit ? Ah non, j'imagine, puisque vous êtes Fianna Fáil.

— Maurice l'était. Jim l'est encore.

— Il est possible qu'elle ne vous en ait pas parlé pour cette raison. Quoi qu'il en soit, elle est venue ici, dans cette même pièce où nous nous trouvons, et elle a menacé le père de William. Elle l'a menacé d'aller voir l'évêque, qu'elle avait connu bien des années auparavant et qui ne manquerait pas de fermer tous les comptes de l'Église avec l'entreprise Gibney, a-t-elle dit. Et elle demanderait même à l'évêque de se déplacer en personne si l'affaire n'était pas réglée séance tenante. William et moi devions nous marier puisque tel était notre désir, même si les Gibney ne me trouvaient pas assez bien à leur goût. Et cela a résolu tous nos problèmes. J'ai dit à sœur Thomas que si jamais elle avait besoin d'une faveur en retour, elle pourrait me la demander à n'importe quel moment. Elle a attendu toutes ces années, mais voilà. Sans elle, William Junior aurait grandi dans un orphelinat, ou il aurait été adopté en Angleterre. Quant à moi, je ne sais même pas où je serais à l'heure qu'il est. Alors vous comprendrez que je n'ai pas pu lui dire non.

— Michael Collins, dit Nora. Qui l'eût cru ?

— Elle m'en a parlé plusieurs fois. Apparemment, les sœurs lui mangeaient dans la main.

— Bon, apparemment, nous mangeons tous dans la main de sœur Thomas maintenant.

— Venez donc prendre un café lundi avec Elizabeth. On prend souvent un café ensemble le matin, elle et moi. Elle est particulièrement exubérante ces temps-ci. Je me demande si elle n'est pas malade. Ou peut-être est-ce un bon signe au contraire, je ne sais pas.

Pour Nora, il était évident qu'elle ne devait parler de tout cela à personne. Quand elle rendit visite à Una le samedi, elle se contenta de dire qu'elle était passée à mi-temps car elle trouvait trop difficile de travailler à temps complet. À sa réaction, elle crut sentir que sa sœur était informée de sa scène avec Francie Kavanagh.

Il fut convenu qu'Una et Seamus l'emmèneraient boire un verre au club de golf un soir de la semaine suivante.

Quand elle annonça aux garçons qu'elle ne travaillerait désormais que le matin, ils réagirent avec la méfiance qui, chez eux, accueillait toute annonce de changement. Et quand elle leur dit qu'elle allait passer une soirée au club de golf avec Una, et qu'ils seraient donc seuls à la maison le soir pour la première fois, leur méfiance augmenta d'un cran et ils voulurent savoir si elle avait l'intention de devenir membre du club. En apprenant qu'elle allait juste boire un verre au bar, ils voulurent savoir à quelle heure elle serait de retour.

Il leur fallut un temps pour s'habituer au fait qu'elle ne retournait pas au bureau après le déjeuner, et qu'ils la trouvaient donc à la maison en rentrant de l'école. Malgré leurs disputes et le fait que Donal abusait de sa position d'aîné, ils s'étaient accoutumés à cette vie, et tout changement de régime les mettait mal à l'aise, comme s'ils devaient tout reprendre de zéro.

Una demanda à Nora si elle pourrait l'emmener au club de golf dans sa voiture, vu que c'était la demi-journée de congé de Seamus, qu'il avait l'intention d'aller jouer au golf et d'avaler un sandwich au clubhouse et que ce serait plus simple pour lui de les retrouver là-bas. Nora songea à part elle que Seamus aurait pu prendre la peine de venir les chercher en ville. Elle se demanda si elle tenait là un prétexte suffisant pour annuler la soirée mais accepta, en définitive, à la pensée que si jamais elle croisait sœur Thomas, celle-ci ne manquerait pas de lui demander des nouvelles des Gibney et d'Una. Dans un autre siècle, pensa-t-elle, sœur Thomas eût été brûlée vive pour sorcellerie.

Le jour de la soirée prévue au club de golf, elle alla chez le coiffeur pour un shampoing et un brushing. Elle choisit une robe en lainage et un cardigan, et son manteau d'hiver pour le cas où l'aire de stationnement serait très éloignée du clubhouse.

— Seamus est ravi de te rencontrer, dit Una en montant dans la voiture. Les Gibney comptent parmi les meilleurs clients de la banque, et il a une très haute opinion de William Gibney Senior, un vrai cerveau d'homme d'affaires selon lui. Les fils vont apporter de grands changements à l'entreprise, et Seamus les apprécie beaucoup également. Il y a trop de salariés à l'heure actuelle. Seamus dit que la réduction de la masse salariale va dynamiser l'entreprise.

Seamus, qui les attendait dans le clubhouse, partit commander les boissons.

— L'après-midi a été franchement mauvais, annonça-t-il en revenant. J'ai tapé dans le rough au troisième trou et j'aurais sans doute mieux fait de m'arrêter là.

Il était grand et rougeaud. Et, pensa Nora, il avait l'accent du centre du pays. Il s'adressait à elle comme s'il l'avait connue toute sa vie ; ce devait être une faculté utile pour quelqu'un qui, comme lui, travaillait dans la banque et déménageait souvent.

Ils furent bientôt rejoints par deux autres hommes, dont l'un tenait une pharmacie en ville. Nora y était déjà allée, mais ne lui avait jamais adressé la parole avant ce soir.

— J'aurais pu avoir plus de chance au cinquième trou, dit le pharmacien. Je veux dire, si j'avais mieux placé ma balle. Je crois qu'il y avait du vent.

— Oui, c'est vrai, dit l'autre homme. Je l'ai remarqué, ce n'était pas aussi calme que ça en avait l'air.

— J'ai pris la mesure du phénomène après le cinquième trou. Et puis le birdie au huitième m'a sauvé la mise.

Il regardait Nora et Una en parlant comme si elles avaient participé au jeu.

— Je dis toujours que c'est la meilleure période de l'année pour jouer au golf. Par temps sec, s'entend.

— Et c'était le cas aujourd'hui ? s'enquit Una.

— Sec ou non, j'aurais dû m'arrêter au troisième trou.

— Christy O'Connor lui-même n'aurait pas été capable de sortir la balle de là, dit le pharmacien.

— Mais il doit bien y avoir un moyen. À l'époque où je vivais à Castlebar, j'avais un fer qui aurait sûrement réussi le coup. Très léger, avec un swing extraordinaire.

— Tu ne l'as plus ? demanda Una.

— Je l'ai perdu dans une partie de poker. Et le gars qui l'a gagné a remporté le championnat interclub l'année suivante, et encore l'année d'après.

Le pharmacien se leva pour aller commander une nouvelle tournée au comptoir.

— J'aime mieux ce club que celui de Rosslare, pas toi ? dit Seamus en s'adressant à l'autre homme. J'aime un parcours neuf trous bien conçu. Certains ne jurent que par Rosslare, et ils ont peut-être raison quand il y a plein de monde là-bas le week-end, mais rien ne vaut un jour de semaine bien tranquille ici.

— Vous étiez nombreux sur le terrain ? demanda Una.

— On était quelques-uns. Et j'ai aperçu un foursome de dames, mais je ne les connaissais pas. Voilà ce que c'est que d'être un nouveau venu. Et vous ? demanda-t-il à Nora. Vous êtes golfeuse ?

— Non.

— Ah, c'est un jeu formidable. Pas seulement pour l'exercice. C'est une manière d'apprendre à connaître une ville. On peut juger une ville d'après son club de golf.

190

Quand le pharmacien revint avec leurs verres, Una s'excusa et Nora la suivit aux lavabos.

— J'espère que tu vas réussir à les supporter un petit moment encore, dit Una.

— Ne t'inquiète pas pour moi. Du temps de Maurice, je devais les écouter parler sans fin du Fianna Fáil, et je ne te raconte même pas ce que c'était au moment des élections. Ce qu'il y a de bien, c'est qu'on peut se détendre et ne pas les écouter.

Ce qu'elle aurait aimé dire, c'est que c'était le type même de conversation que Maurice avait toujours méprisé, presque autant qu'elle. L'espace d'un instant, elle crut qu'Una allait mal prendre la remarque sur le fait qu'il n'était pas nécessaire de les écouter, mais Una sourit face au miroir.

— Je te reçois cinq sur cinq, dit-elle.

Plus tard, ils furent rejoints à leur table par un homme accompagné d'une femme qui fut présentée à la ronde comme étant sa fiancée. Nora comprit après un moment que cet homme n'était autre que le Ray d'Elizabeth. Celui-ci mit un peu plus longtemps à situer Nora.

— Ah, Elizabeth parle souvent de vous, dit-il alors. Elle prétend n'avoir jamais vu quelqu'un travailler aussi vite. Il vaudrait peut-être mieux qu'elle n'apprenne pas que je suis sorti ce soir. Je veux dire, que vous ne le lui disiez pas.

— Elizabeth et moi avons beaucoup d'autres sujets de conversation.

— Oui, pour ce qui est de parler elle est assez forte, je ne vous contredirai pas sur ce point.

— Elle est très efficace dans son travail, répliqua Nora sur un ton qui, elle l'espérait, mettrait un terme à cet échange. C'est vraiment la fille de son père.

— C'est une fille merveilleuse, dit Ray en avalant une gorgée de bière.

— Quand je lui ai raconté que je venais ici ce soir, elle a dit qu'elle passerait peut-être un peu plus tard, si elle avait le temps. Elle a une vie sociale très active, comme vous le savez.

Ce n'était absolument pas vrai. Nora n'avait rien dit à Elizabeth de ses projets pour la soirée, mais elle avait envie de voir ce qui allait se passer à présent. Elle fut contente de voir Ray prendre un air inquiet et regarder autour de lui comme pour mémoriser l'emplacement des issues.

Le lendemain matin, elle eut la surprise de trouver Elizabeth au bureau avant elle.

— Un petit oiseau qui buvait un verre au club de golf hier m'a dit que vous avez eu une longue conversation avec Ray.

Nora était certaine qu'aucun Gibney n'avait été présent dans le clubhouse la veille au soir. Elle ne voyait pas qui avait pu informer Elizabeth.

— Ne cherchez pas, c'est lui qui m'a appelée. Ce matin au saut du lit. Je l'avais eu au téléphone hier soir, j'étais prête pour sortir, mais il voulait se coucher de bonne heure, a-t-il dit. J'ai insisté. Il a refusé. Et puis, m'a-t-il dit, Seamus l'a appelé en prétendant qu'il était terrifié à l'idée de vous rencontrer et qu'il avait besoin de soutien.

— Terrifié à l'idée de me rencontrer ? Bien sûr que non !

— C'est ce que m'a dit Ray. Votre sœur aurait expliqué à Seamus qu'il ne devait surtout pas parler golf mais trouver un sujet plus sérieux, étant donné votre intelligence. Alors Seamus a pris tellement peur qu'il n'a rien pu faire d'autre que parler golf toute la soirée et maintenant vous le prenez pour un mange-merde.

Nora n'avait jamais entendu Elizabeth employer ce genre d'expression auparavant.

— Je suis sûre que c'est un homme charmant, dit-elle. Même si je suis contente d'apprendre que je le terrifie. Il a une drôle façon de le montrer, cela dit.

Elizabeth n'avait manifestement pas soupçonné la vérité, à savoir que Ray était sorti avec sa fiancée ce soir-là. Mais, tandis qu'elle s'asseyait à son bureau pour attaquer le travail de la matinée, Nora ne vit pas de raison de le lui dire.

À l'approche de Noël, elle fut soulagée d'apprendre qu'Una passerait le 25 avec Catherine et les jours suivants avec Seamus. La perspective de recevoir Una et Seamus en compagnie de Jim et Margaret eût été au-dessus de ses forces. Elle ignorait si Jim avait tenté en son temps de faire sauter le club de golf, mais elle était certaine qu'il avait un avis tranché sur ses membres les plus éminents. Et le récit par Seamus de l'une de ses parties de golf n'aurait sûrement pas soulevé son enthousiasme.

Le retour de Fiona et d'Aine pour les vacances fut cause d'une grande excitation ; toutes deux étaient sans cesse invitées à des soirées et à des fêtes, et à aller boire des verres en ville avec leurs amis. Nora protesta, disant qu'Aine était trop jeune pour fréquenter les bars, et qu'elle devait étudier son latin quoi qu'il en soit ; Aine rétorqua vivement que Fiona et elle avaient travaillé dur tout le trimestre et que ce n'était pas pour être enfermées pendant leurs vacances devant la télé avec les garçons et elle. Nora en resta sans voix. Aine ne lui avait jamais parlé sur ce ton, et cela l'amusait presque qu'elle s'y crût autorisée à présent. Une nuit, en entendant les filles rentrer à quatre heures du matin, elle faillit descendre leur demander où elles étaient allées, mais se ravisa et décida plutôt de se rendormir et de leur poser la question le lendemain en rentrant du travail.

Le dimanche précédant Noël, elle invita Jim et Margaret pour le thé. À peine arrivée, Margaret alla dans l'autre pièce pour parler avec Donal, comme elle en avait l'habitude, laissant Nora seule avec Jim qui réagissait à peine à ses efforts pour entretenir la conversation. Il s'illumina cependant à l'arrivée de Fiona et d'Aine.

Après coup, Nora n'aurait su dire comment on en était venu à parler de l'Irlande du Nord. Elle savait qu'Aine faisait partie de l'équipe de débatteurs de son école, et elle l'avait entendue parler en public une fois ; cependant elle ne croyait pas qu'il y eût des débats politiques au programme.

— Je connais une fille, commença Aine, qui a un cousin à Newry et elle dit que c'est une honte. Je ne sais pas comment nous pouvons laisser faire ça. Une société qui laisse faire ça a beaucoup de comptes à rendre.

— C'est drôle, dit Jim. Quand j'étais interné au camp de Curragh, au début, on n'aimait pas trop les types de Limerick parce qu'ils voulaient mettre sur pied une équipe de foot, jusqu'au moment où on a compris qu'ils n'avaient pas de mauvaises intentions. Mais on n'a jamais pu s'habituer à ceux du Nord. Ils se démarquaient toujours.

— Ça, ce sont des préjugés, dit Aine. L'Irlande est trop petite pour supporter les divisions.

Margaret entra à ce moment et voulut savoir de quoi ils parlaient.

— L'Irlande du Nord, dit Nora. Comme si on n'en avait pas déjà assez à la télévision.

— Oh, mon Dieu, dit Margaret. Savez-vous que Jim et moi y sommes allés une fois ? C'était un voyage organisé. Je ne me souviens plus dans quelle partie du Nord nous étions, mais les gens ont jeté des pierres sur notre car. J'ai poussé un soupir de soulagement quand nous nous sommes enfin retrouvés à l'abri de notre côté de la frontière. Une bande de protestants, si vous voulez mon avis.

Le 24 décembre, Una vint déposer ses cadeaux à la maison avant de partir pour Kilkenny. Elle avait acheté à Fiona et Aine les mêmes produits de maquillage coûteux que ceux qu'elle utilisait elle-même, et les filles passèrent l'après-midi à les essayer et à choisir une tenue pour Fiona, qui avait un rendez-vous ce soir-là. Nora, tout à ses préparatifs en vue du lendemain, n'était pas censée être au courant de ce projet.

Quand Jim et Margaret arrivèrent avec leurs cadeaux pour les enfants, Donal et Conor durent aider Margaret à sortir tous les paquets de la voiture. Chacun put constater qu'il n'y avait rien pour Donal à part une boîte de chocolats. Nora remarqua la nervosité de Margaret.

— Bon, dit celle-ci, le cadeau de Donal sera une jolie surprise pour tout le monde.

— Mais qu'est-ce que c'est, tante Margaret ?

— Moi, je sais, dit Conor.

— Alors dis-le-nous, fit Aine.

— C'est une chambre noire.

Il apparut alors qu'au cours des mois précédents Margaret avait fait faire des travaux chez eux dans le cagibi du couloir entre la cuisine et la salle de bains.

En plus d'acheter tout l'équipement, elle avait dû amener l'eau courante et faire construire un évier. En découvrant tout cela petit à petit, Nora comprit que Jim et Margaret avaient consenti une dépense considérable. Voilà donc de quoi il avait été question quand Margaret restait en tête à tête avec Donal à chacune de leurs visites. Il l'avait persuadée de prendre cette décision, de lui aménager un laboratoire photo, et de ne rien dire à Nora, qui l'en aurait évidemment dissuadée. Fiona et Aine étaient aussi stupéfaites qu'elle. Plus tard, une fois les garçons couchés et Fiona partie à son rendez-vous, Aine demanda à Nora si elle n'avait réellement rien su, pour la chambre noire.

— Cette passion qu'il a pour la photo pourrait très bien lui passer, dit Aine. Et que va-t-elle en faire alors, de son labo ?

— Ils n'arrêtent pas de parler tous les deux. Il a dû lui dire que c'était ça qu'il voulait.

— Personne n'a un laboratoire privé dans sa maison.

— Eh bien maintenant Donal, lui, en a un, dit Nora, et ce sera un bon prétexte pour s'échapper. C'est peut-être ça dont il a besoin, plus encore que du reste.

10

Après de nombreuses discussions, on lui avait finalement accordé une deuxième pension, et celle-ci avait été revalorisée comme la première dans le cadre des arbitrages budgétaires de l'année précédente. Elle n'avait pas compris au début qu'il y aurait un effet rétroactif et fut surprise de recevoir par la poste des chèques d'un montant qui lui parut très élevé. Elle en parla à Jim et Margaret, et Jim lui dit que Charlie Haughey avait été un ministre de la Justice opiniâtre et un ministre de l'Agriculture épouvantable, mais que, s'il parvenait à garder la tête sur les épaules, il resterait dans les annales comme un grand ministre des Finances.

Elle se souvint d'être allée avec Maurice, bien des années auparavant, dans la maison du Dr Ryan à Delgany pour la fête de fiançailles de sa fille – il était à l'époque ministre des Finances. Elle avait été étonnée par l'opulence des lieux, et par le fait qu'on eût embauché pour l'occasion du personnel de service et fait appel à un traiteur. Tous les invités, à part ceux du Wexford, étaient en tenue de soirée. Le Dr Ryan dégageait comme un air de noblesse, et elle avait été surprise de la nervosité dont Maurice faisait preuve en sa présence, de même d'ailleurs que Shay Doyle qui était monté d'Enniscorthy avec eux. La grâce et la distinction du ministre semblait les diminuer en proportion, là dans le hall de sa magnifique demeure. Elle avait été surprise également par la nonchalance avec laquelle le ministre avait réagi à la mention de Haughey, disant que c'était un chiot trop pressé, qui n'avait pas de racines dans le parti.

— Il est venu au Fianna Fáil parce que nous étions au pouvoir. C'est tout ce qui l'intéresse : le pouvoir.

Elle se souvenait du silence dans la voiture pendant la première demi-heure du trajet du retour, puis de la gravité solennelle avec laquelle Maurice avait répété à Jim les paroles du ministre quelques jours plus tard. Par la suite, quand la conversation roulait sur la politique, que ce soit avec Catherine et Mark ou avec sa tante Josie, elle avait remarqué que Maurice ne mentionnait jamais, même par allusion, ce qu'avait dit le Dr Ryan. C'était une information secrète, qui ne devait pas être partagée.

Il n'y avait qu'une seule autre fois où elle avait vu Maurice intimidé de cette façon. C'était en ville, à une réunion d'un groupe de laïcs catholiques présidée par le Dr Sherwood de l'internat St. Peter's College, où un théologien quelconque avait évoqué la question des changements en cours au sein de l'Église catholique. Il avait affirmé que le pouvoir de l'Église avait la préséance sur tous les autres, y compris la loi, la politique et les droits de l'homme. Pour les fidèles, avait-il dit, l'Église devait primer sur tout, non seulement en matière de religion mais pour tous les sujets quels qu'ils soient. Cela ne signifiait pas qu'elle était l'unique source de pouvoir ou que la loi ne devait pas être respectée, mais elle était le pouvoir premier. Un peu plus tard, au moment des questions et commentaires, Nora avait effleuré le bras de Maurice. Elle le savait en désaccord avec ce qui venait d'être dit, comme elle l'était elle-même, fermement ; mais prendre la parole en public pour mettre en question la parole d'un théologien, voilà une chose dont il était incapable. Elle n'oublierait jamais l'expression de Maurice en cet instant ; pas juste désemparé ou impuissant, mais intimidé, comme il l'avait été par le Dr Ryan dans le hall de sa demeure de Delgany.

Jim avait beau évoquer avec chaleur l'avenir de Haughey, elle savait qu'il ne l'estimait pas plus que les autres jeunes ministres. Elle-même appréciait Haughey, ou ce qu'elle savait de lui ; elle admirait son ambition et sa volonté de changement. Elle l'appréciait d'autant plus après avoir lu son dernier discours du budget, où il évoquait explicitement le sort des veuves. Il avait choisi de revaloriser encore une fois leur pension, et cela de façon rétroactive. Si elle avait pu prévoir une chose pareille, elle n'aurait peut-être pas vendu la maison de Cush. Quand le dernier chèque arriva, elle décida de le mettre sur le compte où elle avait déjà placé une partie de l'argent de la vente de Cush, sans savoir pour l'instant ce qu'elle allait en faire.

À la visite suivante de Jim et Margaret, elle parla de nouveau de Haughey, mais Jim ne se montra pas impressionné.

— Il veut se rendre populaire à n'importe quel prix, voilà à quoi se résume son action désormais. J'ai vu une photo de lui où on le voyait à cheval comme un aristocrate.

— Oh oui, confirma Margaret, il était ridicule.

— Il n'y a rien à attendre de lui.

— N'empêche, dit Nora, c'est le seul homme politique que je connaisse qui ait eu une pensée pour les veuves.

— Jim a eu des échos de son passage à Courtown, dit Margaret.

— Ah oui, à boire le champagne avec tous les arrivistes et les m'as-tu-vu du barreau et du bâtiment et Dieu sait quoi encore. Et tout le monde qui le dévorait des yeux. Une vraie comédie à grand spectacle.

— Cela ne me pose aucun problème qu'il s'amuse un peu quand il en a l'occasion, dit Nora.

Si Maurice avait été là, pensa-t-elle, il aurait défendu Haughey. Contrairement à Jim, il n'avait jamais trouvé juste qu'un pays soit dirigé par des septuagénaires, et il était un adepte du changement.

Jim émit un petit sifflement en tapotant du bout de l'index l'accoudoir de son fauteuil. Il n'était pas habitué à ce qu'une femme exprime un avis divergeant du sien. S'il continuait de venir chez elle, sourit-elle intérieurement, il allait peut-être devoir apprendre à le supporter.

Un soir au mois de mars, on frappa à la porte ; en allant ouvrir, elle reconnut le chauffeur qui lui avait parlé des émeutes de Derry. Elle le fit entrer dans le salon en pensant qu'il était arrivé quelque chose aux enfants. Elle pensa à eux en vitesse, un à un – Donal était chez Margaret, Conor dans le séjour ; il était peu probable que cet homme connaisse Fiona ou Aine, ni même Una, Jim ou Margaret. En attendant, il ne semblait pas très à l'aise.

— Je ne suis pas sûre de savoir votre nom, dit Nora.

— Mick Sinnott. J'ai bien connu votre père. Nous étions voisins dans Ross Road. Et j'ai eu M. Webster, paix à son âme, pour professeur.

— Vous avez connu mon père ?

— C'était il y a longtemps, nous ne devons plus être très nombreux à l'avoir connu. On était voisins, on passait notre temps les uns chez les autres, c'était comme ça à l'époque.

Il s'était détendu, mais elle n'avait toujours aucune idée de la raison de sa visite.

— Que puis-je faire pour vous ? fit-elle, en s'efforçant de ne pas prendre une voix trop impérieuse.

— Voilà. Les autres m'ont dit de ne pas venir vous voir, mais après je suis rentré chez moi et j'en ai discuté avec la patronne. Il se trouve que le personnel de Gibney, à quelques rares exceptions près, a décidé de rejoindre le Syndicat irlandais des transporteurs et des travailleurs, et c'est ce que nous allons faire demain soir, en secret, à Wexford. Si les Gibney l'apprenaient, ils nous empêcheraient d'y aller, ils nous diviseraient, ils feraient à certains des propositions qu'ils ne seraient pas en mesure de refuser. Les autres ne voulaient pas vous en parler, vu que vous êtes amie avec la famille, et nouvelle dans l'entreprise, et que vous travaillez à mi-temps. Mais j'ai décidé de le faire quand même, parce que je vous connais de loin depuis toujours. Je me souviens de votre mariage et tout. Bref, voilà ce qui se passe : on va tous se syndiquer. Et je vous connais assez pour savoir que vous n'en parlerez pas à la fille quand vous la verrez au bureau demain matin. Et si vous voulez venir, il y aura une place pour vous dans une voiture, et si vous ne voulez pas, personne ne saura que je vous l'ai proposé.

— À quelle heure ?

— Dix-neuf heures trente. Il faut être là-bas pour vingt heures.

— Quelqu'un passerait me chercher ?

— Oui, avec plaisir.

— Les employées de bureau se syndiquent aussi ?

— Toutes celles à qui nous avons posé la question, oui.

Elle resta silencieuse.

— Vous avez peut-être besoin de temps pour réfléchir ?

— Non, je me demandais combien de temps ça prendrait et à quelle heure je pourrais être de retour.

— À vrai dire, aucun d'entre nous n'a jamais fait une chose pareille, et tout ce que je sais c'est que les autres veulent qu'on soit tous là. Ils ne veulent pas qu'on dise qu'on va le faire et qu'on aille ensuite raconter aux Gibney que c'était pour de rire.

— Très bien, dit-elle. Je trouverai quelqu'un pour garder les garçons.

— Je ne sous-entendais pas que vous étiez de ceux qui disent une chose et en pensent une autre.

— Je sais.

— Votre père serait fier de nous. Il ne pensait aucun bien des chefs d'entreprise de cette ville. Ce n'était pas un jusqu'au-boutiste ni rien, mais c'était un homme bien.

Nora sourit.

— J'étais l'aînée, alors c'est moi qui ai le plus de souvenirs de lui. S'il avait vécu, il aurait quatre-vingts ans cette année. Difficile à croire, n'est-ce pas ?

— Oui, vraiment.

— Alors je vous attends demain soir à dix-neuf heures trente.

— Certains vont être surpris quand je le leur dirai. On a essayé de le faire il y a quelques années, juste une poignée d'entre nous, et le vieux a menacé de nous virer. Il a dit qu'il fermerait l'usine et on a dû reculer parce qu'on n'avait aucun soutien. Mais avec son fils, là, l'expert en productivité, et le fait que chacun a compris que nul n'était à l'abri de perdre sa place, la situation n'est plus la même. Et il y a un grand homme à Wexford qui s'appelle Howlin, c'est le bras droit de Brendan Corish. Je sais que ce n'est pas votre parti, mais il pourrait y avoir du changement bientôt, c'est ce qui se dit, en tout cas. Et Howlin va faire en sorte que les Gibney restent polis, et le petit jeune en particulier.

Nora le raccompagna à la porte.

— À demain soir, dit-il.

Après son départ, Nora se sentit légère, presque heureuse l'espace d'un instant. C'était le ton de Mick Sinnott – la confiance qu'il manifestait, son aisance, la parfaite simplicité et l'élégance de ses manières – qui la ramenait des années en arrière, dans sa jeunesse, quand elle allait danser le week-end. Mais ce n'était pas seulement cela ; c'était l'idée qu'elle avait pris une décision pour elle-même, sans demander conseil à quiconque. C'était la première fois depuis qu'elle avait vendu la maison de Cush qu'une occasion de le faire passait à sa portée, et elle était contente de l'avoir saisie. Peut-être n'était-ce pas une décision très judicieuse ; peut-être eût-il été plus sage de se montrer reconnaissante vis-à-vis des Gibney. Mais cela lui plaisait de n'avoir de gratitude envers personne.

Elle convint avec les garçons qu'il n'était pas nécessaire qu'ils soient gardés, et qu'il suffirait que Donal soit rentré de chez sa tante Margaret pour dix-neuf heures.

Elle ne savait pas quoi mettre pour l'occasion et cela l'amusa de penser qu'aucune femme de son entourage, ni ses filles, ni sa tante, encore moins ses sœurs, n'aurait su la conseiller sur la tenue la plus adéquate pour se rendre à une réunion du Syndicat irlandais des transporteurs et des travailleurs. Quelque chose de terne, se dit-elle. Des vêtements qui ne se remarqueraient pas.

Elle enfila une jupe simple, un chemisier et un pull épais et descendit l'escalier, enchantée par l'idée de l'ignorance totale des Gibney quant à ce qui se tramait. Elle n'était pas convaincue que leur nouveau statut syndical changerait quoi que ce soit pour les salariés, et la famille finirait par s'y habituer tôt ou tard. Mais que cela se fasse à leur insu ne pouvait que les agacer, les contrarier, peut-être même les choquer profondément. Peggy Gibney ne lui adresserait plus jamais la parole, et cette perspective procurait à Nora une étrange satisfaction.

Elle avait cru que ce serait Mick Sinnott qui passerait la prendre, et fut surprise en ouvrant sa porte de tomber nez à nez avec Marche en Canard. En montant à l'arrière de la voiture quelques instants plus tard, elle reconnut la jeune aide-comptable à qui Mlle Kavanagh avait ordonné de découper les dossiers aux ciseaux.

Pendant le trajet, elle découvrit avec étonnement à quel point tous semblaient détester les Gibney, et singulièrement Thomas et Elizabeth.

— Il nous suit partout, se plaignit Marche en Canard. Un jour je devais aller chercher des commandes à Blackwater et Kilmuckridge, puis à Riverchapel et Gorey. Comme c'était une belle journée d'été, j'ai emmené Rita et les enfants. Mon projet était de les laisser à Morriscastle, de les rejoindre à la fin de la journée et d'en profiter pour faire un petit plongeon moi aussi. Alors que je traversais The Ballagh, j'ai repéré une voiture qui me suivait. Qui était au volant ? Je vous le donne en mille : Thomas Gibney ! Il m'a pisté toute la journée. Il ne m'en a jamais parlé ni avant ni après, mais voilà à quoi il a passé sa journée.

— Et Elizabeth, ajouta la jeune aide-comptable, n'a jamais eu un regard pour nous. Je ne parle même pas de nous adresser la parole.

— Je trouve très agréable de travailler avec elle, dit Nora.

— Moi, Mlle Kavanagh ne me dérange pas du tout. Je veux dire, il faut du temps pour s'habituer à elle. Elle sait tout de ce qui se passe au bureau, et elle n'oublie jamais rien. Elle devait devenir expert-comptable, vous savez, et puis son père est mort et elle a dû rentrer à la maison.

— Non, dit Nora. Elle a toujours travaillé pour les Gibney. Elle était déjà là de mon temps.

— Oui, mais elle a fait un stage à Dublin, alors qu'elle travaillait déjà depuis quelques années. Elle a passé un an là-bas, ensuite elle a dû rentrer. Et sa mère est encore en vie et elle doit s'occuper d'elle.

— Je l'ignorais, dit Nora.

— Mon père, qui est chez les Armstrong, dit que c'est mieux de travailler pour les protestants. Moi, je ne sais pas. Les Armstrong ont déclaré que si leurs employés se syndiquaient, ils fermeraient l'entreprise et quitteraient la ville. Je ne pense pas que les Gibney feraient une chose pareille.

Nora regretta de ne pas avoir demandé à Mick Sinnott où se déroulerait la réunion. Elle aurait pu y aller par ses propres moyens. Elle sentait que les deux autres avaient envie d'en découdre sur le thème des

Gibney et ne se retenaient que parce que Nora partageait le bureau d'Elizabeth et semblait en bons termes avec le reste de la famille. Elle pensa qu'elle avait commis une erreur. Pourtant, sur le moment, la décision lui avait paru complètement juste. Elle avait été contente que Mick Sinnott veuille l'inclure ; il eût été impossible de refuser. Mais elle aurait peut-être dû ; la plupart des gens seraient sans doute de cet avis. Si elle voulait se syndiquer, il serait toujours temps de le faire plus tard. Il eût été simple d'acquiescer, oui, elle était nouvelle dans l'entreprise et employée à mi-temps et, oui, mieux valait sans doute attendre. Ils étaient presque arrivés à Wexford. Ce projet ne leur apporterait rien de bon. Cela leur donnerait du courage, ou les encouragerait à se montrer offensifs, mais en définitive ils ne récolteraient sans doute que des ennuis. Elle aurait voulu pouvoir rebrousser chemin, rentrer chez elle, mais il paraissait délicat de demander à Marche en Canard ou à quiconque de la ramener à Enniscorthy avant même le début de la réunion.

Le local, situé sur les quais, était à moitié plein. À peine entrée, elle se sentit observée par toutes les personnes présentes. Le fait de partager le bureau d'Elizabeth l'avait isolée des autres, et elle ne connaissait même pas le nom de certaines employées de bureau. Maurice, à sa place, aurait eu besoin de deux semaines de réflexion avant de venir. Il en aurait parlé avec elle, et avec Jim. Aucune décision, que ce soit l'achat de la maison ou les dates de leurs vacances à Cush pendant l'été, ne se prenait à la légère. Ce n'était pas particulier à Maurice, pensa-t-elle. La plupart des gens avaient besoin de réfléchir. Toutes les personnes présentes avaient sûrement mis des semaines à décider si elles voulaient ou non rejoindre le syndicat. Elle avait pris sa propre décision en une seconde, et maintenant elle n'y voyait qu'inconscience et bêtise pure. L'espace d'un instant, elle se demanda comment elle allait l'expliquer à Maurice. Elle imaginait déjà sa perplexité incrédule, puis quand elle se souvint qu'il n'y avait personne désormais à qui elle devait rendre des comptes, elle en éprouva un soulagement inattendu.

Elle se rapprocha de l'estrade et prit place parmi un groupe d'employées afin que nul n'aille s'imaginer qu'elle était là pour espionner la réunion. Un homme qui s'exprimait avec l'accent de Wexford expliqua qu'ils vivaient dans un temps d'idées soi-disant modernes, avec la promotion du « management » et l'arrivée dans les entreprises d'« experts en compétitivité ». Or ces gens-là ne connaissaient rien à la gestion et encore moins aux relations du travail. Pour les patrons, dit-il, les méthodes changeaient, mais pour les syndicats, les priorités demeuraient inchangées, comme ne manquait pas de le savoir toute personne affiliée au Syndicat irlandais des transporteurs et des travailleurs. Mais le syndicat ne vivait pas seulement de son histoire, il dépendait pour sa réputation du travail accompli au quotidien, en temps de paix comme en temps de crise.

— Il vient un moment dans toute crise où il n'y a qu'une chose qui l'emporte, dit-il. Il vient un moment dans la bataille avec le patronat où ce qui l'emporte, c'est la force brute et l'ignorance.

Nora l'observa tout en l'écoutant. Maurice aurait été très intéressé par cette réunion, et par ce discours. Ensuite elle pensa à Elizabeth Gibney, la personne en compagnie de laquelle elle passait désormais le plus de temps chaque jour. Elle imagina l'excellente imitation que pourrait faire Elizabeth de cet homme, et tout le parti comique qu'elle pourrait tirer de cette expression, « la force brute et l'ignorance ».

Autour d'elle, chacun écoutait avec la plus grande attention ; à la fin, il y eut des applaudissements. Il fut convenu qu'ils formeraient une file et signeraient leur nom un à un afin d'être désormais affiliés au Syndicat irlandais des transporteurs et des travailleurs.

Le lendemain au bureau tout était calme. Elizabeth n'avait manifestement aucune idée de ce qui s'était passé la veille au soir à Wexford. Elle resta de bonne humeur toute la matinée en parlant à Nora de son projet de se rendre à l'automne avec Roger à un week-end de rugby à Paris.

— Ma présence le protégera de lui-même. Il a des gueules de bois terribles, le pauvre chat. Et si on y va deux jours avant le match, je pourrai faire plein de shopping dans les merveilleuses boutiques qu'ils ont là-bas.

Le lendemain Elizabeth arriva en retard ; elle portait des lunettes noires.

— J'imagine que tu as appris la nouvelle. Personne n'a fermé l'œil à la maison. William le Vieux est dans tous ses états. Il a commencé par rejeter la faute sur le Fianna Fáil, jusqu'au moment où William le Petit lui a dit que le syndicat était affilié au parti des travailleurs, et là il a commencé à reprocher à Thomas sa manie de ramener de Dublin toutes ces idées modernes à la noix. Thomas est resté calme, bien sûr, ce qui est toujours une erreur avec William le Vieux. C'est pour ça que le vieux aime tant Miss Francie, avec son talent pour l'hystérie et les grandes scènes. Thomas lui a dit qu'il comptait réduire le personnel administratif de moitié au cours des années à venir, et il s'est mis à énumérer les méthodes qu'il allait utiliser pour cela. William le Vieux a fini par dire qu'il en avait assez, qu'il allait vendre l'entreprise, déménager à Dublin et s'installer à Dartry. Il a dit que les avoirs immobiliers et autres dégageraient à eux seuls une jolie somme. Il a un cousin à Dartry, et il pense que c'est un paradis de calme et de sérénité. Les choses auraient pu en rester là, sauf que mon frère chéri, William le Petit, a répliqué qu'on allait devoir prendre conseil sur la bonne manière de traiter avec les bolcheviques. Ça m'a fait tellement rire que ma mère a menacé de fermer la cuisine si on continuait, ce qui a mis William le Vieux dans un état de fureur. Il a expliqué qu'il pourrait doubler sa fortune en vendant l'entreprise, la minoterie en particulier, et en faisant fructifier le capital, et que l'unique raison pour laquelle il s'y refusait était sa loyauté vis-à-vis de ses salariés et vis-à-vis de cette ville. Il a dit qu'il avait littéralement la sensation d'avoir été poignardé dans le dos, et il a commencé à dresser la liste des meneurs. Apparemment il y en a un particulièrement vicieux, un certain Mick Sinnott, un chauffeur qui habite dans Ross Road et qui est une brute et un voyou. William le Vieux était tout pâle à ce stade, il a dit que Mère pouvait fermer la cuisine, ça lui était bien égal. Alors Thomas a dit qu'il s'occuperait personnellement de virer ce Mick Sinnott dès demain, d'en faire un exemple et de passer des coups de fil pour s'assurer qu'il ne soit plus jamais embauché où que ce soit. « Je vais lui faire mordre la poussière », a-t-il dit. Mais alors William le Petit a dit que ce n'était pas la fin du monde et qu'il y avait plein d'entreprises qui négociaient avec les syndicats. William le Vieux n'a pas voulu en démordre. Il a dit que c'étaient tous des chiens sans exception, qu'il ne tolérerait aucun syndicat et que c'était son dernier mot. Thomas a demandé à avoir les clés du camion de Mick Sinnott pour le déplacer avant qu'il ne vienne au travail ce matin. William le Petit lui a dit d'arrêter de faire l'idiot. Plus tard, ma mère a employé un mot dont on ne savait même pas qu'elle le connaissait. Elle s'en est servie pour désigner tous les gens de cette ville.

Nora faillit interrompre Elizabeth pour lui dire qu'elle avait participé à la réunion de Wexford et qu'elle avait signé avec les autres. Elle se demanda comment Elizabeth réagirait le jour où elle découvrirait la chose. Peut-être tout cela n'était-il pas très sérieux à ses yeux. Mais plus tard dans la matinée, en l'entendant parler à Roger au téléphone, elle fut fixée quant à son véritable sentiment.

— Ils ont fait ça dans son dos. Ils sont partis comme des rats dans la nuit et non, il n'a pas fermé l'œil, il a passé son temps à monter et descendre les escaliers, à venir me voir dans ma chambre, et Thomas dans la sienne, et William le Petit dans la sienne, pour nous demander comment une chose pareille avait pu arriver, comment il était possible que personne, absolument personne ne l'ait averti, ou ne nous ait avertis, de ce qui se tramait. Il n'y avait plus de loyauté, disait-il, et s'il n'y avait pas eu mes frères, il aurait fermé la boîte du jour au lendemain, alors même qu'il avait tant fait pour la développer, après l'avoir héritée de son propre père, et avec succès puisqu'il a doublé son chiffre d'affaires. Il n'arrêtait pas de dire que c'était un excellent moment pour vendre. Ce matin, ma mère m'a dit que cette histoire lui avait brisé le cœur et qu'il ne voulait plus remettre les pieds dans la boîte. Il connaissait certains employés depuis quarante ans, certains étaient là depuis plus longtemps encore. C'est un coup de poignard dans le dos. Ma mère a une amie chez les sœurs, une vieille chouette qui se fait appeler sœur Thomas, et j'ai dû lui téléphoner et lui demander de venir. C'est dire que l'heure est grave.

À treize heures, alors qu'elle s'apprêtait à rentrer chez elle, Nora tomba nez à nez avec Thomas Gibney, qui s'arrêta et la dévisagea avec une rage froide. Elle comprit qu'Elizabeth et le reste de la famille n'allaient pas tarder à apprendre qu'elle était au nombre des traîtres.

11

La ville était devenue plus facile à affronter. Dans Court Street, dans John Street ou Back Road, personne ne l'arrêtait plus pour lui exprimer ses condoléances, personne ne soutenait son regard en attendant une réponse. Si on l'arrêtait dans la rue, c'était pour parler d'autres sujets. Parfois, au moment de se quitter, on lui demandait comment elle allait, ou comment allaient les garçons, et c'était une manière d'allusion discrète. N'empêche qu'elle se raidissait encore en voyant quelqu'un approcher, prêt à lui rappeler ce qu'elle avait perdu. Elle se sentait quelquefois envahie.

Le pire, c'était le dimanche à la cathédrale. Peu importe où elle se mettait, on la regardait avec commisération, on se poussait pour lui faire de la place, on l'attendait dehors après la messe. Quand c'en était trop, quand chaque regard ne semblait destiné qu'à la bouleverser et à la mettre mal à l'aise, elle retournait à la petite chapelle des sœurs de Saint-Jean, ou elle se levait pour aller à la messe de huit heures, quand la cathédrale était dépeuplée. Elle pouvait alors s'asseoir où elle en avait envie et partir à la fin sans être inquiétée.

Un jour dans Court Street, en sortant de chez Barry où elle avait acheté de nouvelles piles pour le transistor qu'elle aimait désormais garder à côté de son lit, et alors qu'elle pensait à Fiona, qui écoutait volontiers Radio Caroline et Radio-Luxembourg le week-end, elle aperçut soudain Jim Mooney, un ancien collègue de Maurice, qui venait vers elle. Jim Mooney vivait seul, ou peut-être avec un frère, à la campagne ; c'était ainsi depuis toujours, ou depuis qu'il était revenu du séminaire sans avoir été ordonné prêtre. Maurice ne l'avait jamais aimé ; Nora croyait se rappeler que cela tenait à son refus de rejoindre le syndicat des enseignants, mais elle n'en était pas certaine. Contrairement à la plupart des professeurs de l'école, Jim Mooney ne lui avait pas écrit après la mort de Maurice.

— Quelle coïncidence, dit-il. Je pensais justement à vous.

Elle essaya de prendre un ton distant.

— Comment allez-vous ?

— À vrai dire, j'étais sur le point de passer vous voir.

Elle garda le silence. Elle ne voulait pas qu'il vienne chez elle.

— J'ai demandé conseil aux collègues, mais personne n'a su quoi me dire.

Son ton était à la fois raide et plein d'insinuation, et elle se demanda si Maurice l'avait trouvé aussi désagréable à l'époque qu'elle en cet instant.

— Votre Donal est un petit vaurien, poursuivit Jim Mooney. Il reste assis au fond de la classe sans se départir de sa mine renfrognée. Un jour en passant derrière lui j'ai vu qu'il n'avait même pas son manuel ouvert sur la table. Il lisait un livre. Un autre jour, il m'a tenu tête avec beaucoup d'insolence. Je ne sais pas ce que nous allons faire de lui.

Nora faillit répondre, mais se ravisa.

— Dans certaines familles, ce sont les garçons qui héritent de la matière grise. Mais chez vous, ce sont clairement les filles – et le jeune Conor, dont on me dit qu'il est plein d'astuce. Et les filles, paraît-il, sont très consciencieuses. Ça aide, bien sûr, d'être consciencieux.

Sa façon de prononcer le mot, comme dans un sermon proféré du haut d'une chaire, la fit sourire. Elle se demanda ce qui l'avait poussé à quitter le séminaire.

— Je me suis dit que je vous en toucherais deux mots si je vous croisais. Je ne suis pas le seul à me plaindre de Donal.

Nora chercha une réplique susceptible de le faire taire, mais n'en trouva aucune. Elle ne put que continuer à le dévisager en silence, furieuse de l'impression qu'elle devait lui donner : celle d'une femme faible et impuissante.

— Quelles sont les matières que vous lui enseignez ?

— Les sciences et le latin.

Elle hocha la tête mais ne dit rien.

— Peu importe, d'ailleurs. Quel que soit le cours, il manifeste les mêmes déficiences. Qui concernent tout autant son attitude en classe que ses aptitudes intellectuelles.

— Eh bien, je vous remercie infiniment pour ces informations, dit-elle en détachant chaque syllabe.

Elle se détourna pour partir.

— Je vous souhaite une bonne journée, dit-il.

Personne ne s'était jamais plaint de Donal auparavant. Même à l'époque où elle s'inquiétait à l'idée que son bégaiement puisse lui causer des problèmes à l'école, il n'y avait pas eu la moindre appréciation négative sur son bulletin. Il n'était jamais premier de sa classe, et certaines années ses notes n'étaient pas fameuses, mais il avait obtenu de bons résultats tant au certificat d'études que pour la bourse de l'administration du comté. Il passait ses soirées seul avec ses manuels dans la pièce donnant sur la rue. Elle le supposait en train d'apprendre ses leçons, mais peut-être était-il en réalité plongé dans ses livres de photographie ? Elle l'ignorait, tout comme elle ignorait ce qu'il convenait de faire à présent. Elle n'était pas certaine que ce fût une bonne idée de dire à Donal qu'elle avait croisé Jim Mooney. Peut-être valait-il mieux se taire.

Quelques jours plus tard, elle aperçut dans la rue Donal qui revenait de l'école. Il était sur le trottoir opposé et ne la vit pas. Il lui sembla abattu, profondément plongé dans ses pensées, le visage fermé.

Le samedi suivant, elle faillit parler à Fiona de sa rencontre avec Jim Mooney. Mais Fiona, qui devait sortir le soir, passa la matinée au lit à écouter la radio et l'après-midi en ville avec des amis. Nora sentit qu'il valait mieux la laisser tranquille. Et elle ne voulait pas prendre le risque d'entendre Fiona dire des choses sur Donal qui auraient encore renforcé son inquiétude.

Le samedi en fin d'après-midi, presque comme un prétexte pour quitter la maison, elle se rendit chez le coiffeur. Elle autorisa Bernie à ajouter des mèches cuivrées à sa couleur. Quand elle vit le résultat dans le miroir, elle fut encore moins convaincue que la première fois. Mais, au moins, elle avait passé un moment à s'inquiéter pour autre chose que la situation de Donal.

Ce soir-là, une des amies de Fiona passa la prendre. Elles devaient aller danser à White's Barn, mais Fiona n'était pas prête. Conor descendit écouter la conversation entre Nora et elle, et Donal entra un instant voir qui était là, pour ressortir aussitôt. Quand Fiona apparut dans sa plus belle robe, maquillée et avec ses anneaux aux oreilles, Donal revint s'asseoir sur le canapé, sans se départir de son air morose, pendant que les deux filles s'admiraient mutuellement et bavardaient encore un moment avec Nora avant de sortir.

Après leur départ, Nora se tourna vers Donal.

— J'ai croisé Jim Mooney cette semaine, dit-elle.

— C'est un imb-b-bécile.

— Il dit que tu n'es pas assez attentif en classe.

— Je le d-d-déteste. C'est un c-c-crétin.

— C'est un professeur de l'école.

Donal se mit à bégayer fortement, malgré l'effort qu'il faisait pour s'en empêcher.

— Si sa m-m-maison b-b-brûlait ce serait une b-b-bonne nouvelle. Ou s'il p-p-pouvait se n-n-noyer.

— Il vaudrait peut-être mieux que tu écoutes en classe.

Le jeudi, quand Margaret leur rendit visite, elle fit comme d'habitude un détour par l'autre pièce pour parler avec Donal. Et quand elle rejoignit Nora dans le séjour, elle lui parla de lui, de sa drôlerie et de son intelligence. Nora résista à l'impulsion de répliquer qu'elle-même ne le trouvait pas drôle, et que Jim Mooney ne le trouvait pas intelligent. Margaret enchaîna sur les heures que Donal passait dans le labo et les techniques qu'il utilisait pour développer ses photos. Nora s'abstint de dire qu'il ne lui avait jamais montré une seule des photos qu'il avait développées dans ce fameux labo.

Nora se fatiguait vite de la bonne humeur de Margaret ; elle aurait aimé pouvoir prendre un livre ou ouvrir le journal. C'était toujours un soulagement pour elle, le jeudi, quand Jim arrivait enfin et qu'elle-même pouvait aller préparer le thé à la cuisine, puis monter s'assurer que les garçons étaient couchés et qu'ils avaient bien éteint dans leur chambre.

Et quand, plus tard, Jim et Margaret se levaient pour partir, elle était contente d'avoir enfin le séjour pour elle. Dans l'entrée pourtant, au moment de leur dire au revoir, elle avait un coup au cœur en réalisant qu'une fois la porte refermée elle resterait seule dans la maison avec les garçons endormis et la perspective de la longue nuit à traverser.

Elizabeth ne reparla pas du syndicat et ne lui donna plus d'informations sur la manière dont son père et ses frères, sans oublier sa mère, assumaient la nouvelle donne. Nora assista à une réunion syndicale ; la discussion s'enflamma sur le thème de savoir qui ferait partie du comité et qui détiendrait quelle position au sein de ce même comité. Elle n'y retourna plus.

Néanmoins, elle prenait plaisir à voir Mick Sinnott – qui n'avait pas été renvoyé, en définitive – prendre de plus en plus d'assurance en tant que délégué syndical. Et, désormais, tout le monde bavardait avec elle et lui souriait en passant. La syndicalisation ne changeait pas grand-chose pour les employées administratives, dont le nombre baissait peu à peu sans donner matière à protestation. Quand une fille partait pour se marier, elle n'était pas remplacée ; les autres se répartissaient ses tâches. Thomas était de plus en plus tatillon sur l'assiduité et le respect des horaires. Il observait tout et envoyait un courrier à toute employée surprise à arriver en retard, ou à parler à une collègue, ou à commettre une erreur dans son travail.

Elizabeth avait retrouvé sa bonne humeur et confiait de nouveau à Nora ses projets de week-end et ses histoires de cœur ; mais Thomas ne lui adressait plus la parole. Quand il la croisait, il se contentait de lui jeter un regard noir. De son côté, elle passait devant lui comme si elle ne l'avait pas vu. En revanche, quand Thomas entrait dans le bureau qu'elle partageait avec Elizabeth, elle s'amusait à le saluer chaleureusement et à l'appeler par son prénom comme si de rien n'était. Il ne répondait pas. À un moment, Elizabeth demanda à son frère de bien vouloir dorénavant annoncer le motif de sa venue. Quand elle parlait bruyamment avec ses amis au téléphone ou quand elle racontait une longue histoire à Nora, elles apercevaient souvent la silhouette de Thomas à travers le verre dépoli de la porte. Nora se demandait s'il tenait un dossier sur elles comme sur tous les autres.

12

En voyant Nancy Brophy approcher de la maison, Nora s'écarta de la fenêtre. Elle n'avait aucune idée de la raison pour laquelle Nancy voulait la voir. Elle imagina la scène : Nancy frappant à la porte, attendant, frappant de nouveau, redescendant les marches et se retournant dans l'allée, guettant un signe de vie aux fenêtres. Elle sentit quel intense soulagement elle éprouverait si elle avait le courage de ne pas lui ouvrir.

Au premier coup frappé, elle alla à la porte et pria Nancy d'entrer.

— J'espère que je ne te dérange pas, je ne vais pas entrer, mais je voudrais te demander un service.

— Bien sûr, si je peux faire quoi que ce soit…

— Oh oui, dit Nancy gaiement, mais je t'assure que ce n'est pas la peine de faire cette tête. Tu as l'air tétanisée.

Nora ne sut comment réagir. Nancy était trop souriante, trop enjouée, presque ridicule.

— Comme tu sais, je m'occupe chaque année avec Phyllis Langdon d'organiser le quiz dans les salles paroissiales. Toute l'affaire est sponsorisée par Guinness. Phyllis pose les questions et moi je compte les points. Elle a une voix formidable, elle n'a même pas besoin de micro, et on travaille bien ensemble parce que de mon côté je ne fais jamais d'erreur de calcul.

Nora n'avait aucune idée de la raison pour laquelle Nancy lui racontait cela comme s'il s'agissait d'une information urgente et passionnante.

— Il se trouve que je ne vais pas pouvoir y aller demain soir. Je dois prendre le dernier train pour Dublin car Bridie, ma sœur, est hospitalisée au Bon Secours pour une intervention. Alors je me suis dit que j'allais trouver une remplaçante avant d'en parler à Phyllis. Et il se trouve que Betty Farrell a entendu dire par quelqu'un qui travaille chez Gibney que tu es la reine des chiffres – alors me voilà.

Nora la considéra d'un air grave.

— Ne me dis pas que tu ne peux pas ! s'écria Nancy.

— Ce serait juste pour demain soir ?

— Oui. Et ça te fera du bien de sortir un peu et de voir du monde.

— Je sors rarement.

— Je sais, Nora.

Il fut convenu qu'à moins d'un contrordre Phyllis Langdon passerait la prendre le lendemain à dix-neuf heures trente. Nancy redescendait les marches du perron quand Nora pensa à lui demander où devait avoir lieu le quiz du lendemain. Nancy répondit que c'était à Blackwater.

— Je ne savais pas qu'on organisait des séances si loin de la ville.

— C'est un essai. Juste pour cette année.

Nora la regarda s'éloigner avec la tentation de la rattraper et de lui dire qu'elle avait oublié qu'elle avait autre chose de plus important à faire ce soir-là.

Elle essaya d'imaginer ce que ce pourrait être ; puis elle comprit qu'il était trop tard. En refermant sa porte, elle regretta de ne pas avoir commencé par demander où allait se tenir la soirée. Si elle l'avait su, elle aurait dit qu'elle ne pouvait pas y aller. Blackwater était trop près de Cush et de Ballyconnigar.

Elle repensa à Blackwater l'été, quand les maisons se remplissaient d'estivants venus de Dublin ou de Wexford, et qu'il n'était pas mal vu pour une femme d'aller au pub avec son mari le vendredi ou le samedi soir et de boire un Babycham ou un cognac soda en laissant les enfants avec une baby-sitter ou un enfant plus âgé. Si le temps le permettait, et c'était souvent le cas en juillet, Maurice et elle faisaient le chemin à pied jusqu'au pub Etchingham – trois kilomètres depuis Ballyconnigar – et se faisaient raccompagner en voiture par quelqu'un en fin de soirée. Ou bien, en août, quand les nuits étaient plus sombres et que la rosée tombait de bonne heure sur l'herbe du chemin entre le terrain de handball et la falaise, elle conduisait la vieille Morris Minor et ils se détendaient davantage en sachant qu'ils pourraient rentrer quand bon leur semblerait. Maurice prenait toujours plaisir à parler, surtout s'il y avait dans la compagnie des personnes d'Enniscorthy, ou du coin, de Blackwater ; et elle, de son côté, en le voyant de si bonne humeur, se laissait aller petit à petit et finissait par y prendre plaisir elle aussi.

Elle expliqua aux garçons qu'elle allait sortir et qu'ils devaient lui promettre de ne pas se disputer et de se coucher à l'heure habituelle.

— On ne pourrait pas se c-c-coucher un peu plus tard ? demanda Donal.

— Je te laisse le choix, dit-elle. Mais pas trop tard.

— Et moi ? fit Conor.

— Toi aussi.

À dix-neuf heures trente, elle vit une Ford Cortina rouge freiner devant la maison. Phyllis Langdon était au volant. Nora avait enfilé une robe d'été et prévu un cardigan au cas où il se mettrait à faire froid plus tard dans la soirée. Les garçons étaient dans le séjour avec Fiona, qui devait sortir elle aussi.

— J'y vais ! cria-t-elle de l'entrée. Et je veux vous trouver endormis à mon retour !

Elle avait souvent eu l'occasion de croiser Phyllis Langdon au fil des ans. Son mari était vétérinaire et, comme elle, originaire de Dublin. Pendant qu'elle passait les vitesses puis quittait la ville en direction de Blackwater, Nora nota son habileté au volant et admira ses bagues.

— Ce qui est étonnant dans le quiz, dit Phyllis, c'est de voir à quel point les gens savent tout sur le sport, et rien sur les autres sujets. Bon, la politique, ça va encore, et la géographie, et l'histoire éventuellement. Mais quand on les interroge sur la littérature et la musique, ils sont complètement perdus, à se demander s'ils sont jamais allés à l'école.

— Qui invente les questions ?

— Oh, c'est moi. Pour le sport, je me fais aider. On commence par des choses faciles. Ils ont tous des livres de référence, mais je ne pioche que peu de questions dans ceux-là, histoire qu'ils aient l'impression que ça vaut le coup de préparer les séances. La semaine dernière, à Monageer, il y avait une équipe entière où personne ne savait rien de rien, et ils n'étaient même pas gênés. Si je leur avais demandé combien font deux et deux, ils m'auraient regardée comme si je leur demandais de m'expliquer Einstein.

— J'imagine qu'ils étaient venus pour le plaisir, dit Nora.

— C'est ça. L'ignorance est le gage du bonheur…

— Je suis sûre qu'ils sont très gentils.

— Oh oui, extrêmement gentils. Et subtils comme des planches.

Phyllis prit à droite à Finchogue et le silence dans la voiture se prolongea jusqu'après The Ballagh. Nora sentit que Phyllis prenait très à cœur la tâche qui les attendait et qu'il valait mieux ne pas trop plaisanter sur les questions auxquelles les concurrents avaient ou non du mal à répondre. Elle comprit mieux pourquoi Nancy Brophy tenait à faire appel à quelqu'un qui s'y connaissait en chiffres.

— Au fait, dit Phyllis, j'ai préparé un carnet et quelques crayons bien taillés. On commence par deux séries de questions à deux points qui sont d'une simplicité enfantine. Ça, c'est l'échauffement. Après on enchaîne avec deux séries de questions à trois points, puis à quatre points, puis cinq séries de questions à six points, histoire de séparer le bon grain de l'ivraie. Dans la première série à six points, les concurrents doivent répondre individuellement, ensuite toute l'équipe peut prêter main forte pour les suivantes.

— Cela doit représenter un travail énorme, de préparer toutes ces questions…

— J'aime bien avoir une palette de sujets variés. Et une bonne équipe comme celle d'Oylegate, par exemple, est capable de se documenter plusieurs semaines à l'avance sur les sujets qu'elle ne maîtrise pas.

— Alors c'est aussi très pédagogique, si je comprends bien.

— Pour certains, concéda Phyllis sur un ton sévère. Pour d'autres, non.

Phyllis n'avait pas mentionné le nom de Maurice. Elle n'avait rien dit qui laissât entendre qu'elle savait que c'était quasiment la première sortie de Nora depuis sa mort. Elle devait pourtant avoir été renseignée par Nancy Brophy ; si elle se taisait, c'était sans doute par délicatesse. Du coup, Nora elle-même ne se sentit pas autorisée à dire qu'elle connaissait Blackwater, qu'elle y venait à bicyclette quand elle était adolescente, qu'elle avait retrouvé Maurice là-bas pendant des années avant leur mariage, et qu'après ils avaient passé tous leurs étés dans le coin. Elle décida qu'elle ne dirait rien. Elle prendrait le jeu à cœur et noterait scrupuleusement les scores de chaque équipe.

À leur arrivée, Phyllis se déclara surprise que le comité d'accueil leur eût donné rendez-vous au pub Etchingham. Elle ne fréquentait pas les pubs de manière générale, dit-elle, et ferait en sorte qu'elles puissent rejoindre la salle paroissiale le plus vite possible. Elle refusa d'emblée le verre de bienvenue qu'on leur proposait.

— On doit garder la tête froide, dit-elle. Alors une carafe d'eau avec des glaçons et deux verres, s'il vous plaît. Et pareil tout à l'heure dans la salle paroissiale.

Les deux équipes de la soirée étaient originaires de Blackwater et de Kilmuckridge. Nora, tout à la tâche de tracer des colonnes dans son carnet, ne vit pas que Tom Darcy de Cush se tenait accoudé au comptoir. Il était encore en tenue de travail ; il s'approcha de leur table.

— Nora, comment allez-vous ?

— Tom ! Je ne vous avais pas vu. Vous êtes là pour le quiz ?

224

— On pensait rester pour le plaisir, Nora. Ou peut-être pas, ça dépend. On connaît toutes les réponses, de toute façon.

Nora faillit faire les présentations ; mais avec la raideur qu'elle venait de percevoir chez Phyllis, elle sentit que celle-ci ne serait pas enchantée d'être présentée à un homme en bleu de travail aux manières décontractées.

— Et comment se porte Mme Darcy ?

— Comme un charme. Elle sera ravie d'apprendre que je vous ai croisée. Et la dame qui vous accompagne ? Je la connais ? J'aime bien pouvoir dire à la patronne qui j'ai croisé au pub.

— Phyllis Langdon, voici Tom Darcy, dit Nora.

Phyllis hocha la tête mais omit de tendre la main.

— Oh, Phyllis Langdon. La femme qui pose les questions. La terreur de Monageer.

Nora perçut le mouvement de recul de Phyllis. Tom, de son côté, n'avait clairement aucune intention de retourner au comptoir tant qu'il ne leur aurait pas soutiré un maximum d'informations à rapporter chez lui.

— On me dit que ceux de Monageer sont incroyablement ignorants.

Sa réplique s'adressait à Phyllis, qui ne réagit pas.

— On me dit qu'ils sont aussi ignorants que ce qu'on trouve sur le sol d'une porcherie, et je ne parle pas de la paille.

— Et comment va tout le monde à Cush ? demanda Nora.

— Il n'y a quasiment plus personne. Et ceux qui restent tirent le diable par la queue. Je vais vous dire une chose, Nora. Vous manquez à beaucoup de monde. On en parlait justement l'autre jour. Vous étiez les meilleurs vacanciers, de loin.

— Excusez-moi, dit Phyllis, mais nous allons bientôt devoir y aller. Il faut surveiller les concurrents, pour qu'ils sachent où s'asseoir.

— C'est sûr que ceux de Kilmuckridge n'ont pas trop les yeux en face des trous. Essayez donc de leur faire épeler le *G* et les deux *A* de la Gaelic Athletic Association, ça leur apprendra les bonnes manières.

— Les bonnes manières, vraiment, dit Phyllis sur un ton appuyé.

— Voulez-vous boire un verre ?

La question s'adressait à elles deux.

— Certainement pas, dit Phyllis.

Nora vit Tom traverser le pub jusqu'au comptoir et les désigner, Phyllis et elle, à l'attention du barman avant de crier dans leur direction :

— Alors ? Babycham ? Sherry ? Cognac ?

Nora fit non de la tête et se tourna vers Phyllis, qui passait en revue ses listes de questions. Elle était toute rouge.

Le barman s'approcha de leur table avec un Babycham et un cognac soda.

— Je croyais avoir précisé que nous voulions seulement une carafe d'eau, dit Phyllis. Et d'ailleurs nous n'avons pas le temps.

— Le client est roi, dit le barman. Vous pouvez les emporter à la salle paroissiale, à condition de me rapporter les verres.

— Ça va vous faire du bien ! cria Tom Darcy depuis le comptoir.

— Vous le connaissez depuis longtemps ? demanda Phyllis à Nora.

— Depuis toujours, dit-elle avec calme en versant le Babycham dans son verre. Désolée, je ne peux pas boire de cognac, ça ne me réussit pas.

226

Elle sourit intérieurement. Avant d'épouser Maurice, elle n'avait jamais bu une goutte d'alcool. Alors, au début, elle avait essayé le sherry, mais le goût ne lui plaisait pas. Un soir, dans ce même pub, quelqu'un lui avait proposé un cognac. D'autres personnes les avaient rejoints à leur table ; elle en avait bu encore trois ou quatre. À la fin de la soirée, elle ne pouvait plus s'arrêter de rire. Debout au comptoir il y avait Frankie Doyle d'Enniscorthy, avec sa femme perchée sur un tabouret de bar, et en levant les yeux à un moment elle avait compris qu'ils pensaient qu'elle se moquait d'eux. Frankie était petit, on aurait dit un jockey, et ce détail le rendait peut-être susceptible. En plus, sa femme et lui n'avaient pas été conviés à se joindre à leur groupe en dépit du fait qu'ils étaient eux aussi originaires d'Enniscorthy. Quoi qu'il en soit, chaque fois qu'elle levait la tête vers eux, ils étaient tournés vers elle, et chaque fois qu'elle croisait leur regard, elle se remettait à rire. C'était plus fort qu'elle. Frankie et sa femme ne lui avaient plus jamais adressé la parole, et Nora avait compris qu'elle devait renoncer au cognac.

— Vous paraissez perdue dans vos pensées, dit Phyllis.

Nora lui sourit.

— Oui, c'est vrai.

— On doit y aller. Je pense que ce serait une erreur de traverser le village avec ces verres à la main, même si l'événement est sponsorisé par Guinness. C'est la dernière fois que j'accepte un rendez-vous dans un pub.

Ayant dit cela, elle descendit le cognac soda d'une traite.

À leur arrivée, la salle commençait à se remplir. Nora reconnut des visages ; elle en connaissait certains de nom ou de vue ; d'autres lui étaient inconnus, mais leur façon de se tenir près de la porte, ou du mur du fond, en lançant des regards autour d'eux, lui était familière ; ce mélange de timidité et d'aisance, de cordialité et de réserve lui donnait le sentiment de les connaître presque aussi bien que les autres, ceux qu'elle connaissait en effet.

Les équipes se présentèrent. L'autorité de Phyllis croissait à vue d'œil. Elle se leva plusieurs fois pour s'assurer que l'espace entre leur table et les chaises des concurrents restait parfaitement dégagé et fit valoir avec force que nul ne serait autorisé à s'approcher d'eux pendant le quiz pour leur souffler les réponses.

Chaque équipe se composait de trois hommes et d'une femme. Phyllis entreprit d'exposer les règles et tira de son sac un chronomètre qu'elle régla de manière qu'il sonne au bout de dix secondes. Nora, elle, observait les concurrents. Elle connaissait l'un des hommes de l'équipe de Blackwater – un enseignant à la retraite –, et la femme à côté de lui avait fait partie d'un comité de l'Association rurale des femmes d'Irlande. Le deuxième homme de l'équipe ressemblait à un collégien et le troisième, pensa-t-elle, était probablement agriculteur. Phyllis parlait toujours, et l'effet qu'elle produisait était pareil à celui d'un prêtre à l'église ou d'un professeur devant sa classe car un état d'esprit solennel semblait se communiquer peu à peu aux participants.

Les premières questions étaient d'une facilité presque insultante. Phyllis ne les formula pas moins sur un ton grave, comme si elles demandaient un important effort de mémoire et de concentration. Sa voix était soudain celle d'une animatrice radio ; elle prononçait certains mots avec un soupçon d'accent anglais. Nora comprit que sa propre tâche serait extrêmement simple. Mais quand les scores commencèrent à se démarquer à la deuxième série de questions, elle nota que Phyllis vérifiait discrètement les chiffres qu'elle inscrivait.

On en était aux questions à quatre points quand un homme apporta à leur table un autre cognac soda pour Phyllis et un autre Babycham pour elle. Elle n'avait aucune idée de qui pouvait avoir payé la tournée, vu que Tom Darcy avait en définitive renoncé à les suivre dans la salle paroissiale.

Arrivèrent les questions à six points. L'équipe de Blackwater avait une légère avance. Il y eut une première série portant sur le sport. Quand les questions concernaient la GAA, des hourras s'élevaient dans la salle. Phyllis dut demander le silence pour la série suivante, qui portait sur la musique classique.

— Combien de symphonies Brahms a-t-il composées ?

Le concurrent de Kilmuckridge prit un air concentré, comme s'il cherchait l'information dans sa mémoire. Phyllis annonça qu'elle allait déclencher le chrono.

— Vingt-cinq, dit-il précipitamment.

Phyllis gratifia l'assistance d'un regard dédaigneux. Quelques secondes s'écoulèrent.

— Comme chacun sait, dit-elle, Brahms a composé quatre symphonies. Vingt-cinq ! Non mais je rêve !

La question suivante suscita un nouveau silence consterné parmi les concurrents.

— Combien de symphonies ont été composées par Schumann ?

— Je dirais neuf, fit à voix basse l'enseignant retraité de Blackwater.

— Faux. Il en a écrit quatre.

Elle leur fit passer en revue Haydn, Mozart, Schubert, Mahler, Sibelius et Bruckner. Chaque nom était accueilli dans un grand silence et tous les concurrents échouèrent à tour de rôle à citer le nombre correct de symphonies. Quand elle énuméra une liste d'opéras en leur demandant de citer le nom du compositeur, seul l'enseignant et le jeune homme de Blackwater purent répondre. Blackwater avait donc quinze points d'avance quand arrivèrent les dernières séries de six questions auxquelles l'équipe au complet était autorisée à répondre. Quelqu'un suggéra qu'on prît le temps d'une courte pause. Phyllis accepta. Un autre cognac soda et un autre Babycham apparurent sur la table.

En jetant un regard vers le fond de la salle, Nora vit qu'un petit groupe d'hommes s'était formé à côté de la porte. Ils les regardaient de loin, Phyllis et elle, avec une méfiance teintée de rancune. L'un, un jeune aux cheveux blond foncé et au visage rougi par le soleil, vit que Nora les observait. Il jeta un regard à ses camarades avant de s'avancer vers elle. Son expression était celle d'un homme blessé. Il désigna Phyllis du menton.

— Pour qui elle se prend, celle-là ? J'espère qu'elle n'a pas l'intention de traverser Kilmuckridge en rentrant chez elle tout à l'heure, parce qu'il y a des gars là-bas qui ne l'apprécient pas trop.

Nora détourna le regard et ne répondit pas.

— Vous savez quoi ? poursuivit-il en se retournant vers sa bande. Si quelqu'un avait la bonne idée de lui coller une de ses symphonies dans le trou, elle ferait moins la maligne. Et elle ne poserait plus de questions, c'est sûr.

Phyllis murmura à Nora qu'il fallait tenter de finir le quiz au plus vite.

— Votre attention, s'il vous plaît ! cria-t-elle. En piste pour les dernières séries, les plus palpitantes ! Mme Webster va nous donner le score provisoire.

L'homme n'avait pas bougé. À la fin, Phyllis fut obligée de se tourner vers lui.

— J'ai bien peur que vous gêniez le passage, monsieur. Il n'y a pas de raison que vous restiez près de notre table. Pouvez-vous aller vous rasseoir, s'il vous plaît ?

L'homme hésita. Puis il la gratifia d'un regard d'absolu mépris avant de retourner auprès de ses camarades.

L'un des concurrents de Kilmuckridge s'était manifestement préparé pour cette dernière série, qui concernait les présidents et Premiers ministres de différents pays. Il fut capable de donner le nom des Premiers ministres norvégien et suédois. Ce fut ensuite que les problèmes commencèrent, avec la question du nom du Premier ministre d'Union soviétique. Ils hésitaient entre Brejnev et Podgorny.

— Alors ? demanda Phyllis. Lequel choisissez-vous ?

Ils se concertèrent jusqu'au moment où Phyllis déclencha le chrono.

— C'est Podgorny, dit l'un.

— J'ai bien peur que les deux réponses soient erronées. Le nom du président du Conseil est Kossyguine.

— Vous avez demandé le nom du Premier ministre.

— Oui. C'est Kossyguine.

— Vous venez de dire qu'il était président du Conseil.

— C'est la même chose. Et vous pouvez discuter tant que vous voudrez, je ne changerai pas d'avis. Question suivante.

Des murmures s'élevèrent de tous côtés. Phyllis haussa le ton.

— Je ne tolérerai pas d'autre interruption, dit-elle.

Nora avait le nez plongé dans son carnet et n'osait plus lever la tête. La fin de la série approchait, et l'équipe de Blackwater n'avait plus que trois points d'avance. Pour Nora, comme pour beaucoup de personnes présentes, pensa-t-elle, il était clair que si la réponse de Kilmuckridge sur l'Union soviétique avait été acceptée, leur équipe serait passée en tête. La dernière volée de questions porta sur des batailles célèbres, où chaque équipe engrangea le nombre maximal de points. Le quiz était terminé. Nora écrivit le résultat au bas de chaque colonne ; Blackwater devançait Kilmuckridge de trois points. Phyllis se leva, réclama le silence et énonça le score d'une voix impérieuse. Elle n'eut pas le temps de se rasseoir. Un homme s'était détaché de la foule des spectateurs et avançait droit vers elle. Il portait une casquette et une veste à carreaux.

— D'où êtes-vous ? demanda-t-il sur un ton agressif.

— En quoi est-ce que cela vous regarde ? contra-t-elle.

— Vous n'êtes même pas d'Enniscorthy. Vous n'êtes personne par ici. Alors vous feriez mieux de ne pas ramener votre grande gueule.

— C'est peut-être le moment de rentrer chez vous, suggéra Phyllis.

— Moi, au moins, je sais où c'est, chez moi.

— Vous nous avez volé la victoire ! cria un autre homme. C'est la vérité, c'est tout.

Tom Darcy émergea au même instant des rangs des spectateurs.

— Avec un ami de Kilmuckridge ici présent, nous aimerions inviter ces dames à prendre un verre chez Etchingham pour les remercier de leur dur labeur.

— On devrait accepter, dit Nora à Phyllis à voix basse.

Elle fut soulagée quand celle-ci hocha la tête.

— Êtes-vous la femme de Maurice Webster ? demanda le compagnon de Tom Darcy quand ils furent de retour au pub, au comptoir cette fois.

L'espace d'un instant, elle se demanda s'il savait que Maurice était mort.

— Je le connaissais bien, ajouta-t-il comme s'il avait deviné sa pensée.

Nora vit Phyllis, un cognac soda à la main, qui parlait à Tom Darcy avec animation.

— Vous l'avez connu il y a longtemps ?

— Au temps où il venait ici avec son frère et quelques autres gars. On allait pêcher ensemble. Son frère est-il encore parmi nous ?

— Oui.

— Et il y avait un autre frère, qui était de santé fragile et qui est mort, n'est-ce pas ?

— C'est cela.

— Et Margaret, la sœur ? S'est-elle jamais mariée ?

— Non.

— C'était une femme bien. Tout le monde l'appréciait.

Il regardait Nora en sirotant son verre.

— J'ai été triste d'apprendre la nouvelle, pour Maurice. Nous tous, d'ailleurs. Ça a vraiment flanqué un coup à tout le monde par ici.

— Merci.

— On ne sait jamais quel tour la vie va prendre. Parfois, on dirait qu'elle ne rime à rien du tout.

Ils restèrent silencieux.

— Ça vous dirait de boire quelque chose de mieux que ça ? demanda-t-il enfin.

Nora regarda son Babycham. Elle hésita.

— On me dit que ce n'est pas fameux, ce truc que vous buvez là, dit-il. Une vodka avec une limonade blanche vous irait mieux. C'est ce que prennent ma femme et ma fille quand elles sortent.

Il lui commanda la vodka et versa lui-même la limonade dans le verre.

Les hommes qui s'étaient tenus près de la porte de la salle paroissiale étaient arrivés entre-temps et commandaient à boire ; le pub se remplissait après le quiz ; l'ambiance était festive. Il s'était passé quelque chose d'inhabituel, qui avait donné du relief à la soirée en offrant aux uns et aux autres matière à conversation. Les hommes en particulier avaient l'air de revenir d'un match de foot ou de hurling.

Phyllis parlait toujours avec Tom Darcy, constata Nora ; il aurait plein de choses à raconter à sa femme en rentrant. Un peu plus tard ils furent rejoints par d'autres hommes, qui s'adressaient à Phyllis comme s'ils la connaissaient. Celle-ci participait à la conversation et écoutait en hochant la tête ; son regard allait de l'un à l'autre. Nora pensa qu'elle devait avoir l'habitude des fermiers, elle dont le mari était vétérinaire. Elle devait savoir quand le moment était venu de laisser tomber son ton impérieux. Ou alors, c'était le cognac.

Aucun des hommes ne voulut autoriser Phyllis ou Nora à payer une tournée, et chaque fois qu'eux-mêmes en commandaient une, ils ajoutaient un cognac soda pour Phyllis et une vodka limonade blanche pour Nora.

À un moment, Phyllis capta l'attention de Nora et lui désigna la porte. Nora reconnut Tim Hegarty et sa femme Philomena. Tim était un collègue et ancien camarade de Maurice. Elle savait que sa femme et lui écumaient la campagne le week-end en quête de compagnie, mais elle n'avait aucune idée de ce qu'ils étaient venus faire à Blackwater. Deux de leurs enfants les accompagnaient. Au regard de Phyllis, Nora comprit qu'elle ne portait pas les Hegarty en haute estime.

Tim était réputé bel homme et bon chanteur. Sa femme chantait avec lui quand elle n'était pas trop ivre ; une fois, à un concert du couvent de la Pitié auquel avait assisté Nora, la tribu au complet, c'est-à-dire les parents flanqués de leurs six ou sept enfants, avait incarné la famille von Trapp de *La Mélodie du bonheur*. Tout le monde disait qu'ils seraient passés professionnels s'ils avaient été capables de cesser de boire.

Il y eut un appel au silence émanant de derrière le comptoir. Nora vit Tim Hegarty debout, un peu à l'écart, les yeux clos. Avec ses cheveux huilés, sa veste rayée rouge et blanc et son nœud papillon, il ressemblait à une star américaine. Sans ouvrir les yeux, il bascula légèrement la tête en arrière et se mit à chanter d'une voix douce, mais assez forte pour être entendue de tous.

Mona Lisa, Mona Lisa, men have named you
You're so like the lady with the mystic smile

Nora crut se souvenir que cette chanson avait été interprétée par quelqu'un lors de son mariage. Mais qui ? Impossible de se le rappeler. Puis elle pensa que non, c'était plus récent que cela, et lié à une occasion où elle-même n'était pas au centre de l'attention. Après la naissance de Fiona peut-être ; son bonheur alors tenait sans doute au fait que Fiona était en parfaite santé, ou qu'elle commençait juste à marcher, ou qu'elle venait de prononcer ses premiers mots. Au deuxième couplet, cela lui revint : Maurice et elle avaient laissé Fiona à sa grand-mère pour la journée, et même pour la soirée peut-être, afin d'assister au mariage d'Aidan, le cousin de Maurice, avec Tilly O'Neill. La réception avait eu lieu à Wexford, à l'hôtel Talbot. Pierce Brophy, le fils de Nancy, celui qui était parti plus tard en Angleterre et avait gagné beaucoup d'argent, était le témoin d'Aidan. Pendant la réception, Pierce s'était levé, et il avait chanté cette chanson, qui était sans doute un tube de cette année-là, et tout le monde avait été impressionné par le fait qu'il connaissait toutes les paroles. Il l'avait chantée lentement, comme Tim à présent. Ce n'était pas le genre de chanson qu'appréciait Maurice mais Nora, elle, l'avait adorée, dans toute sa lenteur, sa tristesse et l'intelligence de ses rimes. Plus que tout, elle avait aimé avoir Maurice contre elle et être là, à une fête de mariage, habillée d'une belle robe, et que toutes les personnes présentes sachent qu'elle était mariée avec lui.

Quand Tim se tut, il y eut des applaudissements nourris. Seule Phyllis n'avait pas succombé à son charme ; plutôt le contraire, à en juger par son expression ; et quand elle croisa par hasard son regard, elle leva les yeux au ciel. Nora vit qu'elle tenait à la main un nouveau cognac soda et que quelqu'un avait aussi commandé une vodka limonade à son intention. Dans le même temps, Philomena Hegarty accordait sa guitare à l'autre bout du pub.

Au milieu du bruit et de la confusion, Nora éprouva soudain un violent désir d'être ailleurs – n'importe où sauf dans ce pub. Elle avait beau redouter la tombée de la nuit à la maison, au moins elle était seule et pouvait décider quoi faire. Le silence et la solitude lui étaient d'un étrange réconfort ; elle se demanda si les choses allaient mieux sans qu'elle s'en fût aperçue. Depuis qu'elle était jeune fille, elle n'avait jamais été seule au milieu d'une foule comme elle l'était ce soir. C'était toujours Maurice qui décidait combien de temps rester, et à quel moment partir, ils se consultaient de façon tacite. Elle n'y pensait même pas. À vrai dire, elle s'était souvent irritée des changements d'humeur de Maurice, qui pouvait manifester avec force son envie de partir puis, l'instant d'après, se mêler à la compagnie avec une facilité déconcertante, la laissant à attendre patiemment que la soirée se termine.

Voilà donc ce que ça faisait d'être seule. Ce n'était pas l'isolement qu'elle avait déjà connu, ni les moments où elle ressentait la mort de Maurice comme un choc infligé à son organisme même, comme si elle avait été victime d'un accident de la route ; c'était cette dérive au milieu d'une marée humaine, cette errance confuse, vaguement absurde. Puis il y eut un autre appel au silence, la guitare entama une mélodie tâtonnante et Tim Hegarty se lança dans une interprétation de *Love me tender*. À sa façon de souligner la langueur mélancolique des paroles, Nora crut qu'il se moquait d'elle, mais assez vite la chanson prit le dessus, il modula sa voix, plus douce ou plus ferme selon les moments, et fit de la place à la guitare en laissant des silences à certains endroits. À la fin elle applaudit avec les autres et fut, comme eux, frappée de surprise quand, au lieu d'accueillir l'hommage, les Hegarty se lancèrent dans un nouveau morceau, beaucoup plus rapide, en imitant l'accent américain d'Elvis Presley :

A very old friend came by today
'Cause he was telling everyone in town
About the love that he just found
And Marie's the name of his latest flame

La foule sifflait et criait son approbation pendant que Tim chantait et que Philomena faisait résonner ses accords. Nora ferma les yeux, se laissa aller au plaisir de la musique, qui était une sensation de luxe et d'urgence à la fois ; elle se souvenait de l'été où cette chanson était sortie, ou peut-être était-ce l'été suivant, le temps que sa célébrité parvienne jusqu'à Cush. Le soir on installait un tourne-disque sur une table devant le bus des Treacy, qui avait été cimenté sur son socle pour en faire une maison de vacances. On utilisait un long câble qu'on branchait chez l'un des voisins qui avait l'électricité.

Le soir elle partait à pied avec Maurice jusqu'à la maison des Kavanagh. En rentrant, ils trouvaient tous les enfants debout en cercle dans le crépuscule autour des adolescents qui dansaient sur la musique d'Elvis. Il y avait quelques garçons, timides, Fiona qui dansait, Patricia Treacy et Eddie Breen, et une partie des enfants Murphy, des Carroll et des Mangan. Cela remontait à moins de dix ans – six ou sept ans peut-être ; si quelqu'un lui avait dit alors qu'elle serait dans ce pub ce soir à écouter cette chanson après tout ce qui s'était passé, elle ne l'aurait jamais cru.

À la fin de la chanson, Tom Darcy s'approcha d'elle en tenant par la main une Phyllis aux joues rouges.

— Il prétend que tu sais chanter, déclara Phyllis.

— Mais oui, bien sûr, dit Tom. C'est même comme ça qu'on l'a connue, elle logeait chez les Gallagher, et il y avait des fêtes…

— Je n'ai jamais chanté depuis.

238

— Arrête ! s'écria Phyllis. Qu'est-ce que tu connais, comme chansons ?

— C'est ma mère qui chantait, dit Nora, comme si elle s'adressait à des personnes qui avaient pu connaître sa mère.

— Nora a une très belle voix, insista Tom. Du moins elle l'avait, à l'époque.

— Alors ? Qu'est-ce que tu connais ?

Nora réfléchit.

— La *Berceuse* de Brahms. Je crois que je connais ça.

— En allemand ?

— Dans le temps, oui. Maintenant seulement en anglais.

Phyllis posa son verre sur le comptoir.

— Il faut faire ça dans les règles. Je vais écrire les paroles du deuxième couplet en allemand et on va chanter toutes les deux. Je fais le premier couplet en allemand, puis toi en anglais, puis on fait le deuxième ensemble, d'abord en allemand, ensuite en anglais.

Phyllis était très excitée.

— On ne pourrait pas faire plus simple ? Je n'ai pas chanté depuis des années. Depuis le début de mon mariage.

— Donne-moi un bout de papier et je note les paroles en allemand. Elles sont vraiment faciles.

À l'autre bout du pub, un homme avait entonné *Boolavogue* d'une voix tremblante. Phyllis s'était mise à l'œuvre et traçait à toute vitesse, en grandes lettres, les paroles de la *Berceuse* qu'elle montrait à Nora au fur et à mesure en fredonnant la mélodie entre deux gorgées de cognac.

Le temps que l'homme vienne à bout de tous les couplets, Nora sentit que l'atmosphère avait changé et qu'une légère impatience gagnait les clients du

239

pub ; après le divertissement bienvenu des chansons, ils avaient envie de recommencer à boire et à parler tranquillement entre eux. Elle savait aussi qu'à Blackwater on n'aimait pas trop ceux qui se poussaient du col, et que toute personne qui prenait le risque de chanter en public était vouée à être moquée plus tard, avec plus ou moins de gentillesse.

Mais Phyllis était résolue. Elle avait maintenant toutes les paroles écrites en allemand et se dirigeait vers le centre du local, où on les verrait mieux. Nora savait que certains, en la reconnaissant, se demanderaient aussitôt comment elle pouvait chanter dans un pub alors que Maurice était enterré depuis moins d'un an.

Tom frappa dans ses mains et demanda le silence. Nora crut qu'il allait les présenter, mais il se contenta de hausser les épaules et retourna rapidement à son verre en les laissant seules face aux regards.

Quand Phyllis annonça d'une voix forte que Mme Webster et elle-même allaient chanter en duo, des rires fusèrent dans la salle. Épaules rejetées en arrière, elle paraissait plus combative encore que pendant le quiz. Nora se réjouit de ne pas chanter la première car elle n'avait aucune idée de la note à prendre. Phyllis se lança, dans un allemand plein de trémolos. Nora pensa immédiatement que sa voix était soit trop travaillée, soit pas assez. Les visages, dans la salle, étaient sans pitié. Toute forme d'étalage mettait ces gens-là mal à l'aise, ne fût-ce qu'une voiture neuve, ou une nouvelle moissonneuse-batteuse ou une femme qui s'habillait en pantalon pour la première fois. Mais une personne qui chantait mal, d'une voix aiguë, dans une langue étrangère – ils ne l'oublieraient jamais ; cette personne-là resterait un sujet de conversation pendant des années. À supposer que

Phyllis n'eût pas déjà laissé une empreinte indélébile à Blackwater avec son quiz, cette fois serait la bonne.

Nora se concentra de toutes ses forces. Parmi les personnes présentes, il y en avait forcément qui connaissaient la mélodie, ou qui l'avaient au moins déjà entendue une fois. Elle se dit que quand ce serait son tour de chanter le premier couplet en anglais, elle essaierait de le faire sonner comme une chanson ordinaire. Elle baisserait la voix, surtout dans les aigus, mais en chantant assez fort malgré tout pour se faire entendre.

Un peu avant la fin de son couplet, Phyllis se tourna vers elle. Quand les gens comprirent qu'elle allait céder le tour à Nora, comme si c'était un numéro qu'elles avaient combiné et répété ensemble, Nora vit l'embarras se peindre sur certains visages, chez les hommes en particulier. Ils n'étaient pas venus au pub pour assister à ce genre de spectacle. Dans un coin, elle aperçut un groupe de femmes qui avaient l'air au contraire de trouver tout cela hilarant.

Lullaby and goodnight, commença-t-elle. La puissance de sa propre voix la prit au dépourvu. Elle coula un regard vers les femmes du groupe qui se poussaient du coude en riant. Elle tenta d'adoucir son timbre, de rendre la mélodie aussi semblable que possible à une vraie berceuse, une chanson qu'elle aurait chantée à un enfant. Si elle n'arrivait pas à mettre ce groupe de son côté avant la fin du couplet, la situation deviendrait ingérable quand elles reprendraient toutes les deux en allemand. Elle garda le regard rivé sur les femmes. Arrivée au dernier vers, seules deux ou trois riaient encore.

Pour le deuxième couplet, elle laissa Phyllis mener ; elle essaya d'abord de chanter à l'unisson, puis une tierce en dessous – mais y renonça après un accord désastreux, totalement dissonant. Phyllis lui jeta un regard effaré, et Nora la laissa finir seule, les yeux rivés au sol, sans oser tourner la tête vers le coin où se tenait le groupe, priant simplement pour que l'épreuve ne se prolonge pas.

Le dernier couplet en anglais était celui qu'elle connaissait le mieux ; quand elle entendit Phyllis ralentir, elle reprit courage, se rapprocha d'elle et laissa sa propre voix se fondre dans la sienne, une tierce en dessous mais en essayant de se détendre et de laisser le son s'amplifier en même temps que celui de Phyllis. Elle n'osait toujours pas regarder les femmes dans le coin, mais les personnes les plus proches écoutaient attentivement.

Il y eut des applaudissements à la fin, non de plaisir mais de soulagement, et elle se jura qu'elle ne recommencerait jamais de sa vie entière. Elle vit que l'une des femmes dans le coin imitait à présent une soprano déraillant dans les aigus et que les autres l'encourageaient, ravies. Elle leur lança un regard noir.

Le pub s'apprêta à fermer, on prit les dernières commandes. Phyllis voulut à tout prix payer un verre à Tom Darcy et à ses amis, ainsi qu'à Nora. Tom voulut l'empêcher de payer, il alla jusqu'à lui prendre les billets, mais elle finit par avoir gain de cause. Nora la vit avaler un cognac soda d'une traite en attendant que le suivant lui soit servi. Elle se demanda si c'était bien raisonnable de rentrer avec elle au volant. À voir sa tête, Phyllis n'était pas loin de se lancer dans une nouvelle chanson ; Nora décida que la meilleure manière de se rendre utile dans l'immédiat était de l'en empêcher.

Dans la voiture, après avoir enfin dit au revoir à tout le monde, Nora constata que Phyllis était ivre au point de se comporter comme quelqu'un de quasi sobre. Elle se concentra sur la manœuvre et conduisit ensuite de façon apparemment sensée jusqu'au moment où Nora s'aperçut qu'elle avait oublié d'allumer les phares. Elle le lui dit. Phyllis ne se souvenait plus de la manière dont on s'y prenait pour les faire fonctionner. Ça finit par lui revenir. Nora se dit que si seulement elle parvenait à entretenir la conversation jusqu'à Enniscorthy, Phyllis réussirait peut-être à garder son attention sur la route et à ne pas s'endormir.

Le temps d'arriver au croisement de Castle Ellis, Phyllis avait eu le temps de dire un certain nombre de fois combien elle appréciait Tom Darcy, qui était un gentleman, et le pub Etchingham, qui était formidable, et que Nancy et elle ne s'étaient guère vu offrir l'hospitalité de la sorte après le quiz à Monageer. Dick, son mari, pourrait peut-être venir au pub Etchingham lui aussi un samedi soir après la saison des quiz, et ce serait formidable si Nora voulait se joindre à eux. Elle venait de le dire pour la troisième fois quand Nora s'aperçut qu'elle s'apprêtait à traverser la grand-route de Gorey à Wexford sans regarder à gauche ni à droite. Elle se demanda ce qu'elle pourrait bien dire pour l'aider à se concentrer, s'il existait un sujet capable de la faire ralentir et conduire plus prudemment.

Quand elles furent en sécurité sur la petite route entre Castle Ellis, The Ballagh et Finchogue, Nora entonna de nouveau la *Berceuse* de Brahms. Elle laissa sa voix descendre dans les graves, et quand Phyllis se joignit à elle, elle garda la ligne mélodique. Elles chantèrent les deux couplets en anglais.

— Tu es alto, dit Phyllis.

— Non, je suis soprano.

— Non, non ! Tu es mezzo, limite alto. Ta voix est beaucoup plus grave que la mienne.

— J'ai toujours été soprano. Ma mère était soprano.

— Ce sont des choses qui arrivent. Ta voix peut devenir plus grave avec le temps.

— Ça fait des années que je n'ai pas chanté.

— Et alors ? C'est arrivé pendant que tu ne chantais pas. Avec un peu de travail, ta voix pourrait devenir très bonne, et inhabituelle.

— Je ne sais pas.

— La chorale de Wexford organise parfois des auditions. C'est une chorale formidable. Nous chantons généralement une messe.

— Je ne suis pas sûre d'avoir le temps.

— Je vais leur en parler, on verra bien. Et tu pourrais peut-être venir au Gramophone Club ? On se réunit le jeudi soir à l'hôtel Murphy Flood. Chacun apporte un disque.

Nora ne voulut pas avouer qu'elle ne possédait aucun disque et que leur vieux pick-up n'était utilisé que par les enfants pour écouter de la pop. Phyllis attaqua une fois de plus la *Berceuse*, plus lentement cette fois, en laissant la voix de Nora se glisser sous la sienne et en tenant les notes finales aussi longtemps que Nora était capable de la suivre.

Elles continuèrent ainsi jusqu'à Enniscorthy. Phyllis fredonnait encore la mélodie en traversant la ville déserte. Le chant l'avait calmée. Elle manœuvra adroitement dans les petites rues ; sa conduite imitait de façon convaincante celle d'une femme sobre raccompagnant son amie chez elle. Elle s'arrêta devant la porte. Nora descendit de voiture et la remercia en ajoutant qu'elle aussi espérait la revoir bientôt.

13

Le premier matin à Curracloe, dans la caravane qu'elle avait louée pour deux semaines, Nora dut réveiller les garçons et leur dire qu'ils avaient une demi-heure pour se lever et libérer leurs couchettes afin qu'elle puisse les escamoter et déplier la table. Elle-même dormait avec Fiona et Aine dans l'autre partie de la petite caravane. Après avoir sorti ce qu'il fallait pour le petit déjeuner, elle partit au magasin acheter du pain, du lait et un journal. À son retour, ils dormaient encore. Elle eut beau insister, ils refusèrent de se lever jusqu'à ce qu'elle les menace de leur enlever les couvertures et de déplier la table sur eux. Même ainsi, ils eurent du mal à s'activer. Quelques minutes plus tard, Conor avait retrouvé sa bonne humeur, mais Donal avala son petit déjeuner en silence ; il avait ramassé le journal et lisait le dernier compte rendu du voyage sur la Lune avec une attention intense, sans cesser de manger et sans regarder ce qu'il mangeait.

Quand il eut fini, il se laissa aller contre les coussins et contempla le plafond. Après un moment, il sortit son appareil et le tourna vers divers objets. Il plissait les yeux en faisant la mise au point, choisissait les objets les plus petits et les plus insignifiants et les cadrait avec un soin minutieux. Il paraissait absorbé dans ses réflexions, mais elle se demanda s'il ne cherchait pas simplement à la contrarier.

Leurs vacances prirent forme peu à peu. Donal n'avait que deux préoccupations. D'abord, il voulait que la famille parte à la plage afin de pouvoir rester seul dans la caravane. Il guettait la préparation d'un éventuel pique-nique, qui signifiait que les autres s'absenteraient pour la journée. Si Nora lui proposait de les accompagner, il haussait les épaules en disant qu'il les rejoindrait peut-être plus tard. Puis il passait la matinée penché sur les magazines de photographie que lui payait sa tante Margaret ou qu'il achetait une fois par mois avec son argent de poche ; ses magazines l'occupaient quelques heures ; ensuite il retournait au grand manuel de photographie que lui avait offert Una.

Par ailleurs, il surveillait l'heure, car la retransmission du voyage sur la Lune avait lieu à une heure différente chaque jour. Dès leur arrivée, il s'était rendu dans la salle de télévision de l'hôtel Strand et s'était mis à photographier le téléviseur en se servant du grand angle qu'il avait reçu de Nora pour Noël et en choisissant des durées d'exposition plus ou moins prolongées. Nora ne comprenait pas bien ces aspects techniques ; mais elle savait combien tout cela absorbait Donal, et que toute question sur le sens de cette activité avait le don de l'énerver considérablement.

Elle l'avait vu s'en expliquer avec une intensité excessive la veille au soir, quand Una et Seamus leur avaient rendu visite. Il bégayait plus que jamais, et elle avait perçu toute la perplexité d'Una et de Seamus.

Donal acceptait difficilement le fait que la plupart des gens achetaient un appareil photo pour rapporter des images de leurs vacances. À la maison, sous le lit, il y avait une boîte pleine de photos en noir et blanc des étés d'autrefois, des champs derrière la falaise de Cush et de la plage de Cush. Tout cela était dans des pochettes avec les négatifs rangés à part. Quand Seamus lui avait demandé pourquoi il ne se contentait pas d'immortaliser la famille, Donal avait levé les yeux au ciel au mot « immortaliser » et avait bégayé de plus belle en expliquant qu'il ne s'intéressait qu'au poste de télévision de l'hôtel et aux images de l'espace qui pouvaient apparaître sur l'écran. Il se mit à parler de plus en plus vite en expliquant qu'il voulait cadrer chaque prise de vue de manière à avoir la surface de l'écran du téléviseur avec les images de l'espace dedans, et qu'à son retour il allait travailler à une technique particulière de développement pour ces photos-là dans le labo de sa tante Margaret.

— Quand même, dit Seamus. Tu ferais mieux de photographier les gens.

Donal haussa les épaules avec un mélange d'ennui et de mépris non dissimulé.

— Donal !

— J-J-J, commença Donal, mais le bégaiement l'empêcha de poursuivre.

Tous attendirent en silence pendant qu'il se débattait sans réussir à finir sa phrase. Puis il leva bravement la tête et articula d'une voix calme :

— J'ai arrêté de photographier les gens.

Le lendemain, tout était recouvert d'un voile de brume. Ils trouvèrent une place parmi les dunes où ils purent étaler deux couvertures et s'allonger sous le pâle soleil. Nora avait demandé à Donal de les accompagner pour les aider à porter le panier du pique-nique et pour qu'il sache où les trouver au besoin.

— L'eau est bonne, dit-elle. En tout cas, elle l'était hier.

— On ne v-v-voit rien. Ça va être c-c-comme ça toute la journée ? Je veux photographier ça.

— La brume se lèvera d'ici une heure ou deux, je pense.

Il retourna à la caravane chercher son appareil. En le voyant revenir, Fiona et Aine le taquinèrent en disant qu'il n'était pas question qu'il les prenne en photo tant qu'elles n'auraient pas un beau bronzage égal. Donal s'éloigna sans un mot en direction de la mer.

— Il n'obtiendra rien avec cette lumière, dit Aine. On ne voit rien.

— C'est ce qu'il veut, dit Fiona. Tu n'as pas vu les dernières photos qu'il a tirées ? en grand format ? Il n'y a presque rien dessus.

— Où sont-elles ? demanda Nora.

— Il les cache dans une espèce de classeur.

— Ah. Il ne me les a pas montrées.

— Il ne les montre à personne. C'est juste qu'à un moment le classeur est tombé, et les photos aussi, et je l'ai aidé à les ranger. Il a failli me mordre. Je crois qu'il ne maîtrise pas encore bien la technique du développement ; mais lui, il prétend qu'il fait tout exprès.

Nora, qui suivait Donal du regard, sourit en le voyant retirer son pull et le nouer autour de sa taille tout en tenant son appareil comme un trésor. Il s'éloigna encore. Il était tout près du rivage. Elle distinguait à peine sa silhouette.

248

La mer était plus agitée qu'elle ne l'avait jamais été dans son souvenir. La plage de Cush était peut-être plus abritée que celle de Curracloe. Les vagues de là-bas étaient bien moins fortes, lui semblait-il ; la plage était plus petite et il y avait des galets. Ici c'étaient des dunes de sable et une plage qui s'étirait à l'infini, sans galets, sans abri, sans falaise de marne. Elle regarda vers le nord, vers la maison des Keating. On ne voyait rien. Nora était contente de ne rien voir, et que Cush soit invisible de l'endroit où ils étaient, même par temps clair. La plage de Cush serait sûrement déserte par une matinée comme celle-ci ; les gens ne se risquaient pas à descendre la falaise tant que la brume n'était pas levée.

Les filles étaient déjà en maillot de bain. Lentement, Nora entreprit d'enfiler le sien.

— Tu n'as pas emporté un livre ? demanda-t-elle à Conor.

— J'en ai marre de lire.

— J'espère que tu ne crois pas que tu vas passer la journée assis là à nous regarder, dit Fiona.

— Et à nous écouter, dit Aine.

— Vous écouter parler de vos petits amis, tu veux dire ? Maman, tu aurais dû les entendre hier soir, elles ne parlaient que d'aller danser à Adamstown et White's Barn.

— Je déteste Adamstown, dit Aine.

— Fiona l'adore, dit Conor.

— Tais-toi, Conor.

— Conor, dit Nora, s'il pleut un jour, on ira à Wexford t'acheter des livres.

— Il a sa raquette de tennis, dit Fiona.

— Laisse-le tranquille.

Fiona descendit seule au bord du rivage pour tester l'eau.

— Il y a de grosses vagues, dit-elle en revenant. Et elles cassent au bord, alors on n'a pas le choix, on doit se mouiller.

Elles persuadèrent Conor d'enfiler son caleçon de bain, et tous les quatre se dirigeaient vers la mer quand une corne de brume retentit dans le lointain.

— Ce doit être celle du port de Rosslare, dit Nora. Je ne l'avais jamais entendue aussi fort.

Les vagues étaient suffisamment hautes pour les renverser. Elle laissa Conor sous la surveillance de ses sœurs et tenta de plonger sous une lame avant qu'elle ne casse, mais fut prise et tourbillonna, impuissante, avant de réussir à franchir celle d'après et de s'éloigner vers le large, où la mer était calme. Il y avait un banc de sable à cet endroit. Elle se mit debout et fit signe aux autres. Les filles étaient trop occupées à guetter la vague suivante ; Conor, lui, s'enfuyait en direction de la plage en riant et en criant des choses à ses sœurs.

Ils avaient encore douze jours devant eux. Et si le temps se maintenait, les filles oublieraient peut-être qu'elle leur avait promis de les ramener en ville au premier signe de pluie ou d'ennui. Un été – c'était avant d'acheter la maison de Cush, avant la naissance de Donal et de Conor – ils avaient loué un chalet qu'on appelait Kerr's Hutt, en surplomb de la rivière. Il avait plu tous les jours. Il avait tellement plu qu'à la fin elle n'avait plus eu de vêtements secs à leur donner. Et il n'y avait pas d'électricité, pas de radiateur, juste deux brûleurs à gaz pour cuisiner. Impossible de sortir. Elle leur avait appris des jeux de cartes ; ils avaient fait des parties de Scrabble ; mais quand les filles en avaient eu assez, il n'y avait plus eu de solution de rechange. Ils ne pouvaient pas rentrer en ville ; c'étaient leurs seules vacances. Cet épisode paraissait tellement lointain et étrange à présent – ces jours où ils avaient été entassés tous ensemble dans ces deux pièces avec l'humidité qui suintait de partout et les vêtements étalés qui ne séchaient jamais.

Conor était excité par la mer. Elle le vit se faire renverser par une vague et traîner jusqu'au rivage. En se relevant, il paraissait sous le choc, au bord des larmes ; mais ensuite elle le vit rire et crier à ses sœurs qu'une autre arrivait, encore plus grosse que les précédentes. La vague se brisa ; il tenait ses sœurs par la main ; Nora les observait depuis le banc de sable. La corne de brume résonna de nouveau. Elle sentit le froid qui se dégageait de la brume ; le soleil faiblissait. Elle résolut que, s'il se mettait à pleuvoir et que la pluie persistait, ils rentreraient tous à la maison et qu'elle oublierait l'argent dépensé pour la caravane.

Au cours des jours suivants, le temps resta à peu près stable. Parfois le soleil dissipait rapidement la brume matinale ; d'autres fois la journée s'installait dans une sorte de grisaille douce et sans vent. Il faisait toujours assez bon pour rester sur la plage, et ils retournaient toujours à l'endroit qu'ils avaient élu dans les dunes le premier jour. Parfois Donal les rejoignait et arpentait le rivage avec son appareil. Tous leurs efforts pour l'encourager à se baigner échouèrent.

Il passait un long moment chaque jour dans la salle de télévision de l'hôtel Strand. Il y avait toujours du monde, leur dit-il, pour suivre l'avancée des astronautes qui approchaient lentement de la Lune. Certains amenaient leurs enfants, et ceux-ci criaient si fort qu'on n'entendait pas le commentaire de Kevin O'Kelly. Il aurait bien aimé pouvoir regarder la télévision ailleurs, au calme, sans être dérangé. À l'hôtel, il y avait aussi un type de Dublin qui n'arrêtait pas de lui donner des conseils sur la mise au point et le reste.

— Rien n'est jamais parfait, lui dit Nora. Le monde est rempli de types comme lui. Ce que tu dois faire, c'est le remercier avec un grand sourire et ne plus t'en occuper.

Fiona avait passé des entretiens d'embauche et décroché un poste dans une école en ville sous réserve qu'elle obtienne son diplôme. Le jour de la proclamation des résultats, elle appela l'institut de formation depuis la cabine du village et apprit qu'elle avait été reçue. Elle s'arrangea pour qu'une amie passe la chercher et emprunta de l'argent à Nora en s'engageant à la rembourser sur son premier salaire. Elle promit qu'elle reviendrait à la caravane avant la fin des vacances, mais Nora ne s'attendait pas à la revoir.

Elle était maintenant seule avec les trois autres. Avec sa carte de bibliothèque et celles de ses frères, Aine avait emprunté une pile d'ouvrages sur l'histoire et la politique. C'était tout à fait le genre de livres qui auraient intéressé Maurice. Aine avait aussi acheté un fauteuil pliant bon marché au magasin du village, qu'elle prit l'habitude d'emporter à la plage ainsi que les livres. Elle acceptait de se baigner avec Nora et Conor et se montrait à peu près polie ; mais le départ de sa sœur l'avait rendue étrangement distante. Même quand elle ne lisait pas, elle gardait le silence, et Nora sentait qu'elle ne voulait pas être dérangée. Un jour, alors qu'ils passaient devant le court de tennis, Nora lui demanda si elle avait envie d'y aller, ne serait-ce que pour regarder un match avec des garçons et des filles de son âge, mais Aine ne manifesta aucun intérêt.

Un soir, Donal reçut la permission spéciale de veiller tard à l'hôtel, car la sortie des astronautes sur la Lune était peut-être imminente et il ne voulait surtout pas rater ce moment. Il avait déjà utilisé quatre rouleaux de pellicule, qu'il conservait dans un sac spécial, et Nora savait qu'il passerait le reste de l'été dans son labo à développer les négatifs. Il fut convenu qu'elle passerait le chercher à deux heures du matin. Le camping était assez proche de l'hôtel, mais elle ne voulait pas qu'il rentre seul en pleine nuit.

Elle dut patienter un long moment devant l'hôtel, en sonnant régulièrement. Le portier de nuit apparut enfin, suivi par un gérant. Ils la dévisagèrent avec méfiance, et le gérant lui demanda ce qu'elle voulait. Elle expliqua patiemment qu'elle venait chercher son fils, qui suivait l'alunissage dans la salle de télévision. Le portier resta avec elle dans le hall pendant que le gérant allait chercher Donal. Les deux hommes ne se départirent pas de leur air réprobateur ; elle crut que c'était parce qu'elle les avait réveillés.

Le lendemain, ils étaient tous trois installés à leur place habituelle sur la plage, et Nora était descendue au bord de l'eau pendant qu'Aine lisait et que Conor feuilletait une bande dessinée qu'il avait achetée avec de l'argent donné par son oncle Jim. Les vagues étaient toujours aussi fortes. Quand Conor était avec elle, elle ne pouvait pas le quitter des yeux, encore moins s'éloigner à la nage. Quand elle était seule, elle franchissait la barre et gagnait l'endroit où la mer était plus calme et où elle pouvait flotter en regardant le ciel et s'essayer au dos crawlé, qu'elle avait appris dans le temps mais qu'elle n'avait jamais eu l'occasion de perfectionner.

Elle ne pensait plus à rien quand, en se retournant pour nager la brasse, elle vit qu'Aine lui faisait signe depuis le bord. Elle s'alarma aussitôt. Où était Conor ? Où était-il passé ? Aine paraissait désemparée. Il y avait pourtant du monde sur la plage. Pourquoi ne demandait-elle pas de l'aide ?

Elle était hors d'haleine en sortant de l'eau. Aine vint à sa rencontre.

— C'est Donal ! Je ne sais pas ce qu'il a.

— Il y a eu un accident ?

— Non, il s'est passé un truc à l'hôtel. On lui refuse l'accès à la salle de télévision parce qu'il n'est pas un client de l'hôtel.

— C'est tout ? Rien de plus grave que cela ?

— Tu devrais voir sa tête !

— J'ai cru que quelqu'un s'était noyé.

— Il est dans tous ses états. Du moins il l'était quand je l'ai quitté.

Elle le trouva assis sur une natte à l'écart de Conor, qui leva un regard prudent à son approche. Donal était recroquevillé sur lui-même et se balançait d'avant en arrière, l'appareil autour du cou.

— Que se passe-t-il ?

— Le gérant q-q-qui était là hier m-m-m'attendait. Il a d-d-dit que la salle t-t-télé était seulement pour les clients et p-p-pas p-p-pour les gens du c-c-camping. Jusqu'à hier soir il avait cru q-q-que j'étais un c-c-client.

— Tu ne penses pas que tu as déjà suffisamment de photos ?

— Je v-v-vais rater l'alunissage. (Il fondit en larmes.) T-T-Toutes les photos q-q-que j'avais n'étaient qu'une p-p-préparation pour ça.

— Donal, tu ne peux pas tout avoir.

— Je ne veux pas t-t-tout avoir.

Elle ramassa une serviette et entreprit de se sécher. Du vivant de Maurice, pensa-t-elle, Donal n'aurait jamais nourri une telle obsession pour son appareil. Et il n'aurait certainement pas eu un laboratoire à sa disposition. Elle essaya de se rappeler comment il était avant que tout cela n'arrive. Cela lui revint alors : combien Donal avait été proche de Maurice, et attaché à lui, comment il attendait la fin de sa journée de classe à l'école primaire pour se rendre à l'école secondaire, où il s'asseyait au fond de la classe de son père en attendant qu'il ait fini sa journée lui aussi ; ou alors, s'il l'y autorisait, il dessinait au tableau noir. Il connaissait par cœur l'emploi du temps de Maurice, quels étaient les jours où il finissait de bonne heure et ceux où il enseignait aux élèves de dernière année et où il ne fallait pas le déranger.

Elle soupira en ôtant son maillot de bain mouillé. Ses sœurs lui auraient dit qu'elle était folle, et Josie probablement aussi, et sa mère, si elle avait été en vie, n'aurait pas eu de paroles assez dures pour condamner sa décision. Malgré tout, elle était certaine que c'était la bonne. Fiona était à la maison. Autrement dit, il était possible de ramener Donal en ville et de le laisser sous la garde de sa sœur. Il ne la gênerait pas, vu que les deux seules choses qui l'intéressaient désormais étaient la télévision et son labo. Fiona serait contrariée, bien sûr, elle aurait préféré garder la maison pour elle seule afin d'inviter ses amis en toute liberté. Mais Nora sentit qu'elle n'avait pas le choix. Elle commencerait par passer au village, d'où elle appellerait Margaret à son travail. Margaret serait enchantée de recevoir Donal à dîner et de regarder l'alunissage avec lui. Mais il ne pouvait pas dormir là-bas ; il n'y avait pas assez de place, il devait dormir dans son propre lit. Nora lui ferait promettre de bien ranger ses affaires et de ne pas gêner sa sœur. Elle envisagea un instant d'appeler aussi Tom O'Connor, le voisin, pour lui demander de prévenir Fiona de leur arrivée, puis se ravisa ; mieux valait ramener Donal simplement et le laisser à la maison sans commentaire. Elle espérait que la surprise ne serait pas trop rude pour Fiona. Celle-ci pourrait protester tant qu'elle voulait – ce n'était que pour la durée de la retransmission du voyage sur la Lune.

Dans la voiture, elle jeta un regard sévère à Donal qui commençait à tourner son objectif vers le pare-brise.

— Donal, remets cet appareil dans son étui. J'essaie de conduire, et il me gêne.

— Je peux m'asseoir d-d-derrière.

— Reste où tu es et ne me contrarie pas.

De retour à la maison, à peine eut-elle tourné la clé dans la serrure et ouvert la porte qu'elle perçut une odeur d'alcool. Elle jeta un regard dans la première pièce ; tout était normal. Dans le séjour, elle dut allumer le plafonnier car Fiona n'avait pas pris la peine d'ouvrir les rideaux. À l'évidence, il y avait eu une fête. Peu importe ce qu'elle décidait de faire à présent, elle allait devoir choisir son rôle. Fiona était sans doute là-haut, peut-être endormie. Elle pouvait la réveiller d'une voix indignée, l'obliger à se lever, lui faire avouer qui était venu la veille au soir, jusqu'à quelle heure et ainsi de suite. Ou alors elle pouvait entreprendre un grand ménage. Quand Fiona émergerait enfin, son humiliation serait totale. Elle inspecta les dégâts. Un cendrier rempli à ras bord. Une bouteille de vodka. Elle croisa le regard interloqué de Donal. Elle ouvrit les rideaux, puis la fenêtre. Au même moment, elle entendit du bruit là-haut. Très vite, sa résolution fut prise. Elle allait partir et feindre de n'avoir rien vu.

— Fiona rangera tout ça, dit-elle à Donal. Toi, trouve-toi un fauteuil et allume la télé avant que tes bonshommes aient eu le temps de changer de planète. Je te laisse de l'argent pour les courses, mais ce soir tu pourras aller prendre ton thé chez tante Margaret. Et ta tante Una passera te voir.

— Et F-F-Fiona ?

— Tu peux lui raconter ce qui est arrivé à l'hôtel et pourquoi tu as besoin d'un téléviseur. Dis-lui que je suis retournée à Curracloe et que si on me cherche, on sait où me trouver.

— Mais c-c-comment on va faire pour rester en c-c-contact ?

— Je ne sais pas. Demande aux hommes de l'espace de m'envoyer un message.

Ils entendirent des pas au-dessus de leur tête. Fiona était levée.

— Q-Q-Qu'est-ce que je vais dire à Fiona ?

Il fit un geste englobant le désordre.

— Dis-lui qu'elle a intérêt à ce que cette maison… Non. Dis-lui de faire en sorte que tu aies de quoi manger. Et arrange-toi pour ne pas être dans ses pattes.

Donal parut désemparé. Puis il sourit et hocha la tête. Une porte s'ouvrit là-haut. Nora posa un doigt sur ses lèvres.

— Tu es sûr que tu veux rester là ? murmura-t-elle.

— Oui.

Elle s'approcha et lui ébouriffa les cheveux. Il recula, souriant toujours.

— Si tu changes d'avis…

— J-J-Je ne changerai p-p-as d'avis.

Elle lui donna une clé de la maison. Puis elle s'éclipsa sans bruit, refermant la porte d'entrée derrière elle.

Les jours suivants dans la caravane furent paisibles. Conor se mit à fréquenter le court de tennis et devint ami avec deux garçons de Wexford qui séjournaient dans l'un des cottages au toit de chaume du côté de Culleton's Gap. Le soir, Nora allait le chercher là-bas. Le matin, au réveil, ils avaient trop chaud, et l'air sentait le renfermé. Nora partait aussitôt se doucher aux sanitaires, puis elle descendait à la plage. Certains jours, la brume était dense ; le fracas des vagues avait beau s'entendre tel un tonnerre assourdi, elle ne les voyait pas avant d'avoir atteint le bord de l'eau.

Les derniers jours elle commença à se sentir coupable d'avoir laissé Donal seul loin d'eux. Elle alla au village avec l'intention d'appeler Margaret, entra dans la cabine et glissa des pièces dans la fente ; elle avait déjà composé les premiers chiffres quand elle s'aperçut qu'elle n'avait pas envie de s'entendre demander s'il était bien raisonnable, à son avis, d'abandonner Donal de la sorte. Elle reposa le combiné, appuya sur le « B » pour récupérer ses pièces et passa un autre coup de fil, à Una cette fois. Una était à son travail. Nora lui demanda sans ambages si elle pensait pouvoir ramener Donal à la caravane pour le dernier week-end des vacances. La froideur d'Una était perceptible ; aussi, dès qu'elle l'eut entendue confirmer qu'elle conduirait Donal à Curracloe le samedi, Nora fit semblant d'être à court de monnaie.

En revoyant Donal le samedi, Nora s'aperçut pour la première fois qu'il n'allait pas tarder à devoir commencer à se raser. Elle essaya de se souvenir s'il restait quelque part dans la maison un blaireau, de la crème à raser et un rasoir d'homme. Puis elle songea que si elle ne les avait pas jetés, elle allait devoir le faire, et se débarrasser par la même occasion des vêtements de Maurice, qui étaient encore dans l'armoire. Dès leur retour, songea-t-elle, elle achèterait à Donal de quoi se raser.

Elle ne fut guère surprise quand Aine annonça qu'elle retournait en ville avec Una. Ses résultats n'allaient pas tarder à être affichés et, s'ils étaient suffisamment bons, elle allait devoir préparer sa rentrée universitaire à Dublin. Elle avait à peine prononcé deux mots au cours des derniers jours ; elle passait son temps plongée dans les livres, allait à la plage quand Nora en revenait et nageait longuement, seule, en fin de journée, vers dix-huit ou dix-neuf heures. Souvent elle installait son fauteuil pliant à l'ombre de la caravane et y restait des heures sans plus prêter attention à quiconque.

Nora eut un sourire intérieur en entendant Una s'extasier en parlant de Fiona, combien elle était une fille calme et responsable et combien Nora avait de la chance de pouvoir la laisser ainsi seule à la maison, en toute confiance. En revanche, Una se déclara surprise qu'elle ait pu laisser Donal aux bons soins de sa sœur. Son bégaiement était pire que jamais, dit-elle, et elle s'inquiétait pour son avenir.

Le dernier matin, Nora rangea une partie des affaires dans le coffre de la voiture. Puis elle partit à pied, laissant les garçons qui dormaient encore. En arrivant sur la plage, elle sentit la force du vent qui l'avait déjà réveillée au cours de la nuit. La brume s'était dissipée. Des nuages couraient dans le ciel, masquant le soleil, qui réapparaissait de temps à autre en diffusant un semblant de chaleur. Elle entra dans l'eau et s'éloigna à la nage, bravant la mer froide du matin. Elle découvrit que le banc de sable qui s'était formé pendant tous ces jours de fortes vagues avait disparu sous l'effet de la marée. Elle trouva une profondeur qui lui convenait et prit de la vitesse en nageant sur le côté. Quand la fatigue la gagna, elle se laissa flotter un moment sur le dos. Elle ferma les yeux et essaya de ne penser à rien. Le fait de nager dans la mer plusieurs fois par jour l'avait musclée. Elle décida qu'elle reviendrait plus tard dans la matinée, avant le moment où il lui faudrait rendre les clés de la caravane. Conor l'accompagnerait pour un dernier plongeon, et ils laisseraient Donal faire ce qu'il voulait, rester dans la caravane et prendre des photos du plafond si tel était son désir.

Fiona n'évoqua jamais la fête qu'elle avait donnée à la maison et Nora n'y fit pas allusion elle non plus. Elle se disait qu'elle avait eu assez de mal avec sa propre mère pour ne pas en rajouter avec ses filles. Aine reçut ses résultats. Ils étaient excellents, ce qui signifiait qu'elle serait admise à l'université. Nora prit plaisir à se laisser féliciter par tous ceux qu'elle croisait dans la rue. Elle aurait voulu dire qu'elle n'était pour rien dans la réussite de ses filles, mais les gens n'auraient pas compris, ou auraient compris de travers ; mieux valait s'abstenir.

La semaine où elle reprit le travail fut très mouvementée, car il fallait négocier avec les agriculteurs le taux d'humidité du grain et la valeur de chaque livraison. Nora fit des heures supplémentaires quelques après-midi d'affilée afin de s'assurer que tout était en ordre pour la partie qui la concernait. Le soir il faisait encore jour ; elle prenait la voiture et allait se baigner à Curracloe. Elle proposait à qui voulait de l'accompagner, mais Conor était au club de tennis et n'avait pas envie d'aller à la plage ; Aine et Donal étaient trop absorbés par l'actualité des émeutes à Belfast et à Derry et ne voulaient à aucun prix manquer l'heure des informations. Seule Fiona était disposée à venir. Elle avait appris que son salaire lui serait versé le 10 et le 24 de chaque mois ; la somme était supérieure au montant cumulé du salaire et des pensions de Nora, qui dut se dominer pour ne pas laisser paraître qu'elle trouvait cela anormal. À un moment donné, pensa-t-elle, il faudrait aborder la question de la contribution de Fiona aux dépenses du foyer.

Elles rentraient en voiture de Curracloe le deuxième jour quand Fiona l'interrogea à brûle-pourpoint.

— Je voulais te demander si tu serais d'accord pour me faire un nouveau prêt. Je te rembourserai sur mon premier salaire.

— Tu es à court d'argent ?

— Je voudrais passer une semaine à Londres avant la fin de l'été. Plusieurs filles de l'institut y sont retournées cette année, et je n'aurai pas de mal à me loger.

— À Londres ? Juste comme ça ? Pour des vacances ?

— Oui. Avant de prendre mon poste.

Nora fut sur le point de dire qu'elle aussi aimerait bien aller à Londres, étant donné qu'elle n'y était jamais allée, mais se ravisa.

— Combien d'argent ?

— Une centaine de livres. Je te rembourserai sur mon salaire. Les filles disent que les boutiques sont encore mieux et moins chères cette année. Et je vais avoir besoin de m'habiller pour aller au travail et puis, bon, je vais beaucoup sortir le week-end. Je n'ai rien à me mettre.

Nora se demanda si c'était un reproche voilé, si Fiona estimait avoir été lésée jusqu'à présent sur le plan matériel. Mais elle ne dit rien, se concentra sur la conduite tout en envisageant plusieurs réponses possibles, par exemple qu'elle-même devait se lever tôt chaque matin, se rendre au travail et faire attention à la moindre dépense, tout cela afin de pourvoir, entre autres, à l'entretien de Fiona. Il lui était égal de savoir qu'elle la rembourserait dès qu'elle aurait été payée. Ce qui la dérangeait, c'était l'idée de l'argent dépensé pour rien ; de l'argent dépensé, tout court.

Elle résolut qu'elle réglerait la question avec Fiona pendant le week-end. Mais elle ne savait pas comment s'y prendre ni que dire. Le samedi matin, dans son lit, elle décida que si Fiona abordait de nouveau le sujet, le mieux serait de refuser, or à mesure que la journée passait, elle sentit sa résolution faiblir. Tout ce qu'elle désirait, c'était ne pas en parler, et ne pas imaginer Fiona en train de faire du shopping à Londres. L'idée même d'en reparler, et de devoir écouter les arguments de Fiona, faisait monter en elle une étrange colère.

Cet après-midi-là, la température chuta et le ciel devint menaçant. Nora lisait le journal quand elle aperçut par la fenêtre Donal qui arrivait en portant un grand carton plat. De son temps, elle n'aurait jamais pu revenir à la maison avec un paquet, quel qu'il soit, sans que sa mère n'exige d'en connaître à la fois le contenu et l'expéditeur. Nora avait trouvé cela détestable. Elle s'exerçait donc à ne pas trop questionner ses propres enfants.

Plus tard, en jetant un coup d'œil dans le séjour, elle vit Aine et Donal agenouillés ensemble sur le tapis à côté du paquet ouvert, des photographies étalées autour d'eux.

— Ce sont les images qu'a faites Donal des émeutes de Derry et des incendies à Belfast, dit Aine en la voyant.

Donal examinait son travail avec une intensité telle qu'il ne leva même pas la tête.

— Mais comment a-t-il fait ? demanda Nora.

— En regardant la télévision.

C'étaient de grands formats. Elle essaya de les observer de loin, puis s'agenouilla à son tour. Il n'était pas facile de voir ce qu'elles représentaient. On devinait un incendie, des silhouettes qui couraient. Les photos étaient floues.

— Voilà. C'est là que j'ai fait les surimpressions…

Donal semblait s'adresser à lui-même. Il ne bégayait pas. Nora en éprouva une telle gratitude qu'elle résolut de ne pas émettre la moindre critique.

— Tu devrais écrire la date au dos de chacune, dit Aine. Même si ce sont deux dates différentes.

— Oui, j'irai chercher des étiquettes chez Godfrey.

Nora sortit sur la pointe des pieds et alla à la cuisine. Elle se demanda si Jim et Margaret avaient vu ces photos et si, en les voyant, ils avaient pensé au coût du papier et à la quantité de temps que Donal passait dans le laboratoire aménagé par leurs soins.

Ce soir-là, ils regardèrent les informations ensemble. Conor lui-même prit un air sombre et réussit à ne pas bouger pendant que l'écran montrait les toutes dernières images en provenance de Derry et de Belfast. Nora n'avait rien regardé de la semaine. Des habitants de Belfast s'échappaient de maisons en flammes ; Nora pensa aux images de la guerre ou de l'immédiat après-guerre qui étaient diffusées dans le temps au cinéma Astor. Mais cette fois les événements se déroulaient au présent, et près de chez eux.

— Vous croyez que ça va commencer ici aussi ? demanda Fiona.

— Quoi donc ?

— La violence, les émeutes.

— J'espère bien que non.

— Qu'est-ce qu'ils vont faire, tous ces gens qui ont dû quitter leur maison ?

— Ils vont traverser la frontière et venir ici, dit Aine.

Donal avait sorti son appareil photo et braquait l'objectif vers l'écran.

Le dimanche suivant, Nora invita Jim et Margaret avec Una et Seamus à prendre le thé afin de fêter la fin des études de Fiona et la réussite d'Aine. La famille élargie s'installa vers dix-huit heures autour de la table dont on avait tiré les rallonges comme à Noël. Seamus, assis à côté de Conor, discutait avec lui des règles du football. Nora s'aperçut qu'il ne parlait à personne d'autre et en conclut qu'il était probablement mal à l'aise. Les filles avaient préparé des salades ; il y avait de la viande froide, du chutney et du pain bis qu'elle avait fait elle-même. Una fut la première à parler des événements dans le Nord.

— Je trouve ça terrible, dit-elle. Ces pauvres gens chassés de chez eux, et qu'on ait mis le feu à leur maison.

Chacun hocha la tête. Le silence se prolongea.

— Je pense que notre gouvernement est aussi coupable que le gouvernement anglais, dit Aine. On laisse faire. On ne bouge pas.

— Bon, dit Jim, je n'irais pas jusque-là.

— Pendant toutes ces années, nous n'avons pas levé le petit doigt !

— C'était sans doute très difficile de savoir quoi faire, intervint Margaret.

— Nous n'avons pas cessé d'envoyer le message aux protestants qu'ils pouvaient faire exactement ce qu'ils voulaient. La discrimination est un fait, dans tous les domaines, y compris le découpage électoral.

— C'est quoi, le découpage électoral ? demanda Conor.

— C'est une manière de faire en sorte que le vote des uns ne compte pas autant que le vote des autres, dit Aine.

Conor en resta coi. Una intervint :

— Je me souviens du Dr Devlin, qui était originaire de Cookstown dans le Nord. Il m'avait raconté qu'un catholique là-bas ne pouvait pas espérer décrocher un travail digne de ce nom. Même un médecin. C'est pour cela qu'il est venu vivre dans le Sud.

— C'est encore comme ça aujourd'hui, dit Aine. Les catholiques ne trouvent pas de travail. Il est temps que notre gouvernement prenne position.

— Que pouvons-nous faire ? demanda Una.

— À quoi sert notre armée ? Qu'est-ce qui l'empêche de marcher sur Derry ? Il suffirait de traverser la frontière et d'y aller.

— Allons, allons, tempéra Seamus.

— Je pense que ce ne serait pas une sage décision, dit Jim.

— À quoi riment les sages décisions quand les gens tremblent pour leur vie ?

— Oh, nous devons être très prudents quant aux initiatives que nous pourrions prendre.

— Pendant que les gens se font tuer ?

— Ce n'est pas joli, c'est sûr.

— C'est drôle, non ? L'armée irlandaise peut aller au Congo et à Chypre, mais elle ne peut pas aller à Derry porter secours aux siens.

Nora essaya de capter le regard d'Aine pour lui suggérer de lâcher le sujet, mais Aine ne la voyait pas ; son attention était focalisée sur son oncle Jim.

— Bon, dit Una. Je ne sais pas comment tout cela va finir.

— Oh, ça finira bien assez vite, dit Seamus.

— Je n'en suis pas si sûre, dit Margaret. C'est vraiment terrible. Jim et moi regardions les informations hier soir. Difficile de croire que ça se passe à côté de chez nous.

Aine faillit répliquer, puis se ravisa. Il y eut un silence.

— Fiona va aller à Londres ! annonça Conor.

— Conor ! s'exclama Fiona.

Jim, Margaret, Una et Seamus avaient tous levé la tête vers elle. Sa réaction prouvait suffisamment la véracité de l'information détenue par son petit frère, dont le regard faisait le tour de la table en quête d'approbation.

— Londres, dit Margaret d'une voix douce. C'est vrai, Fiona ?

— Je pensais y aller comme l'année dernière, dit-elle. Juste quelques jours avant de prendre mon nouveau poste. Et ce petit vermisseau a dû espionner mes conversations.

— Il y a plein de protestants à Londres, dit Conor. Ils vont brûler ta maison et te faire courir dans les rues.

— Ce ne sont p-p-pas de vrais p-p-protestants à Londres, dit Donal.

— Londres est une très jolie ville, dit Margaret. Et où logeras-tu, Fiona ? Tu sais, j'ai noté quelque part le nom de l'hôtel où nous étions descendus, c'est un petit établissement où les Irlandais sont très bien reçus. Ou peut-être logeras-tu au même endroit que l'an dernier ?

— Plusieurs filles de l'institut ont passé l'été à travailler dans des hôtels là-bas. Elles partagent un appartement.

— Quelle bonne idée de partir quelques jours, dit Una.

Fiona avait gagné. Quelle que fût l'obscure bataille que Nora et elle avaient livrée autour de la question de l'argent, Fiona venait de la remporter. La conversation se poursuivit sur Londres, sur les endroits où l'on pouvait loger, sur la nécessité de faire attention à soi pendant son séjour ; et pendant ce temps, le projet de Fiona acquérait la consistance d'une décision ferme, approuvée à la fois par Jim, Margaret, Una et Seamus – une récompense après l'effort prolongé qu'elle avait consenti en menant ses études à leur terme. Ils s'accordèrent à estimer qu'une fois installée dans son nouveau travail, elle serait contente de l'avoir fait.

À la fin de la soirée, Jim remit une enveloppe à chacune des filles, et dix shillings aux garçons. Plus tard, pendant qu'elles lavaient la vaisselle, Nora dit à Fiona qu'elle retirerait l'argent à la banque en revenant du bureau le lendemain ; et si elle comptait prendre le bateau à Rosslare, elle la conduirait là-bas.

— C'est très gentil de ta part, dit Fiona en souriant. Je vais consulter les horaires des ferries.

14

Nora observa par la fenêtre Phyllis qui manœuvrait adroitement pour se garer entre deux voitures. Elles n'avaient pas prévu de se voir, mais elle décida d'aller l'accueillir sur le pas de sa porte ; cela produirait une impression chaleureuse.

— Je n'entre pas ! cria Phyllis en la voyant. Je déteste les gens qui débarquent sans prévenir et je n'ai aucune intention de les imiter.

— Tu es la bienvenue, répliqua Nora.

— Je voulais juste te signaler qu'il existe une chorale à Wexford, comme tu sais, et qu'il va y avoir des départs. J'ignore leurs intentions, mais ce serait une expérience merveilleuse pour toi, et je connais le chef de chœur, il est excellent, du moins quand il est de bonne humeur, il y aurait donc une place d'office pour toi. En attendant, j'ai parlé à Laurie O'Keefe, qui est prête à te faire travailler pour que tu aies quelques pièces à présenter. À l'audition, je veux dire.

Nora hocha la tête. Elle n'allait tout de même pas raconter à Phyllis que Fiona et Aine étaient toutes les deux allées chez Laurie O'Keefe pour des leçons de piano et qu'elles en étaient revenues en jurant qu'elles n'y remettraient jamais les pieds.

— Laurie O'Keefe n'est-elle pas un peu… ?

— Absolument. Elle n'est pas pour tout le monde, et je sais de quoi je parle. Mais elle est très bien avec les personnes qu'elle aime bien, et il se trouve qu'elle t'aime beaucoup.

— Elle ne me connaît pas !

— Billy, son mari, te connaît, c'est du moins ce qu'il prétend, et tous les deux affirment qu'ils feraient n'importe quoi pour toi. Ne me demande pas de détails, mais quand je leur ai parlé de toi ils débordaient littéralement d'enthousiasme.

— Que dois-je faire ?

— Va la voir, mettez-vous d'accord, laisse-la entendre ta voix. Et puis tu pourras peut-être apprendre deux ou trois petites pièces pour Wexford.

— Ça prendrait beaucoup de temps ?

— Bon, connaissant Laurie…

Nora faillit prendre une décision éclair – suggérer à Phyllis d'expliquer aux O'Keefe qu'elle était, à son grand regret, terriblement occupée – quand elle s'aperçut que Phyllis l'observait.

— Ne tarde pas trop, Nora, c'est tout ce que je peux te dire. Je ne voudrais pas offenser Laurie. Elle est très douée, tu sais, ou du moins elle l'était. Et je crois qu'elle trouve cette ville un peu petite pour elle.

Nora se souvint d'une soirée dans la nouvelle salle paroissiale du couvent de la Présentation où Maurice et elle étaient allés avec Jim assister à un concert de charité offert par la Société de Saint-Vincent-de-Paul. Laurie O'Keefe dirigeait l'orchestre. Après un moment, Laurie s'était détendue, son style était devenu plus vigoureux et plus expressif, suscitant les rires de Jim et de Maurice. Cela n'avait pas plu à Nora, qui avait discrètement poussé Maurice du coude. Jim avait dû se lever et aller aux toilettes, toujours secoué d'un rire silencieux. Quand Maurice s'était levé à son tour pour le suivre, elle l'avait fusillé du regard. Ni l'un ni l'autre n'était revenu à sa place. Elle les avait trouvés à la fin du concert debout au fond de la salle, affichant un air contrit.

Phyllis ne partit pas avant de lui avoir soutiré la promesse qu'elle prendrait contact avec Laurie O'Keefe ; mais au cours des jours suivants Nora reporta l'échéance, tout en se demandant pourquoi donc elle se montrait si ouverte aux visites imprévues de personnes qui semblaient savoir mieux qu'elle ce qu'elle devait faire et comment mener sa vie. Phyllis ne cherchait sans doute qu'à lui venir en aide ; mais elle, de son côté, se disait qu'au lieu d'ouvrir sa porte aux nouveaux venus, elle ferait sans doute mieux de consacrer son temps et son énergie à s'assurer que Donal et Conor aillent bien, et à laisser les souvenirs de Maurice affluer et s'attarder librement en elle jusqu'au moment où ils s'estomperaient.

Cette histoire de chant lui avait rappelé sa mère, elle dont la voix avait toujours été si altière et si sûre dans les aigus. Même dans son grand âge, on identifiait son timbre parmi les autres voix du chœur chaque fois que celui-ci se produisait à la cathédrale. Dans sa jeunesse, disait-on – et Nora prenait plaisir à cette évocation – sa voix remplissait à elle seule l'espace de la cathédrale et certains venaient à la messe de onze heures tout spécialement pour l'entendre.

L'année précédente, dans le vaste temps sans sommeil où Maurice se mourait et où elle savait devoir se préparer à vivre seule avec les enfants, il lui arrivait parfois de penser que sa mère n'était pas loin, ou qu'elle l'attendait quelque part, ou qu'elle connaissait une prière qui aurait eu le pouvoir de changer la donne. Nora imaginait confusément la présence de sa mère dans la chambre d'hôpital, et cette présence était forte et calme.

Il lui avait paru tout naturel, au cours de ces jours-là, malgré toute la froideur qui avait existé entre elles, que sa mère ait eu le désir d'être auprès de Maurice en ces moments difficiles ; après tout, elle ne l'avait précédé que de sept ans. Mais, après la mort de Maurice, tout ce qui évoquait ses derniers temps à l'hôpital lui était devenu intolérable, et elle avait refusé toute pensée liée à sa mère ; sa présence rêvée ne l'avait pas suivie dans l'existence qu'elle menait à présent – dans sa vie sans Maurice.

Quelques jours plus tard, alors qu'elle remontait Weafer Street en direction de Back Road en rentrant du bureau, elle prit soudain conscience d'être tout près de la maison des O'Keefe. Elle fut tentée de passer son chemin et de remettre sa visite à plus tard ; puis elle s'endurcit en se disant que, si elle ne le faisait pas maintenant, elle ne le ferait jamais. Elle savait que Laurie O'Keefe avait vécu en France et qu'elle avait été religieuse à une époque de sa vie. C'était la deuxième femme de Billy O'Keefe. La première était décédée ; leurs enfants étaient adultes et menaient leur vie. Il circulait une histoire à propos de cette première femme de Billy – Nora le savait, mais ne parvenait pas à se la remémorer. Une femme parcimonieuse, ça oui, elle était sûre de ce détail de sa réputation ; du genre à ne fréquenter que la messe de sept heures pour ne pas être vue, tant elle était mal fagotée en dépit de l'évidente réussite de son mari.

Elle poussa la grille des O'Keefe. Le jardin était remarquablement bien entretenu, constata-t-elle ; et les fenêtres étincelaient. La vieille demeure tout entière avait un je-ne-sais-quoi d'imposant. Avant la retraite, Billy avait été à la tête d'une compagnie d'assurances, ou impliqué dans les assurances d'une manière ou d'une autre. Nora savait un certain nombre de choses sur lui, comme sur tant d'autres habitants de la ville ; par exemple qu'il allait chaque soir à la même heure boire une bouteille de Guinness chez Hayes dans Court Street, et qu'il se promenait toujours avec une canne. En gravissant les marches du perron, elle se souvint d'une anecdote que lui avait racontée Maurice un jour. Billy détestait tellement la musique qu'il avait fait insonoriser la pièce où Laurie donnait ses leçons de piano et s'enfonçait des bouchons dans les oreilles dès qu'une menace musicale se profilait. C'était tout à fait le genre de détail qui amusait Maurice.

Ce fut Billy qui lui ouvrit ; il tenait un labrador noir par le collier. Elle pénétra dans une entrée vaste et sombre, aux murs recouverts de tableaux anciens et où flottait un parfum de cire. Billy appela sa femme. N'obtenant pas de réponse, après avoir fait signe à Nora de ne pas bouger, il enferma le labrador dans la pièce de gauche et descendit un escalier grinçant qui conduisait à la cave.

— Elle ne m'entend jamais !

Cette idée paraissait l'amuser. Il reparut quelques instants plus tard.

— Elle vous demande de descendre.

Il la précéda dans l'étroit escalier, qui était entièrement bordé de livres et débouchait sur un petit couloir dallé. Billy ouvrit une porte, révélant une très grande pièce qui avait de toute évidence été ajoutée récemment à l'arrière de la bâtisse. Laurie O'Keefe était au piano.

— Ah ! formidable, dit-elle en se levant à leur entrée. Billy va nous faire un thé, à moins que vous ne préfériez un café. Et des biscuits, Billy s'il te plaît, les meilleurs, ceux que je viens d'acheter.

Elle lui sourit pendant qu'il se retirait.

— Ce n'est qu'un demi-queue, dit-elle, comme si Nora l'avait interrogée à propos du piano, et bien sûr j'en ai un autre, un bon vieux piano droit que les élèves peuvent maltraiter à leur aise.

Il n'y avait pas de meubles, à part quelques vieilles chaises, un tapis et des partitions éparpillées un peu partout. Les murs étaient peints en blanc, avec des reproductions de toiles abstraites accrochées à différentes hauteurs.

— On va prendre le thé ici, dit Laurie en la précédant dans une autre pièce où il y avait deux fauteuils, une platine, des enceintes stéréo et des rayonnages remplis de disques du sol au plafond.

— Personne ne s'apitoie sur le sort d'une femme dont le mari n'a aucune oreille. Personne !

Nora n'était pas sûre de l'intention de cette réplique, ni si elle était censée la commenter.

— Vous savez, poursuivit Laurie, il y a quelque chose que je tenais à vous dire. J'ai failli vous écrire une lettre en plus de la carte de deuil, mais ensuite j'ai pensé que non, je vous en parlerais quand je vous verrais.

Elles avaient pris place dans les fauteuils. Nora, qui regardait le jardin, se tourna vers Laurie pour mieux écouter.

— Nous rentrions de Dublin, où nous avions été en visite, les cousins, les nièces, tout le tremblement, et il y avait un embouteillage monstre. Je ne sais pas combien de temps nous avons dû attendre à Blackstoops. Nous pensions qu'il y avait peut-être eu un accident. Je ne sais pourquoi, je n'ai pas songé un instant que ce pouvaient être des funérailles. À la fin, j'ai baissé ma vitre et j'ai demandé à quelqu'un ce qui se passait. Il nous l'a dit. Oh ! quel choc. Nous savions bien sûr que Maurice était malade. Mais nous étions sous le choc. Billy a dit combien ses fils l'avaient adoré, à l'école, et quel professeur formidable il était. Et nous avons pensé alors que si nous pouvions faire quoi que ce soit...

— C'est très aimable à vous, dit Nora.

— Et puis Phyllis m'a raconté...

— Je ne suis pas certaine d'avoir une voix très intéressante.

— Il n'est pas de meilleur remède que de chanter dans un chœur. C'est pour cela que Dieu a créé la musique. Vous savez, j'ai eu mes propres soucis dans la vie. Quitter le couvent à cinquante ans, sans un ami au monde, n'a rien d'évident. C'est le chœur qui m'a remise sur pied. Tout ce que j'avais, c'était ma voix. Et le piano – même si, à vrai dire, j'ai commencé par le clavecin. Le clavecin est mon premier amour.

Billy entra avec un plateau.

— Et celui-ci, dit-elle en indiquant Billy, sera sans doute mon dernier.

— Tu parles de moi ?

— Oui, mais tu peux nous laisser maintenant. Nous avons des choses à nous dire.

Billy sourit à Nora et se retira une fois de plus.

— Vous savez que j'ai chanté devant Nadia Boulanger, reprit Laurie. Elle disait que le chant n'est pas une chose qu'on fait, mais une chose qu'on vit. N'est-ce pas bien vu ?

Nora acquiesça sans trahir le moins du monde qu'elle ignorait qui était Nadia Boulanger. Elle essaya de mémoriser le nom pour en parler plus tard avec Phyllis.

— Mais il faut que je sente un peu votre voix avant de nous mettre au travail. Vous lisez la musique ?

— Oui, dit Nora. Pas bien, mais j'ai appris. Il y a longtemps, à l'école.

— Mieux vaut peut-être commencer par quelque chose que vous connaissez.

Elle alla dans l'autre pièce et revint avec plusieurs recueils de partitions.

— Buvez votre thé, regardez tout ça et choisissez une pièce qui vous est familière. Pendant ce temps, je vais aller jouer à côté. Je ne sais pas quoi encore, un morceau que je connais par cœur et peut-être cela pourra-t-il nous servir de premier échauffement et nous mettre en train. Et je n'ai pas d'élèves avant seize heures, alors nous avons le temps.

Nora but son thé, reposa la tasse et se laissa aller contre le dossier du fauteuil. La musique que jouait Laurie était trop rapide, à son avis. Le compositeur, quel qu'il soit, avait mis trop de notes. C'était une pièce virtuose. Elle sentit que Laurie cherchait à l'impressionner et eut presque pitié d'elle. Pourquoi éprouvait-elle le besoin de faire ça ? Impossible que quelqu'un puisse jouer ce morceau pour le plaisir. Si Maurice avait été en vie, elle aurait adoré lui raconter cette scène, et conclure que Billy avait bien raison de mettre des bouchons d'oreilles. Imagine, être marié à une ex-bonne sœur joueuse de piano – elle crut presque entendre le ton faussement sérieux de Maurice et voir la lueur amusée dans son regard.

Elle feuilleta les partitions : des airs allemands dont elle n'avait, pour la plupart, jamais entendu parler ; elle se demanda si Phyllis n'avait pas suggéré à Laurie qu'elle était bien plus calée qu'elle ne l'était en réalité. Elle parcourut un recueil de chansons irlandaises qui lui parurent artificielles et démodées ; personne ne chantait plus ça depuis longtemps. Elle finit par trouver quelques partitions individuelles des mélodies de Moore. Elle regarda *Believe Me, If All Those Endearing Young Charms*. Non, c'était trop guindé. Puis elle découvrit *The Last Rose of Summer* et se mit à parcourir le texte. Elle fredonnait l'air familier quand Laurie revint dans la pièce.

— Alors ? Vous avez trouvé quelque chose ?

— J'ai trouvé ça, dit Nora en lui tendant la partition.

— Vous savez, j'ai eu autrefois une maîtresse des novices originaire d'Alsace qui m'appelait toujours la dernière rose de l'été, même quand j'étais à l'heure. Oh, c'était une vieille peau ! Tout près de Dieu, j'imagine, mais vieille peau quand même.

Laurie retourna dans la grande pièce et s'installa au piano. Nora la suivit.

— Bon, ce n'est pas bon pour votre voix d'attaquer le morceau d'emblée. On devrait plutôt commencer par des vocalises. Mais vous avez quelque chose maintenant qui n'y sera peut-être plus tout à l'heure. Je l'ai vu quand vous êtes arrivée. Vous avez…

— Quoi ?

— Vous avez frôlé l'autre côté, n'est-ce pas ?

— Que voulez-vous dire ?

— Une prochaine fois. Laissez-moi entendre votre voix. Attendez, je vais commencer par vous le jouer au piano.

Elle joua quelques accords, puis s'interrompit.

— Je vais descendre d'un ton ou deux et voir où ça nous mène.

Laurie se concentra sur la musique. Nora entendit qu'elle ralentissait peu à peu le tempo.

— Je crois que c'est bon, dit-elle enfin. Je l'ai. On ne devrait pas faire ça, mais votre voix ne sera peut-être plus jamais aussi bonne qu'aujourd'hui. Laissez-moi commencer, puis, à mon signal, vous entrerez.

Elle suspendit ses mains au-dessus du clavier, sans effleurer les touches. Le silence était si profond que Nora pensa que la pièce devait effectivement être insonorisée. Elle se sentait mal à l'aise, angoissée par l'intensité de ce silence et par ce besoin que semblait avoir Laurie de tout dramatiser.

Laurie se mit à jouer avec beaucoup de douceur ; elle utilisait la pédale pour obtenir un son, dans les graves, qui n'avait pas été là auparavant. Puis elle fit signe à Nora, qui consulta rapidement le texte de la partition et se mit à chanter.

Tis the last rose of summer
Left blooming alone

Elle ignorait que sa voix pût descendre aussi bas ; à la façon qu'avait Laurie d'étirer les notes, elle se surprit à ralentir beaucoup plus que prévu. Elle n'avait pas de problème de souffle, et plus aucune appréhension des aigus. Le piano la cadrait et l'entraînait, et le tempo lent lui permettait d'accorder sa juste densité à chaque parole. Par endroits Laurie laissait des blancs qui donnaient à Nora la sensation de chanter dans le silence ; elle avait conscience des silences autant que des notes chantées. À un moment, elle fut décontenancée car Laurie ajoutait des orne-ments et elle ne savait pas trop que faire pendant ce temps ; alors Laurie leva la main et l'abaissa vivement, pour lui faire comprendre qu'elle devait couper net ses fins de phrase et laisser le piano continuer seul.

Quand la chanson fut finie, Laurie garda le silence.

— Pourquoi n'avez-vous pas travaillé votre voix ? demanda-t-elle enfin.

— Ma mère a toujours été meilleure chanteuse que moi.

— Si nous vous avions eue jeune...

— Je n'aimais pas chanter. Et puis je me suis mariée.

— Votre mari vous a-t-il jamais entendue ?

— Maurice ? Une fois ou deux pendant les vacances. Mais c'était il y a des années.

— Et les enfants ?

— Non.

— Vous l'avez gardée pour vous. Vous l'avez économisée.

— À vrai dire, je n'y ai jamais pensé.

— Je peux vous faire travailler en vue de l'audition, et le chœur a peut-être besoin d'altos, c'est souvent le cas. Je ne peux rien faire de plus. Vous avez trop traîné. Mais ce n'est pas un problème pour vous, n'est-ce pas ?

— Non.

— Chacun d'entre nous a plein de vies, mais il y a des limites. On ne sait jamais ce quelles seront. Si quelqu'un m'avait dit que j'atteindrais l'âge de soixante-dix ans et que je vivrais alors dans une petite ville d'Irlande en compagnie d'un assureur, je lui aurais ri au nez. Pourtant me voilà. Et quand nous avons commencé il y a quelques minutes, vous vous juriez que vous ne remettriez jamais les pieds ici, or maintenant vous avez envie de revenir. Et vous reviendrez, n'est-ce pas ?

— Oui, dit Nora.

Au cours des semaines suivantes, elle se rendit chez Laurie O'Keefe chaque mardi à quatorze heures. Parfois, en se réveillant le jour de la leçon, elle aurait tout donné pour ne pas y aller ; et c'était pire au moment de prendre la direction de Weafer Street. Elle espérait que Phyllis et les O'Keefe n'avaient pas ébruité le fait qu'elle prenait des cours de chant. Elle-même n'en avait parlé à personne, pas même à Elizabeth. Certains, au nombre desquels Jim et Margaret, se demanderaient ce qui lui avait pris de prétendre apprendre à chanter au lieu de s'occuper de son travail, de sa maison et de ses enfants.

Pendant la première heure de la leçon, Laurie ne l'autorisait pas à interpréter quoi que ce soit ; elle la faisait respirer, allongée sur le sol, ou tenir une note unique le plus longtemps possible, ou enchaîner les gammes montantes et descendantes. Ensuite elle lui faisait travailler le début de *The Last Rose of Summer*, en lui demandant de ne pas respirer après « *summer* », mais seulement à la fin de la phrase, et sans prendre d'air de façon délibérée ; en laissant entrer l'air naturellement, comme si elle parlait ou racontait une histoire.

C'était une façon comme une autre de passer l'après-midi du mardi, pensait-elle parfois ; faire quelque chose de nouveau, sortir de la maison, entrer dans un monde caché, séparé par des murs insonorisés de ce qui se passait au même moment tout autour, dans la réalité. Ce fut quand Laurie posa sur le piano deux petites toiles abstraites en lui demandant de les regarder – de ne rien faire, sinon les regarder – que le changement se produisit ; pas dans sa voix mais dans autre chose, dont elle ignorait ce que c'était.

— Regardez-les ! ordonna Laurie. Regardez-les comme si vous deviez vous en souvenir.

— De qui sont-elles ?

Laurie sourit sans répondre.

— C'est juste un motif qui se répète, dit Nora. Quelle est leur signification ?

— Vous devez regarder, c'est tout.

L'un des tableaux ne comportait que des lignes ; l'autre, des carrés. Le premier était brun ; le deuxième était bleu. Certaines lignes formaient un relief.

— Ne réfléchissez pas, regardez, c'est tout.

Elle n'était pas certaine des couleurs. Les deux toiles contenaient autant d'ombre que de lumière. Elle les observa, examina le bord plus foncé de ces ombres, laissa son regard aller de droite à gauche, suivre une ligne en direction de la lumière, ou d'un commencement peut-être.

— Maintenant, dit Laurie, je veux que vous chantiez en regardant les couleurs, sans penser aux paroles ni à quoi que ce soit d'autre. Fabriquez votre son avec ce que vous avez sous les yeux.

À la fin de chaque leçon, Nora se sentait libérée de Laurie et heureuse à la perspective des six jours à venir où elle ne devrait pas se tenir debout près d'un piano et obéir aux ordres. Un samedi, elle retrouva Phyllis dans le bar de l'hôtel Murphy Flood. Elle l'interrogea sur Laurie.

— Soit elle a connu la terre entière, y compris de Gaulle et Napoléon Bonaparte, soit elle n'a rencontré personne et elle a passé sa vie dans un couvent, je n'arrive pas à savoir ce qu'il en est. Et pour ce qui est du couvent, soit c'était un ordre de femmes silencieuses en adoration perpétuelle, soit c'étaient des nonnes qui passaient leur temps à chanter et à bavarder.

— Elle m'oblige à faire toutes sortes d'exercices, dit Nora.

— Elle fait sa loi comme elle l'entend. Et elle est bien retombée sur ses pieds. Billy lui a construit cette annexe rien que pour elle, et il lui a acheté le piano. Elle en joue vraiment bien. Et un jour, je l'ai entendue parler français au téléphone, alors au moins une partie de ce qu'elle raconte est vrai.

— Pourquoi m'as-tu envoyée chez elle ?

— Parce qu'elle me l'avait demandé. Elle prétend que le jour des funérailles de Maurice elle s'est juré solennellement de faire quelque chose pour toi si elle en avait la possibilité. Elle a très bon cœur. Je crois que c'est le cas de toutes les anciennes religieuses ; c'est un tel soulagement pour elles d'avoir échappé au couvent. Ou peut-être ne devrais-je pas dire ça.

— Elle m'a fait regarder ces deux tableaux qu'elle a…

— Pendant que tu chantais ?

— Oui.

— Elle fait ça pour très peu de gens. T'a-t-elle déjà dit que le chant n'est pas une chose qu'on fait, mais une chose qu'on vit ?

— Oui !

— Elle m'a dit un jour que je pouvais chanter tant que je voudrais, ça ne changerait rien, parce que je n'avais pas le truc.

— Quel truc ?

— Quelque chose de très important. Mais je ne sais pas comment ça s'appelle.

À la leçon suivante, Laurie demanda à Nora de regarder de nouveau les couleurs et de les imaginer en train d'advenir.

— Pas là du tout, puis un peu là, progressivement, de plus en plus. En train d'émerger. D'émerger.

Laurie avait prononcé le dernier mot dans un murmure. Elle jeta un regard aigu à Nora, qui observait les ombres, les nuances, la couleur.

Elle s'assit au piano et joua l'introduction. Nora avait appris à attendre la fin de chaque phrase pour respirer, et à suivre le piano, à trouver son tempo à partir de celui de Laurie. Sa voix chantée était à présent beaucoup plus grave que sa voix parlée, et cela lui donnait une assurance accrue pour laisser vibrer longuement les notes graves dans les fins de phrase. Laurie s'assurait régulièrement qu'elle regardait toujours les couleurs, et Nora apprenait à faire confiance au jeu de Laurie, à son tact, à sa subtilité.

Elle se concentra sur un carré de couleur tout en chantant. Quelque chose remua dans les profondeurs de la couleur ; elle le distingua clairement pendant un instant ou deux, puis elle cligna des yeux et la chose disparut. Après la fin de la chanson, Laurie resta assise et ne dit rien. Nora garda le silence elle aussi.

Ce fut au bout d'un mois seulement, après quatre ou cinq leçons, qu'elle s'aperçut que la musique l'éloignait de Maurice, l'éloignait de la vie qu'elle avait eue avec lui, et de la vie qu'elle avait avec les enfants. Ce n'était pas seulement le fait que Maurice n'avait pas l'oreille musicale et que la musique était une chose qu'ils n'avaient jamais partagée. C'était l'intensité de ces moments ; elle était seule avec elle-même en un lieu où il ne l'aurait jamais suivie, même dans la mort.

Quand Phyllis reparla du Gramophone Club, Nora hocha la tête et s'efforça de prendre un air sérieux.

De toutes les activités de la ville, la réunion hebdomadaire du Gramophone Club était celle qui déchaînait le plus l'hilarité de Maurice et de Jim et, partant, de Margaret. L'un de ses promoteurs les plus zélés était Thomas P. Nolan, et l'un de ses membres les plus assidus un homme nommé M. M. Roycroft, qui possédait près de Glenbrien une vieille maison flanquée d'une grande ferme dont Phyllis disait qu'elle était « de style georgien ». Il y vivait seul, disait-on, avec deux mille disques et plusieurs pièces remplies de livres. Maurice et Jim prenaient un plaisir infini à surnommer le premier « Tom Piss Nolan » et le second « Mad Man Roycroft ». Ils riaient, Margaret riait, et Fiona et Aine, quand elles étaient là, lorgnaient vers Nora en se délectant du fait qu'elle ne trouvait jamais ça drôle. Nora connaissait Thomas P. Nolan et appréciait sa courtoisie. Et elle avait vu M. M. Roycroft plusieurs fois au volant d'une vieille voiture peu banale ; elle s'était interrogée sur son mode de vie à Glenbrien et s'était demandé s'il allait à Dublin se procurer ses livres et ses disques, ou s'il les commandait par correspondance.

Voilà donc que Phyllis lui proposait de participer aux réunions du club, qui se déroulaient tous les jeudis soir à l'hôtel Murphy Flood. Chaque semaine, lui expliqua Phyllis, l'un des membres choisissait la musique que le groupe écouterait ce soir-là.

— Alors on connaît les goûts de tout le monde, y compris leur mauvais goût, bien sûr. Le pire, c'est le Dr Radford, avec ses longs machins allemands modernes qui ont le pouvoir de vous assommer jusqu'au jeudi suivant. Le meilleur, c'est le chanoine Kehoe, il n'aime que les sopranos. Il en sait plus long sur les sopranos que tous les ecclésiastiques occidentaux réunis.

— Je n'ai aucun disque chez moi, dit Nora. Et je n'en ai pas écouté depuis des années.

— Raison de plus ! Et ils seront ravis d'accueillir une nouvelle recrue.

Elle connaissait de vue toutes les personnes présentes – y compris un enseignant et un homme qui travaillait dans une agence bancaire de la ville. Le chanoine Kehoe, constata-t-elle, était en charge de la platine et des enceintes.

Elle n'était jamais venue dans cette pièce de l'hôtel, en tout cas jamais en une occasion où elle aurait été meublée comme elle l'était ce soir de canapés et de fauteuils. Elle se demanda si c'était une faveur spéciale accordée au Gramophone Club. Peut-être était-ce une illustration du pouvoir détenu par le chanoine. Celui-ci informa les membres de la société que le choix de programme de la semaine avait été effectué par M. M. Roycroft de Glenbrien, qui s'inclina à la mention de son nom et se leva pour remettre à chacun une feuille de papier. Il ne ferait pas de commentaire, précisa-t-il d'une voix grave ; il préférait laisser la musique parler d'elle-même. Il commença par une sonate de Schubert, qu'ils écoutèrent in extenso. Nora pensa à Maurice et à Jim et se dit qu'elle partageait en définitive leur avis sur le Gramophone Club. Toute cette solennité pompeuse prêtait vraiment à rire. Pas un geste, pas un murmure dans l'assistance. Quand M. Roycroft enchaîna sur une pièce orchestrale, Nora constata que Betty Rogers – une femme qui avait enseigné pendant des années à l'école protestante – dirigeait la musique d'une main ; puis elle se mit à diriger des deux mains. Nora crut qu'elle allait devoir s'excuser. Au lieu de cela, elle ferma les yeux. Malgré ses efforts, ce furent des images du bureau qui lui vinrent à l'esprit, de menus incidents survenus ce jour-là, ou des tâches qu'elle allait devoir accomplir le lendemain. À la pause, elle s'aperçut qu'elle n'avait pas écouté la musique un seul instant.

Ils allèrent dans le bar de l'hôtel.

— Je te promets que la deuxième partie sera mieux, dit Phyllis. La vieille Betty Rogers passe son temps à minauder pour M. Roycroft. Elle aurait plus de chance avec le chanoine, enfin, tout est relatif – mais lui, au moins, il aime les sopranos.

— Betty est soprano ?

— Non, elle ne sait pas chanter.

— Elle fait toujours semblant de diriger ?

— Seulement quand elle croit que Maitland Roycroft la regarde.

La deuxième partie du récital fut consacrée au violoncelle. Toutes les pièces étaient lentes, tristes et belles. Nora n'en avait jamais entendu une seule de sa vie, même si les noms des compositeurs lui étaient familiers. À quelques reprises en ouvrant les yeux, elle vit que chacun écoutait attentivement. Elle regarda les hommes présents dans la pièce, M. Roycroft, le chanoine Kehoe, le Dr Radford, Thomas P. Nolan. Tous paraissaient non seulement tristes à présent, mais étrangement vulnérables.

Quand ce fut fini, Betty Rogers prit la parole.

— Casals, bien entendu, était le plus grand. N'est-ce pas, monsieur Roycroft ?

— Dans Bach, peut-être.

— Mon mari trouve Casals trop dur. N'est-ce pas, chéri ?

— Peut-être est-ce un effet de l'enregistrement, mais dans les sonates de Beethoven il perd la beauté – vous savez, la beauté –, il cherche autre chose.

— Qu'en pense notre nouveau membre ? demanda le chanoine Kehoe en se tournant vers Nora.

— J'ai trouvé que tout était très beau. Vraiment.

Lentement, sous la conduite du chanoine, ils retournèrent dans le bar de l'hôtel.

— Vous savez, ces enregistrements de Casals dans le disque de Beethoven ont été faits en concert, dit le Dr Radford d'une voix forte. J'estime qu'ils n'ont pas été réalisés dans de bonnes conditions.

— Mais on y gagne en immédiateté, dit M. Roycroft. Je pense que c'est une compensation suffisante.

— Je suis entièrement d'accord avec vous, approuva Thomas P. Nolan. On a la sensation d'être dans la salle de concerts avec lui, n'est-ce pas ?

Il les regarda à tour de rôle, cherchant leur approbation.

Ce fut alors que Nora aperçut, tout près d'eux, Jim qui buvait un verre en compagnie d'un homme du Fianna Fáil. La conversation sur les mérites des différents violoncellistes les divertissait manifestement beaucoup. L'expression de Jim changea du tout au tout quand il reconnut Nora. Celle-ci ne sut comment réagir. Elle venait de toute évidence de prendre part à une réunion du Gramophone Club, objet de moquerie entre tous pour Maurice comme pour lui. Nora se tourna vers Phyllis et lui demanda si le récital lui avait plu.

— Je préfère le chant, dit Phyllis. Mais ça ne regarde que moi, et la semaine prochaine c'est le chanoine qui choisit le programme, alors il n'y aura que ça.

Nora resta collée à Phyllis dans l'espoir d'éviter le regard de Jim, qui s'était retourné vers son compagnon et lui accordait une attention soutenue.

— Mais nous sommes en démocratie, poursuivit Phyllis. Chacun son tour. N'empêche, tu serais étonnée par les goûts musicaux de certains.

Quand elle parla à Laurie du Gramophone Club, celle-ci secoua la tête en souriant.

— On me raconte qu'une des femmes dirige la musique en agitant les mains.

— On a le droit de fermer les yeux, dit Nora.

— Je lui tordrais le cou ! Incroyable, prétendre faire le chef quand on n'a pas appris...

— Bon, dit Nora. La musique était bien.

À la visite suivante de Jim et Margaret, Nora s'attendait qu'ils lui demandent ce qu'elle fabriquait avec les membres du Gramophone Club ; à supposer que Jim n'ait rien dit à Margaret, Donal, qui avait tendance à répéter à sa tante toute information susceptible de l'intéresser, lui avait peut-être transmis la nouvelle. Mais Jim et Margaret ne dirent rien. La conversation porta sur les gens de la ville, sur les garçons, sur Aine à Dublin ; et quand Fiona arriva, ils évoquèrent les avantages des écoles de grande taille par rapport aux écoles de petite taille et les mérites de l'enseignement gratuit. À quelques reprises, elle sentit que Jim la regardait, et elle eut l'impression qu'il la revoyait dans le bar de l'hôtel Murphy Flood. Mais il n'y fit aucune allusion.

Le jeudi suivant, elle retrouva Phyllis pour prendre un verre avant le début de la réunion du Gramophone Club.

— Je ne sais pas quoi dire au sujet du chanoine, commença Phyllis. Il parle de toutes les sopranos comme s'il les connaissait.

À leur entrée dans le petit salon, la plupart des membres étaient déjà là. Le chanoine remit à chacun la liste des pièces qu'il avait choisies.

— Nous allons tout d'abord écouter les deux Maria – la Caniglia, qui est selon moi la plus grande interprète de Verdi ; et la Callas, qui est encore meilleure, s'il est possible d'être meilleure que les meilleures. Et ensuite nous aurons la joie d'entendre Joan, Elizabeth, Rosa et Rita. Nous allons nous régaler !

Un jour, alors qu'elle choisissait un nouveau fer à repasser chez Cloake dans Rafter Street, Nora remarqua la présence d'une chaîne stéréo surmontée d'une affiche signalant qu'elle était en promotion.

— Elle a un défaut ? demanda-t-elle au vendeur.

— Non, pas du tout, mais on a des modèles plus récents qui ne vont pas tarder à arriver. Les autres ont toutes été vendues et on n'a eu aucune réclamation. Celle-ci était notre modèle d'exposition, alors si vous voulez je peux vous faire entendre ce que ça donne.

Nora jeta un regard à la rue en priant pour qu'aucune connaissance ne passe à ce moment-là et ne la voie pendant qu'elle s'entendait répondre au vendeur que, oui, pourquoi pas, elle voulait bien entendre un peu ce que ça donnait.

— Les disques sont là, dit-il. Si vous voulez en choisir un pendant que je branche l'appareil ? Il faut installer les enceintes à bonne distance l'une de l'autre, et à égale distance de la platine.

Elle regarda les disques en se demandant ce qui était le mieux pour tester le son de la chaîne, chant ou musique instrumentale. À la fin, elle choisit un disque intitulé *Your Favourite Music* et le tendit au vendeur.

— Souhaitez-vous entendre un morceau en particulier ?

— Non, non. Depuis le début, ça ira très bien.

Nora se rencogna dans l'ombre du magasin pour ne pas être vue de la rue. Le premier morceau était un mouvement du concerto pour piano de Grieg. Le volume avait beau être discret, elle eut la sensation que le pianiste était dans la boutique avec eux. Elle entendait distinctement chaque note ; mais plus encore elle percevait dans son jeu l'énergie, l'urgence, toute la présence du son.

Le nouveau budget prévoyait une augmentation de la pension de veuvage, qui serait rétroactive cette fois aussi, et l'argent des précédents chèques était encore à la banque. Jim, Margaret, Una et même Fiona n'en estimeraient pas moins que cet achat était un pur gaspillage. Elle se demanda s'il serait possible d'installer la chaîne stéréo dans sa chambre pour que personne ne la voie ; d'un autre côté, si elle ne pouvait pas l'écouter, ce n'était même pas la peine d'en avoir une.

La première pièce toucha à sa fin. Nora faillit dire au vendeur qu'elle allait réfléchir. Puis le deuxième morceau commença. C'était le « Chant à la lune », extrait de *Rusalka* de Dvořák. Elle avait déjà eu l'occasion d'entendre son *Humoresque* dans une version pour violon solo. Cette pièce-ci était écrite pour soprano. Le chanoine Kehoe aurait à coup sûr reconnu le nom de la chanteuse sur la pochette, mais à Nora ce nom ne disait rien. La voix enflait peu à peu, prenait son essor puis planait, loin, au-dessus des instruments. Ce que Nora éprouvait plus que tout, à présent, était une tristesse – d'avoir vécu jusqu'à ce jour sans avoir jamais entendu cette musique. Pour autant, elle n'arrivait pas à se décider à acheter la chaîne. Trop de complications, pensa-t-elle. Revenir au magasin, charger la platine, l'ampli et les enceintes dans la voiture, mettre une table basse dans le séjour.

Et, une fois que ce serait installé, tenter de faire marcher le tout. Elle ne savait pas à qui elle pourrait faire appel, qui serait susceptible de l'aider sans la juger extravagante. Le morceau toucha à sa fin ; elle fit signe au vendeur qu'elle en avait assez entendu.

— Je vais réfléchir, dit-elle en souriant.

Quelques semaines plus tard, elle arriva en avance à l'hôtel pour la réunion du jeudi soir et se retrouva seule avec le Dr Radford et son épouse. Bien des années auparavant, le Dr Radford avait prêté un livre à Maurice. Elle ne se souvenait plus du titre, mais Maurice l'avait égaré, et ils avaient fouillé la maison à sa recherche, en vain. Après le leur avoir réclamé un certain nombre de fois, le Dr Radford était passé en voiture un samedi matin en disant qu'il avait besoin de consulter l'ouvrage dans le cadre d'un projet d'écriture. Maurice était en pyjama et elle en peignoir. Le Dr Radford, dominant leur entrée de sa haute taille, déclara qu'il ne partirait pas tant que le livre n'aurait pas été retrouvé. Nora se rappelait encore le ton hautain et méprisant qu'elle avait pris pour lui proposer une tasse de thé. Maurice avait fouillé les rayonnages du séjour où il conservait tous ses livres et ses papiers. Le Dr Radford avait fini par admettre que le livre ne serait pas retrouvé ; Maurice l'avait raccompagné jusque sur le perron et était ensuite resté soucieux toute la journée.

— Avez-vous beaucoup de travail en ce moment ? demanda-t-elle au Dr Radford.

— Oh, la salle d'attente ne désemplit pas, répondit son épouse.

Nora se demanda si le Dr Radford allait l'interroger sur le livre : était-il jamais réapparu ? Il ne pouvait avoir oublié ce lointain samedi. Mais il n'y fit aucune allusion.

Après la fin du récital, Mme Radford entraîna Nora à l'écart.

— Nous avons remarqué combien vous preniez plaisir à la musique. Dès qu'elle commence, on ne vous entend plus du tout. Nous aimerions beaucoup vous avoir chez nous un soir à Riverside House. Nous écoutons souvent des disques, vous savez.

— Bon, dit Nora, j'ai les garçons, et je n'aime pas les laisser seuls le soir.

— Eh bien réfléchissez, et tenez-nous au courant.

Nora était au bureau quand elle reçut un appel de Mme Radford qui voulait savoir si elle accepterait de venir chez eux la semaine suivante, un soir de son choix. Elle en fut tellement désarçonnée qu'elle s'entendit dire oui pour le lundi à vingt heures. Ce jeudi-là, au Gramophone Club, les Radford s'assirent à côté d'elle ; à quelques reprises, entre deux disques, Mme Radford lui effleura le bras en faisant un commentaire sur la musique. À la fin de la soirée, le Dr Radford se tourna vers elle.

— Lundi vous nous direz ce que vous aimez pour que nous l'écoutions ensemble. Et peut-être aussi pourrons-nous vous faire découvrir quelques nouveautés.

Quand elle en parla à Phyllis, celle-ci lui conseilla de les rappeler et de tout annuler.

— Ils sont à mourir d'ennui. Lui ne parle que de Trinity College et de l'Église d'Irlande. C'est un miracle qu'il ait encore des patients.

— Pourquoi m'ont-ils invitée ?

— Ils aiment bien avoir quelqu'un à impressionner.

— Ils veulent faire impression sur moi ?

— Ils ont bien vu que tout le monde t'appréciait.

— Ah bon ? Je croyais que personne ne s'intéressait à moi.

— Après tout ce que tu as traversé, tout le monde pense que tu es…

— Quoi ?

— Eh bien, je ne sais pas, moi. Digne. Déjà. Pour commencer.

La maison était située entre Mill Park Road et la rivière. Il y avait deux entrées à cette adresse : la première portait une plaque signalant « Clinique », et la seconde, plus imposante, donnait accès à une bâtisse ancienne, à deux étages, précédée d'un jardin.

Ce fut Mme Radford qui lui ouvrit.

— Au diable les formalités, appelez-moi donc Ali. Trevor est là-haut. Il a un vieux patient du côté de Blackstoop qui ne va pas fort ; alors si le téléphone sonne, il va devoir y aller. Mais je ne vous dirai pas de qui il s'agit, sinon Trevor me tuera. Vous savez, nous sommes très respectueux du secret médical par ici.

Trevor apparut. Il portait un pull-over rouge sur une chemise blanche ouverte.

— Avant toute chose, dit-il, je propose un peu de Schubert. Qu'en pensez-vous ? Et peut-être un gin tonic.

Il la précéda dans la grande pièce tout en longueur qui s'ouvrait à droite de l'entrée. Là où d'autres auraient eu des rayonnages de livres ou des vitrines chargées de porcelaine, les Radford avaient des disques. La platine trônait sur un meuble spécial et deux grandes enceintes flanquaient la cheminée.

— Le vieux Roycroft est fier de sa collection, dit le Dr Radford, et, bien sûr, il a quelques spécimens rares, mais je peux vous dire qu'il a été stupéfait le jour où il est venu ici et où il a vu la pièce du premier étage où nous conservons la plupart de nos disques. Je suis un homme qui travaille dur. D'autres ont une passion pour le golf ou pour le safari. Moi, c'est la musique.

Nora acquiesça en souriant. Difficile de trouver une réplique appropriée. Mme Radford revint avec les gin tonics pendant que son mari posait un disque sur la platine.

— C'est l'un des airs les plus tristes et les plus effrayants qui soient. Il me fait toujours frissonner. *Der Erlkönig. Le Roi des aulnes.*

Pendant au moins une heure le Dr Radford leur fit écouter des airs allemands et français – certains lents et mélancoliques, d'autres vifs et accompagnés par des cavalcades de piano. Il présentait chaque pièce comme un animateur d'émission radio. Chaque fois qu'il ôtait un disque de la platine, sa femme le rangeait consciencieusement dans sa pochette et le replaçait au bon endroit parmi les autres. C'était elle aussi qui veillait à remplir régulièrement leurs verres.

— Aimez-vous Richard Strauss ? demanda le Dr Radford.

— Je ne sais pas.

— Je pensais que nous pourrions écouter certains de ses premiers *lieds*, qui sont pleins de délicatesse, et nous armer ensuite de courage et finir par les derniers, les *Vier letzte Lieder*. Bien sûr, on ne les appelle pas toujours ainsi. Quoi qu'il en soit, j'estime que Strauss sait créer un pic d'intensité mieux que n'importe quel autre compositeur.

Ce que sentit Nora pendant que la musique jouait – une musique qui ne lui disait rien, qui avait trop de volutes, de montées, de descentes, et trop peu de mélodie – c'était combien les Radford étaient seuls. Leurs enfants étaient partis. Ils vivaient isolés dans une petite ville où peu de gens leur ressemblaient. Peut-être auraient-ils été plus heureux à Dublin ou à Londres. Mais surtout, tandis que le Dr Radford, animé par le gin, montait peu à peu le volume jusqu'à ce que le son soit trop fort, Nora se demandait ce qui avait bien pu lui arriver, à elle, pour qu'elle se retrouve assise dans le salon de ce couple alors qu'elle aurait pu être chez elle. Pourquoi avait-elle choisi de faire partie du Gramophone Club ? Si quelqu'un parmi ses connaissances apprenait qu'elle avait passé la soirée avec Trevor et Ali Radford – ce quelqu'un penserait qu'elle avait perdu la tête.

À la fin, alors que Nora se levait pour partir, le Dr Radford lui demanda qui était son compositeur préféré.

Elle hésita. Elle se sentait plus que légèrement ivre.

— Je dirais Beethoven.

— Une période en particulier ?

— Quelque chose de calme, dit-elle en le regardant dans les yeux.

— Ah, je sais ! s'exclama Mme Radford. Les trios que nous avons reçus dans le colis de McCullough Pigott.

— Oui, nous ne les avons pas encore écoutés. Les enregistrements récents sont par ici, dit M. Radford en se levant.

Quand il eut trouvé le disque, il montra la pochette à Nora. Elle vit une photographie de deux jeunes gens et d'une jeune femme. La femme était blonde, elle avait un léger sourire, son visage dégageait une impression de force. Nora comprit qu'elle était la violoncelliste du trio. En cet instant, elle pensa qu'elle aurait tout donné pour être la jeune femme de la

294

pochette. Être elle, face à quelqu'un qui la photographiait avec son violoncelle. Le Dr Radford posa le disque sur la platine. Il eût été si facile d'être une autre. Les garçons qui l'attendaient à la maison, le lit, la lampe de chevet, le bureau où elle retournerait le lendemain – tout cela était accidentel. Tout cela avait moins de densité que le son limpide qu'elle entendait en cet instant.

Nora se concentra sur les notes basses, implorantes. L'interprétation était triste, puis elle devint plus triste encore, comme si quelque chose s'était manifesté, que les trois musiciens identifiaient et vers quoi ils allaient à présent. Le thème revint, plus beau encore que la première fois. Nora eut la certitude que quelqu'un avait souffert, puis s'était éloigné de cette souffrance avant de l'autoriser à revenir et à prendre toute sa place.

En tournant la tête à un certain moment, elle vit que les Radford étaient fatigués. Mme Radford se leva et commença à ratisser les cendres. Nora avait envie de s'en aller à présent, de ne plus être avec eux, de rentrer seule à pied, de traverser Mill Park Road, de remonter l'allée jusqu'à John Street, puis de longer John Street jusqu'à sa maison. À la fin du premier mouvement, elle se leva.

— C'était très beau, dit-elle. Ils sont tellement jeunes, ces musiciens…

— Pourquoi n'emporteriez-vous pas le disque ? demanda le Dr Radford.

Il le rangea dans sa pochette et le lui tendit. Elle ne voulait pas de leur charité, mais elle ne pouvait pas décemment dire qu'elle n'avait pas de chaîne stéréo. D'un autre côté, si elle acceptait le disque, il serait plus difficile de refuser leur hospitalité une prochaine fois.

— Vous ne l'avez pas encore écouté, essaya-t-elle.

— C'est vrai, mais nous avons beaucoup d'autres disques que nous n'avons pas encore écoutés, et nous serions ravis de savoir que c'est vous qui l'avez.

Dans l'entrée, ils lui rendirent son manteau, et le Dr Radford lui tint la porte.

— Vous nous direz ce que vous en avez pensé quand vous l'aurez écouté un certain nombre de fois.

Nora sourit, les remercia et rentra chez elle, son disque sous le bras, revigorée par l'air froid de la nuit.

Elle ne pouvait pas l'écouter. Mais elle pouvait regarder la pochette et tenter de se souvenir des notes qu'elle avait entendues. Peut-être cela suffisait-il pour le moment.

15

Elle redoutait de dépenser son argent. Quand le chèque de l'arriéré arriva, elle le déposa consciencieusement à la banque. C'était important pour elle de le savoir là en cas de besoin ; en attendant elle vivait de son salaire, de ses pensions de veuve et de l'argent que lui remettait Fiona.

Elle s'intéressa à Charlie Haughey, le ministre des Finances qui avait fait voter cette provision. Una et Seamus ne l'appréciaient pas du tout, et Jim et Margaret continuaient d'exprimer sans ambages la méfiance qu'il leur inspirait.

— Eh bien, dit Nora, je pense qu'il est un excellent ministre des Finances et qu'il mériterait qu'on lui fiche la paix.

— On a entendu une histoire, rétorqua Margaret, au sujet d'une soirée très arrosée à l'hôtel Groome.

— Mais on raconte toujours des histoires sur les hommes politiques. Surtout quand ils sont bons. Dans le temps, on disait que Valera et sa femme ne s'adressaient pas la parole et que Seán Lemass avait des dettes de jeu.

— Oui, mais ces histoires-là étaient fausses. Celle-ci est vraie.

Quand Haughey fut arrêté pour trafic d'armes, Mick Sinnott vint lui annoncer la nouvelle dans son bureau. Depuis qu'il était délégué syndical, on avait souvent l'occasion de le voir. Il était encore là quand Elizabeth entra en coup de vent.

— Thomas dit qu'il a été coffré et qu'on lui aurait passé des menottes ! Il importait des armes, rien que ça...

Tout à son excitation, elle ne semblait pas avoir remarqué qu'elle s'adressait autant à Mick Sinnott – à qui elle ne parlait pas en temps normal – qu'à Nora.

— Des armes pour quoi faire ? demanda Nora.

— Pour expédier dans le Nord, dit Mick Sinnott.

— Il va nous mettre dans un de ces pétrins !

Tout le monde ne parlait que de ça. Elizabeth appela une des employées de bureau et lui demanda de courir à la maison lui chercher son transistor.

— Peut-être les autres vont-ils enfin entendre raison maintenant.

— Excusez-moi, monsieur Sinnott, mais Mme Webster et moi-même avons du travail.

— Oh, je ne voudrais surtout pas vous empêcher de faire ce que vous avez à faire.

Mick Sinnott s'en alla en laissant la porte du bureau ouverte.

Elizabeth se leva pour aller la refermer.

— Thomas dit qu'il y aura peut-être des élections. William le Vieux serait ravi de voir la chute de ce gouvernement. Et ce Mick Sinnott qui croit qu'il peut entrer ici comme dans un moulin. Quelqu'un devrait le coffrer, lui aussi.

À la visite suivante de Jim et Margaret, elle constata que Jim était de bonne humeur. Il marchait d'un pas alerte et paraissait rajeuni.

— Nous avons été choqués d'apprendre la nouvelle, dit Margaret. Je veux dire, il n'est bon dans aucun pays que des ministres soient arrêtés et passent en jugement.

— Quoi qu'il en soit, l'affaire est pliée, dit Jim. Certains ne croyaient pas que Lynch aurait le cran de virer ces ministres-là. En réalité, il suffit de l'avoir vu jouer au hurling pour savoir de quel bois il est fait. C'est le parfait gentleman ; mais si on le pousse, il s'énerve. Voilà quelqu'un que je me garderais bien de contrarier.

— Bon, dit Nora, je ne peux pas me rappeler qu'il ait jamais fait quoi que ce soit pour qui que ce soit. Si je vivais dans le Nord et que des gens venaient mettre le feu à ma maison, je voudrais des armes pour me défendre.

— Ils n'ont qu'à se les procurer eux-mêmes. Nous ne voulons pas que des ministres de notre côté de la frontière s'amusent à jouer les trafiquants.

— Haughey s'est toujours préoccupé de ceux qui avaient des problèmes.

— Il a toujours été impulsif. Il a été promu trop tôt, voilà le problème. Il aurait eu besoin de rester député de base bien plus longtemps. Trop ambitieux.

— Jim ne lui a jamais fait confiance, dit Margaret.

— Il a pensé aux veuves alors que rien ne l'obligeait à le faire, répliqua Nora.

Sa tante Josie débarqua un soir sans préavis. Elle discuta avec Fiona, passa en revue les collègues avec lesquels elle avait travaillé autrefois et son propre début de carrière quand les temps étaient plus durs et les classes plus nombreuses. Quand après un moment Fiona s'excusa et se leva, Nora comprit qu'elle ne reviendrait pas.

Les garçons descendirent eux aussi parler un moment avec Josie.

— Ils ont l'air d'aller beaucoup mieux, dit-elle quand ils furent remontés. Tu as vraiment été merveilleuse, tout le monde le dit.

— C'est difficile à savoir, répliqua Nora. Le bégaiement de Donal est terrible à certains moments.

— Pourtant il a l'air plus heureux. Je me souviens de vous, Catherine, Una et toi, après la mort de votre père. Il vous a fallu beaucoup plus de temps. C'était une maisonnée bien triste, à l'époque. Mais les enfants rebondissent toujours. C'est ça qui est formidable.

— Je ne pense pas que ce soit vrai. Pour moi, ça n'a jamais été le cas. On apprend à garder les choses pour soi, c'est tout. Peu importe l'âge. Je me demande si je ne devrais pas emmener Donal voir un orthophoniste à Dublin.

— Laisse-le tranquille. Il va bien. Pas la peine d'aller remuer des choses qui n'ont pas besoin d'être remuées.

Nora soupira.

— J'aimerais savoir quoi faire avec lui.

— La vraie raison de ma venue, c'est que je voudrais te dire que j'ai de l'argent de côté. Pas grand-chose, mais quand même ; et je l'ai investi. La semaine dernière, j'ai touché le dividende, et je me suis dit que c'était l'occasion de faire quelque chose de spécial. Alors j'ai pensé qu'à la fin de l'été, quand le calme est revenu, j'aimerais aller en Espagne avec toi. Il me semble que ça te ferait du bien de les oublier tous pendant un moment.

— En Espagne ? Oh, je ne sais pas.

— J'en ai parlé à Una. Elle serait prête à garder les garçons. Tout ce que tu as à faire, c'est demander aux Gibney qu'ils te donnent quelques jours.

— J'ai travaillé à temps complet à certains moments quand on avait besoin de moi. Mais je ne suis pas sûre qu'ils me doivent des jours en plus de mes congés annuels. Et j'ai l'intention d'aller deux semaines à Curracloe et à Rosslare avec les garçons, quoi qu'il arrive.

— Tu veux bien réfléchir à ma proposition ?

— Je ne sais pas quoi dire. C'est très généreux de ta part.

— De vraies vacances, du soleil en veux-tu en voilà – et tu as toujours été bonne nageuse.

— Je n'ai jamais pris l'avion. Je suis allée une fois au pays de Galles avec Maurice, mais c'était en bateau. Je n'ai même pas de passeport.

Le lendemain au réveil, Nora se dit qu'elle n'irait pas. Il y avait trop d'aspects pratiques à organiser, et elle n'aimait pas l'idée d'être si loin des garçons alors que la moindre broutille avait encore le pouvoir de les bouleverser. Un peu plus tard dans la semaine, elle reçut une lettre de Josie lui proposant plusieurs dates possibles, et une destination : Sitges. Elle repoussa le moment de lui répondre et, pour finir, après avoir reçu confirmation qu'elle pouvait demander des jours de congé à la place du paiement de ses heures supplémentaires, elle faillit répondre qu'elle était d'accord pour partir les deux premières semaines de septembre. Mais ensuite elle recula – deux semaines à la maison sans travailler, c'était mieux, sans compter que cela coïnciderait avec le moment où les garçons reprendraient l'école.

Au cours des jours suivants, elle comprit que Josie avait demandé à Una et à Margaret de tenter de la convaincre. Elle répondit poliment à Margaret, mais quand Una prétendit à son tour lui expliquer combien deux semaines de vacances lui feraient du bien, elle se demanda s'il ne valait pas mieux les envoyer promener toutes les trois.

— C'est ce que racontent les réclames qu'on voit à la télé. Personnellement, je n'ai jamais vu la preuve que ça faisait le moindre bien.

— Tu te réveilles le matin, tu sais que le soleil va briller toute la journée, la mer est chaude, quelqu'un fait la cuisine à ta place. Pas mal, non ?

— Et l'avion ?

— Moi, dans l'avion, je dors. Je suis sûre que ce sera pareil pour toi.

Nora écrivit à Josie qu'elle acceptait, puis elle déchira sa lettre. Parfois, la nuit, elle se disait qu'elle adorerait y aller. Mais au matin elle sentait que ce serait trop d'effort. Ce fut seulement en prenant conscience que son silence était impoli, et que Josie en serait blessée à juste titre, qu'elle se décida enfin. Elle lui écrirait du bureau le jour même, dans un sens ou dans l'autre, et elle posterait sa lettre sur le chemin du retour. Au moment de la rédiger, elle ne savait toujours pas quelle serait sa réponse. Après avoir écrit qu'elle acceptait, elle ne fut pas certaine d'avoir fait le bon choix. Le lendemain, quoi qu'il en soit, elle alla déposer sa demande de passeport.

À quelques reprises en entendant Margaret et Una, et même Fiona, répéter à l'envi combien ces vacances allaient lui faire du bien, cela l'exaspéra. Mais Josie avait payé, impossible désormais de revenir en arrière. Après la fin des vacances à Curracloe avec les garçons, elle se rendit seule un samedi à Dublin et acheta quelques vêtements légers pour l'Espagne. Quand Una l'interrogea, elle ne put cependant admettre avoir acheté quoi que ce soit. Fiona, elle, semblait avoir compris qu'elle ne voulait pas qu'on évoque ce voyage. Quand Josie lui envoya une liste de choses à ne pas oublier, elle faillit lui suggérer de se mêler de ses affaires, qu'elle était assez grande pour s'occuper des siennes.

Pourtant, une fois dans l'avion, le confinement ne la dérangea guère, et elle s'amusa de voir Josie réciter des prières au décollage comme à l'atterrissage et à chaque trou d'air entre les deux. Ce qui la surprit le plus, à leur arrivée, fut la chaleur, malgré la nuit tombée, et l'étrange odeur de pourriture qui flottait dans l'air. Dans le car qui les emmenait, Josie se mit à soupirer et à geindre, mais Nora, elle, trouvait la chaleur agréable et se demanda comment ce serait dans la journée, avec le soleil.

Cette nuit-là, pendant que Josie ronflait dans le lit voisin, elle crut que c'était la chaleur et l'excitation qui l'empêchaient de trouver le sommeil. Sur la plage, le lendemain matin, elle s'assoupit. Josie la réveilla ; elle avait envie de parler. Par la suite, Nora découvrit que sa tante ne nageait pas, et qu'il était donc possible de lui échapper en allant se baigner et en restant dans l'eau le plus longtemps possible. À son retour, Josie reprenait toujours la conversation au point où elle l'avait laissée.

En rentrant de la plage le cinquième jour, pendant que Josie épiloguait à propos d'un prêtre qui ne s'était pas rendu au chevet d'un mourant mais qui avait été vu le même jour à un match de hurling, Nora pensait aux quatre nuits sans sommeil qu'elle venait de passer depuis leur arrivée en Espagne. Se concentrer ainsi sur le détail de chacune de ces nuits était la seule méthode qu'elle avait trouvée pour ne pas s'allonger en travers du seuil d'un magasin ou se rouler en boule sur le trottoir, sans égard pour le fait qu'il faisait jour et que les magasins étaient ouverts. L'espace d'un instant, son irritation atteignit un point où elle crut déceler dans la voix de Josie, qui monologuait toujours, une trace du son qu'elle produisait en ronflant, entre le hoquet et la crise d'asthme.

Ce devait être l'âge qui rendait ses ronflements si sonores. Nora avait beau faire, allumer la lampe de chevet, tourner sa tante vers le mur avec délicatesse, ou même la réveiller sans ménagement, Josie se rendormait très vite. Nora, dans le lit voisin, attendait, tous les sens en alerte ; mais ça recommençait toujours. Des ronflements réguliers, qui se transformaient parfois en halètements rauques et se poursuivaient même après que la lumière s'était insinuée par les interstices des volets. Ce matin-là Nora s'était levée exténuée, abattue, exaspérée à l'idée d'en avoir encore pour dix jours et dix nuits avant que ne se terminent leurs vacances à Sitges.

Alors qu'elles s'engageaient dans la rue ombreuse de l'hôtel, Nora aperçut Carol, leur accompagnatrice, qui entrait dans une boutique. Elle croyait Carol rentrée à Dublin ; peut-être avait-elle fait l'aller-retour ?

N'eût été son épuisement, elle serait allée lui parler. Mais le temps d'y penser, elle était déjà dans la chambre, et Josie dans le jardin de l'hôtel. Était-ce même une bonne idée de confier son problème à Carol ? Encore quelques jours ainsi et elle pourrait éventuellement feindre la maladie dans l'espoir d'être rapatriée ; en disant la vérité, elle se privait par avance de cette issue. Et Carol laisserait sûrement entendre que c'était sa faute si elle avait le sommeil léger, et que les ronflements de sa tante n'étaient pas du ressort de l'agence de voyages. Elle savait qu'une chambre supplémentaire, à supposer qu'une chambre fût disponible, coûterait bien plus que ce qu'avait payé Josie.

Josie était au bar quand Nora tomba sur Carol dans le hall de l'hôtel.

— Tout va bien ?

Nora ne répondit pas.

— Je vous ai aperçue dans la rue tout à l'heure…

— Je n'arrive pas à dormir.

— C'est la chaleur ?

— Non, la chaleur me plaît.

Carol hocha la tête en attendant la suite. Nora regarda autour d'elle, puis baissa la voix.

— Ma tante ronfle. C'est comme passer la nuit à côté d'une corne de brume.

— Vous lui en avez parlé ?

— J'ai essayé. Je crois qu'elle ne se rend pas compte. Je n'ai pas dormi du tout en quatre nuits. Je deviens folle.

— Nous n'avons pas de chambres individuelles.

— Tant pis. Ça ne fait rien. Je vais attendre que les jours passent jusqu'à notre retour.

— Je suis vraiment désolée.

Elles étaient encore face à face quand Nora entendit, venant du bar, la voix de sa tante suivie d'un éclat de rire. Josie apparut dans le hall ; elle paraissait en pleine forme.

— Ah, Carol, vous voilà ! Eh bien, je dois vous signaler que la chambre est merveilleuse, rien à redire. Je disais justement à un homme dans le bar que je me demande bien comment nous allons nous réhabituer à faire notre lit et notre cuisine nous-mêmes en rentrant à la maison. Mais la chaleur ne me manquera pas. Oh, elle ne me manquera pas du tout !

Nora, qui l'observait froidement, s'aperçut soudain que Carol la dévisageait elle aussi sans aménité. L'espace d'un instant, leurs regards se croisèrent. Josie portait une ample robe bleu marine qui la faisait paraître énorme. Elle était décoiffée et suait à grosses gouttes tout en les gratifiant d'un grand sourire.

— Venez donc prendre un gin avec nous ! À moins que vous n'ayez un faible pour la vodka ?

— Merci, dit Carol, mais il faut vraiment que j'y aille.

— Il y en a déjà un sur le comptoir à ton intention, Nora. Mon Dieu, cette chaleur !

Josie se mit péniblement en route vers le bar. Nora adressa un signe de tête à Carol, puis récupéra la clé, monta dans la chambre et prit une douche froide avant de descendre retrouver sa tante dans le bar. La perspective du gin, à condition d'y verser très peu de tonic, et du dîner à suivre lui donnait un peu de courage. Après le dîner, elle implorerait Josie de lui laisser la chambre pour quelques heures, et elle tenterait de grappiller un peu de repos avant que les ronflements ne reprennent possession de la nuit.

Quand la serveuse prénommée Mercè eut apporté les desserts et les eut resservies en vin blanc, elle fit signe à Nora de la suivre. Dans le hall de l'hôtel, elle ouvrit une porte dérobée, puis la précéda dans un étroit escalier qui descendait au sous-sol. Nora se retrouva dans un couloir au plafond bas et aux murs décrépis. L'air était frais, avec une légère odeur d'humidité qui lui parut rafraîchissante. Elles se faufilèrent, contournant un empilement de cartons qui montait jusqu'au plafond. Mercè ouvrit une porte sur la droite et alluma le plafonnier. C'était une chambre. Un lit simple, un soupirail muni de barreaux, une ampoule au plafond – on aurait dit une cellule de prison. Le lit était fait et les draps, sous la lumière crue, paraissaient d'une blancheur aveuglante. Mercè ouvrit une autre porte et Nora découvrit une baignoire. L'air était encore plus humide que dans la chambre ; elle perçut même une odeur de moisissure. Des tuyaux en plastique étaient fixés aux robinets, et un pommeau de douche pendait par-dessus le bord de la baignoire. Il y avait également des toilettes et un lavabo ; comme dans la chambre, la lucarne était équipée de barreaux. Mercè écarta les mains comme pour dire que ce n'était pas grand-chose, mais que c'était pour elle si elle en voulait. Elle réussit à dire en anglais qu'il n'y aurait pas de supplément à payer. Nora hocha la tête. Elle était transportée de joie. Mercè avait un trousseau de clés dans sa poche et en essaya un certain nombre avant de trouver celle qui convenait. Elle la retira du trousseau, la remit à Nora, et elles remontèrent par le même chemin.

Nora laissa Josie dès le dîner fini et monta dans leur chambre rassembler ses affaires. Une fois qu'elle eut descendu sa valise au sous-sol, elle alla dire à sa tante qu'on lui avait donné une chambre individuelle, qu'elle était fatiguée, et qu'elle avait l'intention d'aller se coucher séance tenante. Josie voulut faire une scène, mais Nora ne lui en laissa pas le temps : elle se détourna et disparut. L'idée de s'endormir, et de dormir ensuite tout son soûl sans être réveillée, l'emplissait d'un tel bonheur que rien d'autre n'avait d'importance. Une fois qu'elle eut refermé la porte de sa nouvelle chambre, qu'elle se fut déshabillée et couchée dans le lit étroit en éprouvant le délice de se glisser entre les draps propres et frais, elle éteignit la lumière et s'efforça de rester éveillée le plus long-temps possible pour goûter pleinement sa solitude et la perspective d'une longue nuit de sommeil ininterrompu.

Au réveil, elle comprit que c'était le matin car un petit jour insistant tombait de la lucarne, mais, pour le reste, elle n'entendait pas le moindre bruit. Elle pensait n'avoir jamais dormi aussi profondément – pas depuis qu'elle avait épousé Maurice et partagé son lit, et certainement pas depuis sa première grossesse. Si, pourtant, se souvint-elle. C'était arrivé une fois, à l'époque où Aine était bébé et pleurait toute la nuit sans discontinuer. Nora avait beau lui donner le biberon, la cajoler, la porter, elle pleurait toujours. Un jour, laissant Fiona avec Maurice, elle avait pris la petite et des affaires pour deux jours et elle était partie chez sa mère. Malgré les protestations angoissées de celle-ci, elle lui avait mis Aine dans les bras et elle était montée se coucher. Elle avait dormi quatorze heures. C'était la seule fois de sa vie, pensa-t-elle, où elle s'était réveillée comme ce matin après un sommeil semblable à une chape d'oubli, extraordinairement satisfaisant, d'une vacuité parfaite.

Elle était en forme à présent, excitée par l'idée de la journée à venir. Elle alla dans la salle de bains et prit une douche froide. En revenant, elle vit à sa montre qu'il n'était que cinq heures. Elle enfila son maillot, une robe et des sandales, fourra sa serviette de bain et des sous-vêtements dans un sac et sortit de l'hôtel à pas de loup. La moindre rencontre eût suffi à briser l'enchantement.

Dans la lumière du petit matin, elle longea une rue latérale jusqu'à la plage qui s'étendait après l'église et qui était plus calme que les autres. Elle eut la surprise de croiser quelques personnes qui se rendaient à leur travail. Quand elle fut face à la mer, elle observa le ciel pâle, le ciel matinal au-dessus de l'eau.

Elle dépassa les bâtiments blancs aux volets peints d'un bleu profond et se dirigea vers la promenade.

Le patron d'un café remontait son store au coin de la rue. Il la salua comme une connaissance. Elle décida qu'après son bain elle viendrait là traîner à une table en terrasse et qu'elle ne retournerait pas à l'hôtel avant dix heures – quand Josie descendrait prendre son petit déjeuner.

Sur la plage, on lissait le sable à l'aide de grandes machines en prévision de la journée. Des hommes installaient transats et parasols. La brise était encore fraîche après la nuit et la mer la prit au dépourvu : plus froide qu'elle ne l'aurait imaginé, avec des vagues plus fortes que les jours précédents. Elle plongea sous un rouleau. Le froid mordant la faisait frissonner.

Elle ferma les yeux et nagea sans effort jusqu'au-delà de la barre. Se retournant sur le dos, elle fit la planche et sentit la chaleur du soleil pour la première fois. La paresse la gagnait, et la fatigue ; pourtant, elle ressentait encore l'énergie du réveil. Elle décida de rester dans l'eau le plus longtemps possible ; elle dépenserait cette énergie. Elle savait qu'une matinée comme celle-là ne reviendrait pas de sitôt, avec cette lumière merveilleuse, la fraîcheur de la mer, et la promesse d'une autre nuit où elle serait autorisée à dormir sans être dérangée.

Les derniers jours, les silences de sa tante devinrent plus fréquents et ses histoires plus intéressantes. Nora, elle, adorait son lit au sous-sol, même si elle préférait la douche de la chambre de Josie. Elle nageait plusieurs fois par jour et s'émerveillait de voir son maillot sécher presque instantanément au soleil. Josie et elle payaient volontiers la location d'un parasol et de deux chaises longues. Josie ne se lassait pas de commenter l'allure des passants. Un jour elles découvrirent un marché où Nora put acheter des vêtements très peu chers et des cadeaux à rapporter pour tout le monde.

Entre l'hôtel et la plage, elle examinait les maisons des petites rues, s'interrogeait sur leurs habitants, se demandait à quoi ressemblait leur vie ; à quoi ressemblerait sa vie à elle si elle habitait là. Les derniers jours, elle pensa au trajet qu'elle faisait à pied chaque matin pour se rendre à son travail ; à l'imperméable rouge qu'elle portait ; au parapluie toujours à portée de main. Ces choses lui paraissaient lointaines et étrangères, aussi éloignées d'elle qu'il était possible de l'être.

Le dernier jour, elle offrit à Mercè un flacon de parfum coûteux pour la remercier de l'avoir sauvée.

Il était tard quand elle arriva à la maison. Les garçons étaient couchés. Elle fit attention à ne pas les réveiller. Fiona était partie danser. Seule Aine l'attendait. À son attitude, elle crut sentir qu'il s'était passé quelque chose ; mais ensuite, en défaisant ses bagages dans sa chambre, elle pensa que ce n'était rien d'autre que la nouveauté des lieux où elle s'était rendue et l'étrangeté de se trouver de retour chez elle. L'incertitude ne la quittait cependant pas. Elle redescendit interroger Aine. Y avait-il eu un problème pendant son absence ?

— Non, dit Aine. À part que Conor a été transféré en classe B.

— Quoi ? Qui a pris cette décision ?

— Frère Herlihy. Il a transféré Conor et deux autres garçons.

— Quels garçons ?

Aine cita deux noms. Nora les connaissait. Comme Conor, ils étaient parmi les meilleurs de leur classe.

— A-t-il indiqué une raison ?

— Non.

Le lendemain, qui était un dimanche, elle aborda la question avec Conor avant leur départ pour la messe. Il paraissait surtout inquiet à l'idée qu'elle puisse croire qu'il avait fait quelque chose de mal.

— Il nous a changés de classe, c'est tout. Et on ne connaît personne chez les B.

Elle eut beaucoup de mal à se concentrer sur la messe. Après, devant la cathédrale, une femme commenta son bronzage sur un ton admiratif ; elle répondit à peine et rentra chez elle, rongée de culpabilité. À mesure que la journée passait, sa résolution s'affermit, si bien qu'en actionnant la cloche de la porte du monastère des frères chrétiens en début de soirée, elle était fermement résolue à ce que Conor retourne sans délai en classe A, où était sa place. Un jeune frère finit par lui ouvrir. Elle demanda frère Herlihy.

— Je ne suis pas certain qu'il soit disponible.

— J'attendrai.

Le jeune frère ne l'invita pas à entrer.

— Dites-lui que je suis Nora Webster, la veuve de Maurice Webster, et que j'ai besoin de le voir pour une affaire urgente.

Le frère l'examina prudemment. Puis il la fit entrer et referma derrière elle la porte du monastère.

Pendant qu'elle attendait, ce qui la frappa plus que tout fut le silence. C'était comme une désolation. Elle ignorait combien de frères vivaient là – une dizaine peut-être, une quinzaine au plus. Chacun devait avoir sa propre cellule. Des prisonniers, pensa-t-elle. Mais l'atmosphère de ce lieu était presque pire que celle d'une prison – le dallage nu, la fenêtre tout en hauteur avec ses vitraux, la cage d'escalier, le tout bien astiqué, inhospitalier, austère –, un lieu où le moindre bruit, le moindre mouvement, s'entendait et se voyait.

Frère Herlihy arriva. Il paraissait très gai et la conduisit dans un parloir situé à droite de l'entrée.

— Madame Webster ! Que puis-je faire pour vous ?

— Mon fils, Conor Webster, vient d'entrer en dernière année de primaire. Je me suis absentée quinze jours, et à mon retour j'apprends qu'il a été transféré en classe B.

— Ah, bon, ce n'est pas réellement une classe B.

— Ce n'est pas celle dans laquelle il était l'an dernier.

— Oui, nous opérons quelques changements, histoire d'égaliser un peu les deux classes.

— Quoi qu'il en soit, je préférerais que vous lui fassiez réintégrer la classe A.

— J'ai bien peur que ce ne soit pas possible.

— Pourquoi ?

— Les listes ont été envoyées au rectorat.

— On peut corriger cela facilement. Ce n'est pas un problème.

— C'est moi qui dirige cette école, madame Webster.

— Et je suis sûre que vous vous acquittez parfaitement de votre tâche, frère Herlihy. Comme vous le savez, mon mari enseignait dans le secondaire, dans ce même établissement.

— Oui, tout le monde le regrette infiniment.

— Vous n'auriez pas fait cela du vivant de mon mari.

— Madame Webster ! Cette décision tient compte d'un grand nombre de paramètres.

— Ces paramètres ne m'intéressent pas. La seule chose qui m'intéresse, c'est la scolarité de Conor.

— Je suis désolé mais je ne peux rien faire. Vous arrivez trop tard.

— Frère Herlihy, je ne suis pas venue vous demander de transférer Conor en classe A.

— Ah bon ?

— Je suis venue vous ordonner de le faire.

— Comme je vous le disais à l'instant, madame Webster, c'est moi qui dirige cette école.

— J'espère que vous m'avez entendue.

— Je vous ai entendue. Mais ce que vous demandez est impossible.

Il la raccompagna dans le hall. À la porte, il posa la main sur son épaule.

— Comment va la famille ?

— Cela ne vous regarde pas.

— Allons, allons, fit-il en souriant.

— Vous n'avez pas fini d'entendre parler de moi. Vous allez découvrir que je suis redoutable quand on me met en colère.

De retour chez elle, elle prit du papier et une enveloppe et se mit au travail.

Cher frère Herlihy,

Si Conor n'est pas retourné en classe A d'ici à vendredi, soyez informé que je prendrai contre vous les mesures qui s'imposent.

Elle signa la lettre, la plia, la mit dans l'enveloppe. Puis elle retourna au monastère, où elle fit de nouveau retentir la cloche et remit son courrier au jeune frère qui lui avait ouvert la première fois.

Plus tard dans la soirée, elle nota par écrit le nom de tous les professeurs qu'elle connaissait, dans le primaire comme dans le secondaire. Elle se rappelait l'adresse postale de certains. Elle enverrait les autres courriers aux bons soins de l'école.

Elle rédigea le même pour chacun.

Comme vous le savez peut-être, mon fils, Conor Webster, scolarisé en dernière année de primaire depuis la rentrée, a été transféré de la classe A à la classe B sans préavis ni justification. Comme vous le savez sans doute aussi, cela ne serait jamais arrivé du temps où son père enseignait dans cette école. Je vous informe que je ne le tolérerai pas. Si Conor n'est pas de retour en classe A d'ici à vendredi, j'occuperai l'école à compter de lundi matin. Si vous vous rendez au travail en voiture, j'empêcherai votre véhicule de franchir la grille. Si vous êtes à pied, je bloquerai le passage. Et je continuerai jusqu'à ce que Conor ait réintégré la classe A.

Cordialement,

Nora Webster

Elle n'avait pas d'enveloppes en nombre suffisant ; elle en achèterait d'autres le lendemain en revenant du travail. Elle rédigerait les adresses dans la foulée, au bureau de poste. Comme elle connaissait le nom de quatorze enseignants, elle rédigea son courrier en quatorze exemplaires.

Le lendemain elle se réveilla avec une énergie inédite et s'aperçut qu'elle ne répugnait pas à retourner au travail après ses vacances. Elle choisit dans la penderie une tenue qui lui donnerait un air de dignité irréprochable. Elle traversa la ville à pied, comme elle en avait l'habitude. Le fait de savoir les courriers dans son sac lui procurait du plaisir. Au travail, elle trouva sur son bureau plusieurs notes relatives à des questions ou à des demandes survenues en son absence. Elle expédia le tout avec efficacité ; à dix heures trente, elle s'attaquait à une pile de factures qui devaient être reportées sur le registre.

— Je crois bien que si on vous en donnait la possibilité, vous abattriez facilement mon travail en plus du vôtre, observa Elizabeth.

— Il y a des matins où je sens que j'ai les idées claires. Pas vous ?

— Jamais le lundi.

Elle posta ses lettres dans l'après-midi. Puis elle attendit. Rien n'arriva. Au cours des jours suivants, elle crut qu'elle croiserait dans la rue l'un ou l'autre des enseignants à qui elle avait écrit, mais ce ne fut pas le cas. Vers la fin de la semaine, elle fit un tour en ville à l'heure de la sortie des classes mais, là encore, elle ne croisa personne.

Le samedi matin, elle se rendit chez Jim Sheehan dans Rafter Street et acheta une planche fine de grandes dimensions ainsi que des clous. Puis elle alla chez Godfrey, sur la place centrale, et acheta un gros feutre noir, des punaises, un grand bristol et une grande feuille de papier blanc. Elle réfléchit à la meilleure façon de rédiger sa pancarte et conclut qu'il valait mieux ne pas parler de classe A et de classe B, et ne pas entrer dans les détails. Elle opta pour JE DEMANDE LA JUSTICE. Puis elle songea que J'EXIGE LA JUSTICE serait encore mieux. Elle résolut aussi d'expliquer à Donal et à Conor du mieux qu'elle pouvait qu'ils n'iraient pas en classe le lundi, qu'elle préparait une action devant l'école et qu'il valait mieux qu'ils restent étudier à la maison pendant que cette action avait lieu. Elle n'avait aucune idée de la façon dont ils réagiraient. Peut-être fallait-il s'y prendre autrement ? Elle choisit finalement d'attendre le dimanche soir et de confier son projet à Fiona à ce moment-là.

Le dimanche soir vers dix-neuf heures, une voiture s'arrêta devant sa porte. Deux hommes en descendirent. Elle les reconnut. C'étaient Val Dempsey et John Kerrigan, deux enseignants du secondaire qui figuraient parmi les destinataires de son courrier. Pour la première fois, elle prit peur – comme si tout son courage de la semaine se dissolvait d'un coup et qu'il n'en restait rien, hormis son orgueil et les menaces qu'elle avait proférées. Elle leur ouvrit sans leur laisser le temps de sonner et les fit entrer dans la première pièce.

— Nous sommes très soucieux, commença Val Dempsey. Vous savez le respect que nous avions tous pour Maurice.

Il y eut un silence. Elle ne leur proposa pas de s'asseoir. Sans qu'elle sache vraiment pourquoi, le ton de Val Dempsey lui avait rendu sa détermination.

— Je peux comprendre que vous ayez été ébranlée, reprit-il comme elle ne disait toujours rien.

— Je ne suis pas ébranlée, dit Nora. Qu'est-ce qui vous fait croire ça ?

— Eh bien, votre lettre…

— Ma lettre dit simplement que si Conor n'est pas réintégré en classe A, j'occuperai l'école à partir de demain. J'ai la pancarte là-haut. Voulez-vous la voir ? J'ai la ferme intention de vous affronter demain matin, et je ne changerai pas d'avis, croyez-moi.

John Kerrigan ouvrit la bouche pour la première fois depuis son arrivée.

316

— Ce serait mal avisé, dit-il.

— Je n'ai besoin de l'avis de personne. Du vivant de mon mari, frère Herlihy n'aurait jamais osé s'en prendre à Conor.

— Eh bien, les autres parents…

— Je ne veux rien savoir des autres parents.

— Nous pensions que vous pourriez peut-être suspendre votre action. À partir de là, nous pourrions voir ce qu'il est éventuellement possible de faire.

— Je vous ai laissé quatre jours pour réfléchir, et vous n'avez rien fait.

— Ne dites pas cela ! Il y a eu beaucoup d'échanges entre les enseignants.

— C'est formidable. Et demain matin, il y en aura encore plus. Si vous avez l'occasion de croiser certains de vos collègues ce soir, dites-leur que je maudirai personnellement ceux qui se permettront d'ignorer mon barrage. Vous avez peut-être entendu parler du pouvoir de la malédiction d'une veuve.

— Allons, allons, dit John Kerrigan.

— Je maudirai toute personne qui franchira mon barrage.

Les deux hommes échangèrent un regard avant de baisser la tête.

— Nous passerons peut-être voir frère Herlihy ce soir, dit Val Dempsey.

Il y eut un silence. Nora leur tint la porte et les suivit dans l'entrée.

— Nous vous tiendrons au courant s'il y a du nouveau, dit John Kerrigan.

Elle le gratifia d'un regard grave.

Val Dempsey et John Kerrigan revinrent moins d'une heure plus tard. Cette fois, si Fiona ou les garçons commençaient à l'interroger, il serait plus difficile d'inventer un prétexte. Elle leur dirait qu'il s'agissait de livres et de cahiers ayant appartenu à Maurice et qu'elle avait l'intention de léguer à l'école. Fiona et Conor apparurent tous deux dans le couloir au moment où elle refermait la porte de la pièce après y avoir fait entrer les deux hommes.

— Nous avons laissé au monastère un frère chrétien très contrarié, commença Val Dempsey.

— Il dit qu'il n'a d'ordre à recevoir de personne, enchaîna John Kerrigan. Nous lui avons pourtant dit combien vous étiez respectée en ville, ainsi que toute votre famille. Mais il n'a rien voulu entendre.

— Alors nous avons dû l'informer que les frères et lui seraient seuls à l'école demain, car aucun autre enseignant ne franchirait le barrage. Il est devenu fou de rage à la mention d'un barrage. Personne ne lui avait révélé le contenu de votre lettre.

— Il a prononcé quelques mots que je ne répéterai pas, dit John Kerrigan, et qui étaient un peu surprenants dans la bouche d'un frère chrétien.

Le sérieux affiché par les deux collègues la fit sourire. Mais elle reprit aussitôt contenance.

— Alors nous nous sommes assis et nous lui avons dit que nous ne partirions pas tant que cette affaire ne serait pas réglée. Il est devenu écarlate. Il a dit que c'était son école et qu'il faisait ce qu'il voulait. Alors nous sommes restés assis à le regarder.

— À la fin, dit John Kerrigan, je lui ai annoncé qu'il existait une solution toute simple. Il m'a demandé quelle était cette solution, et alors je n'ai pas mâché mes mots, je lui ai dit qu'il pouvait réintégrer cet élève dans l'autre classe et que sa réputation n'en serait pas ternie pour autant.

— Il a dit qu'il ne tolérait pas l'intimidation. Mais que si nous voulions bien le laisser seul, il acceptait de réfléchir à la question.

— Alors nous lui avons dit qu'il nous fallait malheureusement une réponse avant de partir. Il s'est mis à faire les cent pas et, à la fin, il s'est planté au milieu de la pièce et il a dit qu'il ne ferait rien demain, car il ne tolérait pas l'intimidation, mais qu'à un moment donné au cours de la semaine, il réintégrerait le garçon en classe A. Alors nous lui avons dit que cela nous convenait, et nous nous sommes éclipsés en profitant de ce que l'ambiance était bonne.

— En espérant que cela vous conviendra aussi, ajouta Val Dempsey.

— Mieux que cela, dit-elle. C'est parfait. Vous avez toute ma gratitude, l'un et l'autre.

Elle faillit s'excuser d'avoir invoqué la menace de la malédiction. Mais elle ne voulait pas laisser planer le moindre doute quant au sérieux de ses intentions. Elle les raccompagna, leur souhaita une bonne fin de soirée et revint guetter par la fenêtre leur voiture qui démarrait. Elle n'était pas certaine de ce qu'elle devait éprouver. Si elle révélait avoir stocké dans sa chambre de quoi fabriquer une grande pancarte et menacé les professeurs de l'école des frères chrétiens de les maudire publiquement, personne ne la croirait.

Le mercredi, en rentrant de l'école à l'heure du déjeuner, Conor la trouva à la cuisine.

— On m'a remis dans la classe A !

— Formidable.

— Il y a eu des applaudissements quand je suis revenu. Frère Herlihy m'a fait sortir de l'autre classe en me disant que je déménageais et que je devais rassembler mes affaires. J'ai cru qu'il allait me mettre en classe C.

— Il n'y a pas de classe C.

— Ils auraient pu en inventer une. Puis il m'a emmené dans la salle de la classe A et il m'a demandé avec qui j'étais l'an dernier. Alors voilà, je suis de nouveau assis à côté d'Andy Mitchell.

Le lendemain après l'école, il revint la voir.

— Est-ce que tu as fait quelque chose pour que je retourne en classe A ?

— Pourquoi me poses-tu la question ?

— Parce que j'ai bien vu que c'est le père de Feargal Dempsey qui est venu à la maison dimanche soir, et aujourd'hui le frère Barrett était de mauvais poil toute la matinée, alors Feargal a dit qu'on allait lui envoyer la mère de Webster, que ça le remettrait d'aplomb.

— Je ne sais pas de quoi il parle.

Le vendredi soir Fiona sortit avec des collègues, qui lui montrèrent un exemplaire de la lettre rédigée par Nora. Le samedi matin, elle vint la voir alors qu'elle lisait le journal dans le salon.

— J'ai reconnu ton écriture, dit-elle. Sinon, je n'y aurais jamais cru.

— Peu importe. L'affaire est réglée maintenant.

— Pour toi peut-être ! Mais certains croient que j'y suis mêlée.

— J'espère que tu leur as dit que ce n'était pas le cas.

— Si ça se trouve, cette lettre figurera dans mon dossier. Imagine, si je décide de changer de boulot.

— Je pense que tout aura été oublié d'ici là.

— On me dit que tu as prononcé une malédiction contre l'ensemble des professeurs de l'école.

— J'ai menacé de maudire ceux qui franchiraient mon barrage.

— Ah oui ? Tu sais qu'en attendant, je suis quand même censée vivre et travailler dans cette ville ?

— Oui, et moi j'ai dû me débrouiller pour que Conor soit réintégré en classe A.

— Tu aurais pu me consulter.

— Tu m'aurais dit de ne pas envoyer ce courrier.

— Bien sûr !

— Alors j'ai bien fait de ne pas t'en parler, tu ne crois pas ?

Fiona avait autrefois eu pour enseignante une nonne très agressive qu'on appelait sœur Agnes. Elle se montrait plus brutale de jour en jour, au point que Fiona allait à l'école chaque matin la boule au ventre. Nora, travestissant son écriture, avait rédigé plusieurs lettres anonymes qu'elle avait envoyées à sœur Agnes et à la révérende mère en les menaçant d'alerter la police si sœur Agnes ne se calmait pas et si elle continuait de frapper les filles pour un oui ou pour un non. La révérende mère avait montré ces lettres à l'un des enseignants laïcs, qui les avait à son tour montrées à Maurice en disant que les indices convergeaient vers Nancy Sheridan, l'épouse du patron de la supérette de la place centrale, qui avait une fille dans la classe de sœur Agnes. Maurice avait rapporté l'histoire à Nora sur un ton réprobateur. Nora n'avait fait aucun commentaire, mais Fiona était revenue à la maison peu après en disant que sœur Agnes était devenue beaucoup plus gentille.

À présent, elle avait bien envie de dire la vérité à Fiona ; mais celle-ci ne trouverait sans doute pas ça drôle. Elle avait aussi envie de lui dire qu'elle ressemblait de plus en plus à son père et à son oncle Jim ; mais, là encore, elle garda le silence. Elle venait de comprendre que Fiona aurait peut-être été plus virulente si elle n'avait pas eu besoin de la voiture pour aller danser à Wexford ce soir-là.

Son combat contre frère Herlihy l'avait fortifiée. En se réveillant le matin, à sa propre surprise, elle envisageait la journée à venir avec une sorte de confiance détendue. Elle ne regrettait pas de ne pas pouvoir se rendormir. Elle fit le compte de ses économies. Ce serait bientôt son tour de présenter un choix de disques au Gramophone Club. Il devenait urgent d'acheter une chaîne stéréo. Elle décida de demander à Phyllis de l'accompagner chez Cloake et de l'aider dans son choix.

Phyllis apporta quelques trente-trois tours au magasin afin de juger du son sur la base d'une musique qui lui était familière. Deux modèles de chaîne stéréo étaient en promotion. Après avoir écouté Maria Callas dans Verdi sur le premier modèle puis sur l'autre, elle déclara que cela ne convenait pas. Nora l'ayant prévenue qu'elle ne voulait pas d'un modèle trop cher, Phyllis examina l'offre du magasin en répétant qu'elle gardait bien en tête la question du prix. « Pas d'extravagance, j'ai bien compris ! » D'un autre côté, cela n'avait pas de sens d'acheter un appareil qu'il faudrait remplacer après deux ou trois ans. Enfin elle repéra dans un coin une platine assortie de deux petites enceintes, qui était à peine plus chère que les articles en promotion.

— J'ai une intuition, dit-elle. Je crois que c'est le modèle qu'a ma sœur, et elle l'adore.

Le vendeur le fit fonctionner. Nora n'était pas sûre de pouvoir juger du son, mais Phyllis s'exprima avec autorité en termes de profondeur, de fréquences basses et de réglage des aigus. Il était plus cher que les deux autres, soit, mais il était vraiment beaucoup mieux.

Phyllis la raccompagna chez elle et l'aida à installer la chaîne dans le séjour. Elle lui laissa le disque de Maria Callas et un autre – de la musique pour piano. Après son départ, Nora s'inquiéta. Tous ses visiteurs verraient désormais qu'elle avait une chaîne stéréo. Ils verraient sa chaîne, et ils penseraient qu'elle dépassait vraiment les bornes. Elle allait devoir s'endurcir pour ne pas prendre leurs commentaires à cœur. Elle l'avait voulue. Elle l'avait. Il n'y avait plus qu'à l'assumer.

Quelques semaines plus tard, elle prit le train pour Dublin un samedi avec Fiona et les garçons. Ils retrouvèrent Aine au Country Shop pour un déjeuner tardif, puis elle demanda aux filles si elles voulaient bien s'occuper de leurs frères pendant une heure car elle avait des courses à faire de son côté. Elle les retrouverait à la gare d'Amiens Street pour prendre le train du retour.

Phyllis lui avait donné le nom de trois disquaires. Le premier, avait-elle dit, était si petit que Nora risquait de ne pas le voir ; il était dans Baggot Street, en face d'un pub nommé Doheny & Nesbitt. Le deuxième s'appelait May et se trouvait sur Stephen's Green, côté Grafton Street. Quant au troisième, dont elle avait déjà entendu parler par les Radford, c'était McCullough Pigott dans Suffolk Street, à l'autre bout de Grafton Street.

Elle avait décidé d'acquérir dix trente-trois tours. L'excitation qu'elle éprouvait était inédite, et lui rappelait ce qu'elle avait ressenti aux premiers jours de son mariage quand il lui arrivait de s'acheter une robe ou un manteau. Phyllis lui avait déconseillé de choisir des compilations, à moins que ce ne soient des airs chantés par un chanteur ou une chanteuse qu'elle connaissait. Mieux valait miser sur une œuvre, par exemple un concerto, ou une symphonie, ou encore un trio ou un quatuor. Parfois, à l'issue de la réunion du Gramophone Club, elle avait noté par écrit le nom de certains compositeurs et de certaines œuvres qui lui avaient plu. Mais elle n'aurait jamais le temps de tout explorer.

En découvrant le magasin de Baggot Street, elle s'aperçut bien vite qu'elle avait envie de tout acheter. Elle allait devoir se dépêcher et faire des choix éclairs. Si elle prenait trois ou quatre disques là, puis trois autres dans chacune des deux autres boutiques, ce serait bien assez.

Le magasin diffusait de la musique chorale qu'elle trouva très belle. Elle faillit demander au vendeur ce que c'était, mais n'osa pas. À la fin, bien que persuadée que c'était un mauvais choix, elle opta pour deux symphonies de Beethoven, les *Rhapsodies hongroises* de Brahms et un disque de Maria Callas. Elle se dit qu'elle achèterait encore du chant chez May, peut-être même des extraits d'opéras, malgré les conseils de Phyllis, et puis de la musique de chambre chez McCullough Pigott.

Elle avait fini ses achats chez McCullough Pigott et s'apprêtait à quitter le magasin quand elle aperçut une pile de disques qui n'avaient pas d'étiquette de prix. Ils avaient l'air de sortir droit de chez le fabricant. Celui qui se trouvait au sommet de la pile était le disque qu'elle avait entendu chez les Radford, qu'ils lui avaient prêté et qu'elle leur avait rapporté par la suite, le *Trio à l'archiduc*, avec la photographie qui l'avait frappée et lui était restée en mémoire, celle de la jeune femme au sourire timide et assuré, aux cheveux blonds, aux yeux bleus. Elle le prit et alla demander combien il coûtait.

— Oh, dit la vendeuse, nous n'avons pas encore fixé de prix à ceux-là.

— Je n'ai pas beaucoup de temps, mais j'aimerais l'acheter s'il n'est pas trop cher.

— Beaucoup de clients nous le demandent. On a dû faire un réassort.

Nora découvrit que l'excitation d'acheter des disques pouvait s'accompagner de déception et de découragement.

— Le gérant n'est pas là, ajouta la vendeuse. Il sera de retour lundi.

— Je reprends le train pour le Wexford tout à l'heure.

Elle essaya de prendre un ton à la fois humble et insistant. Elle avait une idée assez précise de ce que pouvait être le prix du disque. Elle chercha un peu et en trouva un autre qui avait le même label, EMI la Voix de son maître. Elle le rapporta à la vendeuse en montrant son prix.

— Je crois que les prix ont augmenté, dit celle-ci. Désolée, mais je vais devoir vérifier.

Il était dix-sept heures trente. Nora devait y aller si elle ne voulait pas être en retard à la gare. Mais elle était décidée à acheter ce disque.

— Je viens souvent à Dublin, dit-elle.

La vendeuse, qui s'était plongée dans un catalogue, releva la tête, et Nora adoucit son expression.

— S'il est plus cher que l'autre EMI, dit-elle, je vous rembourserai la différence la prochaine fois.

— Écoutez, je vous le laisse pour une livre. La prochaine fois que vous viendrez, vous me demanderez. S'il est moins cher, je vous rembourserai, et s'il est plus cher, comme je le crois, c'est vous qui me réglerez la différence.

Nora prit une livre dans son porte-monnaie, remercia la vendeuse, se dépêcha de quitter le magasin et se hâta vers la gare.

Le dimanche matin – les garçons étaient à la messe et Fiona dormait encore –, elle posa le disque sur la platine. Elle examina la photo – les deux hommes à la beauté méridionale et la jeune femme, entre eux, qui semblait toujours plus heureuse à mesure qu'elle la regardait. Elle écouta le premier mouvement, encore et encore, ravie par l'incertitude qui s'y donnait à entendre, comme si quelqu'un s'efforçait de dire quelque chose de toujours plus profond et plus difficile, hésitait et se résignait enfin à une mélodie plus simple avant de s'en éloigner de nouveau pour se lancer dans d'étranges digressions jouées soit par le violon, soit par le violoncelle, avec une tristesse dont elle se demandait comment ces jeunes gens pouvaient bien avoir l'expérience.

De ce jour-là et jusqu'au Nouvel An, elle écouta ses disques dès qu'elle avait un peu de temps et qu'elle était seule dans le séjour. À Noël, les garçons, les filles et Una s'associèrent pour lui offrir trois symphonies de Beethoven qu'elle ne possédait pas. Aine se chargea de les acheter à Dublin. Margaret téléphona à Phyllis, qui lui dit que Nora aurait peut-être envie avec cela d'une musique plus calme, et elle lui acheta les sonates pour violoncelle de Brahms interprétées par János Starker. Nora avait donc l'embarras du choix pour son premier récital au Gramophone Club.

Jim et Margaret venaient souvent le samedi soir. Une fois Conor au lit et Fiona partie danser, ils regardaient « The Late Late Show » en compagnie de Nora et de Donal. Semaine après semaine, l'émission présentait des débats sur l'Irlande du Nord, la libération des femmes ou les mutations en cours au sein de l'Église catholique. Jim n'appréciait pas du tout certains intervenants ; Nora, elle, se trouvait souvent d'accord avec ceux qui prônaient le changement – comme l'eût été Maurice, pensait-elle, s'il avait été là.

Un soir de février, la discussion s'engagea sur la carence de droits civiques en république d'Irlande au moins autant qu'en Irlande du Nord ; Jim entra dans une telle colère qu'elle crut qu'il allait lui demander d'éteindre le poste.

Elle profita de la coupure publicitaire pour aller faire du thé à la cuisine et revint avec le plateau au moment où l'émission reprenait.

Gay Byrne, l'animateur, avait manifestement profité de la pause pour discuter avec le public présent dans le studio. À la reprise, la caméra cadrait un groupe de femmes assises au premier rang. Nora reconnut certaines d'entre elles – des féministes qui participaient souvent à l'émission. Elle posa le plateau sur la table basse. L'une des femmes parlait à présent des mal-logés de Dublin et de la manifestation organisée le week-end précédent par le comité dublinois contre le logement insalubre et qui s'était terminée par un sit-in sur le pont O'Connell.

Gay Byrne reprit le micro.

— Que diriez-vous aux honnêtes Dublinois qui nous écoutent et qui sont restés coincés pendant des heures dans leur voiture à cause de votre sit-in ?

La caméra se déplaça vers la voisine de la première femme, et Nora reconnut instantanément Aine. Donal

cria son nom – Jim et Margaret mirent quelques instants à admettre l'évidence.

— Oh, mon Dieu ! s'exclama Margaret.

— Monte le son ! cria Nora.

Aine était au milieu d'une phrase dont le sens,
comprit-elle, était que si les citoyens du Sud se sen-
taient choqués par la discrimination contre les catholiques dans le Nord, ils n'avaient qu'à commencer par
faire le ménage chez eux.

— Au lieu de se livrer au trafic d'armes, dit-elle,
ils feraient peut-être mieux d'installer des systèmes
d'évacuation et des canalisations d'eau correctes dans
les immeubles de Dublin.

Elle conclut en disant qu'elle était fière d'avoir participé au sit-in et qu'elle invitait ceux du Nord à venir
voir les conditions déplorables dans lesquelles
vivaient les ouvriers de Dublin. Elle allait ajouter
quelque chose quand Gay Byrne leva la main et tendit
le micro à quelqu'un d'autre.

— Oh, mon Dieu ! répéta Margaret. Notre Aine !

— Elle est d-d-dans une de ces org-g-ganisations ?
demanda Donal.

— Je suis sûre qu'elle étudie très sérieusement le
reste de la semaine, dit Nora.

— Elle aurait dû nous en p-p-parler. On aurait p-
p-pu la louper.

Détail étrange, nota Nora soudain, Jim était méta-
morphosé. Il avait presque le sourire.

— *Au lieu de se livrer au trafic d'armes, ils
feraient mieux d'installer des systèmes d'évacuation
corrects.* C'est exactement mon sentiment. Je ne
l'aurais pas mieux formulé moi-même.

— Elle s'exprime très bien, observa Margaret. Ce
ne doit pas être évident pour elle. On me dit qu'il est
très difficile de parler à la télévision.

— Et au milieu de toutes ces féministes encore, dit Nora. Je crois bien qu'on en entendra parler demain après la messe.

— Le prochain coup, elle sera sur le plateau parmi les intervenants. Je ne savais pas qu'elle s'intéressait à la question du logement. Ça fait peut-être partie de son programme d'études.

Nora versa le thé pour tout le monde tout en observant sa belle-sœur du coin de l'œil. Margaret était vraiment phénoménale. Prise de court, désapprouvant de tout cœur ce qu'elle venait de voir et d'entendre, elle réussissait encore à masquer sa réaction avec une promptitude merveilleuse.

Ils regardèrent l'émission jusqu'à la fin au cas où Aine reprendrait la parole. À un moment, la caméra balaya le public et ils virent qu'elle levait la main, mais on ne lui passa pas le micro.

— Et voilà, dit Margaret quand le poste fut éteint. Qui l'eût cru ?

— Est-ce qu'Aine est s-s-socialiste ?

— Je ne sais pas, dit Nora. Peut-être qu'elle nous le dira à sa prochaine visite.

16

De semaine en semaine, Laurie lui faisait travailler *The Last Rose of Summer*. Elle lui proposa d'ajouter un air allemand.

— Il faudrait que ce soit quelque chose qui les surprenne lors de l'audition – peut-être un lied de Schubert, qui mettrait votre voix en valeur. Vous savez, j'étais en France quand les Allemands sont arrivés. Ils ont réquisitionné le couvent et nous avons dû emménager dans une ferme, mais je n'ai jamais cessé pour autant d'admirer Schubert et d'écouter sa musique. Je crois que j'ai un lied qui pourrait faire toute la différence en ce qui vous concerne.

Elle fouilla parmi ses disques.

— Le voici ! Je vais le mettre, rien que celui-là, deux fois. Je veux que vous l'écoutiez et que vous le laissiez reposer. Ensuite nous regarderons les paroles en anglais et ensuite seulement nous nous occuperons de l'allemand, phrase à phrase.

Laurie retira le disque de sa pochette et le posa sur la platine. Nora ferma les yeux pour mieux écouter.

— La première fois, concentrez-vous uniquement sur le piano.

Le piano joua l'introduction. Le son était franc, frontal. Dès l'entrée de la voix cependant – une riche et profonde voix d'alto – il s'adoucit, devint subtil au point de disparaître par moments pour mieux revenir ensuite, entre deux phrases, avec une complexité accrue.

— Encore une fois, dit Laurie. Maintenant, on écoute la voix.

Ce qui frappa Nora fut la tendresse caressante avec laquelle elle s'attardait sur les notes, la délicatesse dans la façon d'appréhender la mélodie. Ni douce ni dure, c'était une voix qui planait dans un espace rien qu'à elle. Une voix sincère, pensa Nora, dont le chant était parfait et d'une grande beauté.

— C'est son hymne à la musique, dit Laurie. Les paroles sont de son ami poète qui a vécu vieux. Imaginez ce que nous aurions eu si Schubert avait vécu vieux lui aussi ! Mais c'est ainsi, on n'y peut rien. Les paroles allemandes sont magnifiques. Elles perdent beaucoup à la traduction, mais voici ce que donne la première strophe :

Ô toi, art des`merveilles,
Que de fois, en ces heures grises où la vie resserrait
son étau
M'as-tu chauffé à la flamme de l'amour
Et transporté dans un monde meilleur

— La manière dont Schubert les a mises en musique est très belle. C'était un geste d'amour, bien sûr. Le poète et lui étaient amants, du moins c'est ce qu'on croit.

— Schubert et un autre homme ?

— Oui. N'est-ce pas merveilleux ? Mais triste aussi, puisque Schubert est mort si jeune alors que son ami a continué de vivre et de vieillir. Mais nous avons ce chant en souvenir d'eux, un chant d'amour pour la musique, et pour quelqu'un.

— Qui est la chanteuse ? Elle a une voix magnifique.

— C'est Kathleen Ferrier. Elle était originaire du Lancashire et elle est morte jeune, elle aussi.

Laurie lui fit lire les paroles en allemand et l'aida à travailler sa prononciation. Elle lui montra qu'en allemand, le verbe se place souvent en fin de phrase. Elles écoutèrent l'enregistrement encore une fois, et Laurie lui demanda d'apprendre la première strophe en allemand pour la séance suivante.

Donal avait acheté quelques disques de son côté et les écoutait sans cesse. Elle ne voulait pas lui interdire l'accès à la platine mais parfois, en entrant dans le séjour avec un seul désir, s'asseoir dans son fauteuil et écouter un disque, elle découvrait qu'il était déjà dans la place.

Donal et Conor s'intéressaient tous deux énormément à la vie sociale de Fiona. Ils voulaient tout savoir, où elle allait, pour quoi faire et avec qui. Ses préparatifs avant de sortir, le week-end, les vêtements qu'elle choisissait, son maquillage, l'arrivée de ses amis, remplissaient la maison d'une ambiance différente, excitante. Quand Aine revint le premier samedi après sa participation à l'émission « The Late Late Show », elle minimisa l'événement et ne voulut même pas en parler. Fiona avait trouvé le moyen de l'inclure dans sa nouvelle vie, et les deux sœurs sortaient désormais ensemble le vendredi soir.

À l'approche de Pâques, en allant danser à Wexford, Fiona rencontra un homme nommé Paul Whitney, qui était avoué à Gorey. Nora et Maurice avaient connu ses parents, de même que Jim et Margaret. Il avait trente-cinq ans. Quand Elizabeth Gibney apprit la nouvelle, elle confia à Nora avoir entendu dire qu'il pourrait bien devenir juge de district.

— Son cabinet marche très bien. Il l'a monté tout seul, et il est très respecté. Un ami de Thomas a fait appel à lui pour une histoire d'assurance, et il était enchanté.

Fiona commença à inviter Paul Whitney à la maison. Le vendredi et le samedi soir, souvent aussi le dimanche, il bavardait avec la famille dans le séjour pendant que Fiona se préparait là-haut. Il avait une opinion sur tout ; il était féru de politique mais aussi de sujets associés à l'Église, dans la mesure où il traitait les affaires juridiques de plusieurs paroisses et était à tu et à toi avec l'évêque.

— Rome lui manque, confia-t-il à Nora un soir. Il vivait dans la crainte d'être consacré évêque et de devoir rentrer en Irlande. Et certains prêtres du diocèse sont un peu des fleurs de nave, si vous voyez ce que je veux dire. Pas des lumières, en somme.

Nora n'avait jamais entendu quelqu'un parler des prêtres de cette façon.

Il s'y connaissait aussi en musique et en systèmes stéréo. Un soir il promit à Nora de lui prêter son coffret de quatuors de Beethoven, ajoutant qu'elle pouvait les garder tant qu'elle voulait, car pour sa part il en était revenu à Bach.

— De tous les compositeurs, le vrai génie, c'était lui. Si Dieu a existé un jour en Allemagne, ce dont je doute, c'est sous la forme de Bach.

Avec Conor il parlait hurling et football gaélique. Avec Donal il comparait différents modèles d'appareil photo. Il était ouvert, amical ; il portait toujours veston et cravate, y compris le samedi. Le veston était différent chaque semaine, et la cravate aussi. Sur le sujet de Charlie Haughey, il détenait des informations que Nora n'avait jamais entendues auparavant.

— Si seulement il pouvait se tenir à l'écart des femmes, ce serait mieux pour lui, et pour nous tous. Mais ils sont nombreux à le soutenir, dans le parti, et il est l'homme de l'avenir.

Un soir au début de l'été, Paul arriva alors que Jim et Margaret étaient là et se mit à discuter politique avec eux. Nora vit avec quelle aisance il s'adressait à eux, malgré la différence d'âge, et que Jim le trouvait fort sympathique. Elle se demanda de quoi il parlait à Fiona quand ils étaient seuls.

Nora commença à anticiper ses visites avec plaisir. Certains soirs, quand Donal et Conor étaient dans l'autre pièce, Paul s'asseyait un moment et discutait de sujets d'actualité avec elle et Fiona. Celle-ci se taisait quand Paul s'adressait à Nora sur des thèmes liés à la musique, la religion ou la politique – sujets sur lesquels Nora elle-même avait souvent des choses à dire. Il était comme Maurice dans sa façon de s'intéresser à la politique ; mais il en savait davantage et il s'intéressait aussi à la musique, bien sûr, ce qui n'avait jamais été le cas de Maurice. Il apparut bientôt qu'il aimait également le théâtre. Il lisait des romans et avait des opinions sur leurs auteurs. Quand Paul et Fiona partaient enfin pour aller danser ou boire un verre et que Nora se retrouvait seule dans le séjour, elle éprouvait presque du contentement. Elle avait apprécié sa compagnie et il était clair que la réciproque était vraie.

Un jour, alors qu'elle passait devant la boutique d'Essie, sur la place centrale, elle aperçut dans la vitrine une robe dont elle pensa qu'elle pourrait peut-être lui aller. Elle était rouge et jaune et semblait faite d'un lainage léger. Elle n'avait pas porté une robe semblable depuis des années. Elle s'interrogea sur son prix. Elle entra dans la boutique et essaya plusieurs robes du même lainage fin, dans des couleurs qui lui plaisaient encore davantage. Elle accepta d'en prendre trois chez elle à l'essai. Elle voulait voir de quoi elles auraient l'air dans la lumière de sa maison et vérifier si elle avait des chaussures qui pourraient convenir. Le prix était élevé ; jamais elle n'avait payé autant pour une robe. D'un autre côté, si elle attendait les soldes, elles ne seraient peut-être plus là.

Nora était absente quand le livreur les apporta. Ce fut Fiona qui lui ouvrit. Plus tard, elle dit à Nora qu'Essie avait fait porter trois robes, sans doute parce qu'elle, Fiona, était allée récemment dans sa boutique, mais qu'il avait dû y avoir une erreur car le style et la taille ne correspondaient pas. Nora alla dans le salon, vit le paquet ouvert et revint dire à Fiona qu'il n'y avait pas d'erreur et que les robes étaient pour elle.

— Une raison spéciale ?

— Non. Je passais devant la vitrine, j'ai vu une robe qui me plaisait, alors je suis entrée et j'en ai passé quelques-unes.

— Je vois.

Elle essaya les trois robes après que tout le monde fut couché. Elle les enfila tour à tour dans sa chambre et descendit se regarder dans le miroir de l'entrée. Elle avait déjà descendu plusieurs paires de chaussures pour voir lesquelles iraient le mieux. Elle entrait dans le séjour comme si elle y était attendue et s'asseyait dans son fauteuil habituel. Il y avait une robe qui lui plaisait particulièrement, ceinturée, aux couleurs plus vives que les autres. Elle retourna dans l'entrée, observa son reflet par-dessus son épaule, vit que le col couvrait mieux sa nuque. Elle décida de choisir celle-là, et de s'acheter des chaussures neuves, plus élégantes. Peut-être avec un talon.

Le lendemain, elle alla rendre les deux autres robes à Essie et payer celle qu'elle avait retenue. Elle ne la mettrait qu'à condition d'avoir une raison spéciale de le faire, un endroit où aller. C'était une robe parfaite à avoir dans sa garde-robe. Mais le vendredi soir après le thé, alors qu'elle était dans sa chambre, elle décida soudain de la mettre tout de suite. Puis elle s'assit devant le miroir, se brossa les cheveux, ouvrit sa trousse de maquillage, trouva un mascara léger et de l'eye-liner. En entendant une voiture, elle alla à la fenêtre. Ce n'étaient que des voisins qui rentraient. Elle descendit, se fit du thé et mit un disque.

Plus tard, dans la cuisine, elle tomba sur Fiona.

— Quelle allure ! Tu sors ?

— Non. Je me suis dit, maintenant que j'ai acheté cette robe, autant la mettre.

Quelques minutes plus tard, elle entendit Fiona quitter la maison. Plus tard encore, elle écoutait un concerto pour piano de Mozart dans le séjour quand Fiona revint.

— Je vais avoir besoin de la voiture ce soir.

— Tu vas à Wexford ?

— Je ne sais pas encore où on ira.

Nora faillit lui demander si la voiture de Paul avait un problème, mais l'urgence du ton de Fiona l'en dissuada. Plus tard, en entendant la voiture démarrer, elle se fit la réflexion qu'il était curieux que Fiona ne lui ait même pas dit au revoir.

Au cours des jours suivants, Fiona se montra taciturne et distante. Les soirs où elle ne sortait pas, elle montait se coucher de bonne heure. Quand Aine arriva pour le week-end trois semaines plus tard, Nora lui demanda si elle savait quelque chose, concernant Fiona, qui expliquerait son attitude. Sa relation avec Paul Whitney était-elle terminée ?

— Non, pas du tout. Au contraire, je crois que ça se passe au mieux.

— Mais il n'est pas venu à la maison depuis trois semaines.

— C'est elle qui préfère qu'il ne vienne pas, à mon avis.

— Comment cela ?

— Elle trouve peut-être que tout le monde devenait un peu trop ami avec lui.

— Qu'est-ce que cela veut dire ?

— Il vaut mieux que tu lui poses la question directement, mais elle a dit qu'il lui était arrivé certains soirs de se sentir exclue de la conversation.

— Nous parlions tous de la façon la plus normale qui soit.

— Ce n'est pas à moi qu'il faut le dire. Je n'étais pas là.

— Tu me caches quelque chose.

Aine lui lança un regard aigu.

— Un soir, elle t'a vue. Tu étais toute pomponnée.

— Et alors ?

— Et alors, elle a passé un coup de fil à Paul et ils ont décidé de se retrouver plutôt à l'hôtel Bennett.

— Elle croit que je m'étais habillée en vue de la visite de Paul ?

— C'est à elle qu'il faudrait poser la question.

— Mais c'est ce qu'elle croit ?

— Demande-le-lui.

— J'ai des choses plus importantes à faire.

Sous la direction de Laurie au piano, elle travaillait ses deux morceaux avec opiniâtreté. Parfois c'était d'une lenteur frustrante, car Laurie voulait qu'elle comprenne le sens de chaque mot d'allemand et que sa prononciation soit parfaite.

Parfois elle s'interrogeait sur Laurie, sur les histoires qu'elle racontait et la familiarité avec laquelle elle évoquait des personnes qu'elle ne pouvait pas avoir connues et dont certaines étaient même mortes depuis longtemps. Elle prenait plaisir à évoluer dans un monde de sa propre invention, aussi éloigné que possible de la petite ville où elle passait ses jours. Parfois, pendant qu'elles travaillaient ainsi toutes les deux, elle parvenait à créer l'illusion qu'elles étaient à Paris ou à Londres, et que ces répétions avaient un enjeu très élevé. Ce fut ainsi, sous l'intense supervision de Laurie, que Nora finit par maîtriser les deux chants et à interpréter le deuxième en allemand au mieux de ses capacités. La concentration de son professeur ne faiblissait pas un instant.

Un jour, Laurie lui annonça qu'elle avait persuadé Frank Redmond, le chef de la chorale de Wexford, d'auditionner sa dernière élève en date, Nora Webster, en vue de l'intégrer dans le chœur même s'il n'avait pas besoin d'une nouvelle alto. Il fut convenu que Nora irait au couvent de Loreto un samedi après-midi, quand le piano de la salle de musique était disponible.

Elle alla chez le coiffeur et fit retoucher sa couleur. Elle enfila sa robe de chez Essie et les chaussures neuves achetées chez Mahady Breen. Phyllis et elle avaient prévu de se retrouver chez White pour un café après l'audition. À son arrivée au couvent, elle fut accueillie par Frank Redmond lui-même. À sa surprise, il la fit entrer non pas dans une salle de répétition, mais dans une vraie salle de concerts. En plus du pianiste, il y avait là deux personnes auxquelles il ne prit pas la peine de la présenter. Elle montra les partitions qu'elle avait apportées ; le pianiste dit qu'il pouvait jouer la première de mémoire ; il n'aurait besoin de la partition que pour le Schubert. Il commença à répéter pendant qu'elle se rendait aux lavabos.

Elle aurait voulu qu'on lui laisse le temps de s'échauffer. Laurie lui imposait toujours des vocalises avant de l'autoriser à aborder une mélodie. Là, elle allait devoir s'exécuter à froid. Il n'y avait même pas un verre d'eau. Elle se sentait la bouche sèche. Il était clair que ces gens avaient mieux à faire et qu'ils souhaitaient l'expédier le plus vite possible. Quand elle fut debout à côté du piano, elle garda les bras le long du corps et tourna son regard vers la salle. Mais elle se sentait exposée, mal à l'aise ; elle posa une main sur le piano ; le pianiste lui ordonna aussitôt de l'enlever. Laurie, elle, ne la laissait jamais chanter tant qu'elle n'était pas parfaitement à l'aise. À présent elle n'avait pas le choix. Elle percevait toute l'impatience de l'accompagnateur.

Dès l'instant où il posa le premier accord, elle comprit que ça n'irait pas du tout. Au lieu de jouer l'introduction, il improvisait, jouait autre chose, de plus compliqué. Elle était perdue, ne savait plus à quel moment elle devait entrer. Le piano glissait sous la ligne mélodique comme s'il voulait s'harmoniser avec un autre interprète ; soudain il enchaîna des trilles avant de revenir au thème initial. Impossible de savoir que faire. Alors elle ouvrit simplement la bouche et se mit à chanter. Elle n'était pas entrée au bon moment, elle le savait, mais elle ne pouvait rien faire à part continuer, et quand elle en fut à « *no flower of her kindred* », le souffle lui manqua et elle trembla sur la note aiguë.

Au deuxième couplet, le pianiste cessa quasiment de jouer, ce qui lui facilitait la tâche mais ne mettait pas en valeur la vraie profondeur de sa voix. Elle fit néanmoins de son mieux et, sur quelques phrases, en se concentrant de toutes ses forces, il lui sembla trouver un timbre acceptable. Alors elle se détendit et chanta comme Laurie le lui avait enseigné, en contrôlant parfaitement sa respiration jusqu'à la fin du morceau.

Les trois personnes assises dans la salle accueillirent sa prestation en silence. En voyant Frank Redmond faire signe au pianiste, Nora se tourna vers lui pour voir s'il avait bien la partition de *An die Musik*. Au lieu de cela, il referma le piano. Elle se demanda si cela signifiait qu'il n'était pas satisfait de la manière dont s'était passée la première partie et qu'il la laissait à présent se débrouiller seule pour le Schubert. Elle n'était pas certaine d'être capable de trouver sa note de départ. Frank Redmond se leva.

— Peut-être vaudrait-il mieux que nous parlions dehors.

Elle était interdite. Il avait gravi deux à deux les marches du plateau et lui tendit les partitions qu'il venait de ramasser sur le piano. Elle supposa qu'il l'emmenait chanter le Schubert dans une salle plus petite, où elle serait moins intimidée. Il l'aida à descendre du plateau.

— Merci beaucoup, dit-il quand ils furent dans le couloir. Nous vous sommes très reconnaissants d'avoir fait tout ce chemin.

— Je n'ai pas chanté le Schubert, dit-elle.

— C'est vrai.

— Y a-t-il une autre salle avec un piano ?

— Ce lied est l'un de mes préférés, et j'aimerais ne pas l'entendre tout de suite. Sincèrement, si nous avons besoin de vous réécouter, nous vous le ferons savoir.

— J'ai mal commencé. L'accompagnement ne m'était pas familier.

— Ah ? Vous m'en direz tant…

Soudain elle comprit qu'il se moquait d'elle, et qu'elle venait d'être congédiée. Mieux valait ne pas insister, mais elle ne put se retenir.

— Je crois que le pianiste le connaissait dans un autre arrangement, dit-elle avec autorité et comme si elle s'y entendait en arrangements.

— Oui, c'est vrai, dit-il en lui tenant la porte. J'ai trouvé que la pièce entière évoquait un peu l'air sur lequel est morte la vieille vache.

Il l'insultait ouvertement.

— Merci, dit-elle.

Elle reprit sa voiture, la gara devant chez White et fit quelques courses en attendant l'heure de son rendez-vous avec Phyllis.

— Alors ? fit celle-ci quand elles furent assises. Qu'est-ce qu'il t'a dit ? Que personne n'avait jamais aussi bien chanté depuis Janet Baker, c'est ça ?

— Est-ce que tu connais « l'air sur lequel est morte la vieille vache » ?

— Non.

— Moi non plus. Mais ce ne doit pas être fameux.

— Ah. Ça n'a pas été un triomphe alors ?

— Le pianiste a joué une introduction de son cru à *The Last Rose of Summer*, et ils ne m'ont même pas laissée essayer le morceau de Schubert.

— Qui était le pianiste ?

— Un petit type en costume qui ressemble à une souris.

— Ah ! C'est Lar Furlong. Il a déjà fait le coup à quelqu'un que je connais.

341

— J'espère ne jamais le revoir.

— C'est un excentrique notoire.

— Ah ?

— Oui. Alors voilà ce qu'on va faire. On va boire du café et manger des gâteaux, et après on décidera de quelle manière tu annonceras la nouvelle à Laurie O'Keefe. Tu es sa grande découverte, tu sais.

Quand Nora revint à la maison, elle trouva Jim et Margaret qui discutaient avec Fiona dans le séjour. Margaret leva la tête à son entrée.

— On parlait de Donal, dit-elle. Il se trouve que j'ai croisé Felicity Barry, une orthophoniste qui travaille dans plusieurs établissements de la région, parmi lesquels St. Peter's College à Wexford. Ils ont un tas de choses formidables dans cette école, entre autres un club photo où ils mettent des labos à la disposition des élèves. Et certains obtiennent de très bons résultats au bac.

— Tu parles d'envoyer Donal en internat ?

— Disons que je serais très heureuse de payer sa scolarité, surtout s'il y a là-bas une orthophoniste qualifiée.

— Il bégaie moins qu'avant.

— Ça dépend des moments, dit Fiona. Parfois, c'est pire.

— Quelqu'un en a-t-il déjà parlé avec lui ?

— Oh oui !

Margaret perçut la réaction de Nora et se reprit.

— Enfin, il voulait aussi en parler avec toi, bien sûr.

— Je ne suis pas sûre que la pension lui convienne. Par certains côtés, il est plus mûr que son âge, mais par d'autres il le serait plutôt moins.

— Justement, ça pourrait lui faire du bien d'être avec d'autres garçons.

Cette conversation n'aurait pas pu avoir lieu sans l'implication active de Donal, pensa Nora. Il parlait beaucoup avec Margaret quand il allait là-bas pour ses photos. Il parlait aussi à Fiona. Elles l'interrogeaient sur lui, chose que Nora ne faisait jamais. Néanmoins, elle sentait qu'elle était plus proche de lui et qu'il se reposait sur elle d'une manière dont les autres n'avaient aucune idée. À la différence du reste de la famille, Donal observait tout et enregistrait tout ; par exemple, elle sentait bien qu'il avait absorbé ses émotions à elle simplement en vivant dans la maison en sa compagnie. Il avait quinze ans ; encore deux ans et il entrerait à l'université. Peut-être avait-il besoin de partir plus tôt, de faire d'autres expériences, d'être déchargé du souci qu'elle lui causait par sa tristesse ; mais elle n'en était pas convaincue. Il appréciait la liberté qu'elle lui offrait, il appréciait d'être traité comme un adulte. Ses centres d'intérêt étaient profonds, personnels ; il ne s'adapterait pas facilement aux horaires imposés, au manque d'autonomie, à la solitude.

Le lendemain, en parlant avec lui, elle découvrit qu'il désirait l'internat. Il voulait avoir accès à une orthophoniste. L'idée du club photo l'attirait bien sûr également. Elle essaya de lui faire imaginer ce que ce serait que de devoir partager un dortoir et d'obéir à mille règles mesquines. Mais devant la résistance qu'il opposa à ses efforts, elle comprit qu'il fallait avancer prudemment, ne pas lui laisser croire, ni laisser croire aux autres, qu'elle avait besoin de lui, ou qu'elle voulait à tout prix le garder dans la chambre voisine de la sienne, avec son frère, pendant deux ans encore. Il renoncerait plus facilement à son projet si elle ne s'y opposait pas. Le lundi, elle trouva le numéro de téléphone de Felicity Barry et l'appela de la cabine dans Back Road. La sonnerie résonna dans le vide. Elle hésita à lui écrire pour lui demander si elle serait disposée à recevoir Donal dans le cadre de sa pratique libérale. Pourquoi avoir tant tardé ? Elle aurait dû accomplir cette démarche depuis longtemps.

Peu à peu, elle vit la question du départ de Donal lui échapper. Elle aurait voulu savoir comment tout avait commencé. Qui en avait formulé l'idée pour la première fois ? Elle ne manifestait pas son opposition, mais Margaret l'avait perçue, à l'évidence, car elle n'évoquait plus guère le sujet devant elle, laissant à Jim le soin de lui annoncer qu'il avait croisé le père Doyle, le directeur de St. Peter's College, à une réunion de la Gaelic Athletic Association et qu'il lui avait demandé s'il aurait éventuellement une place pour Donal. Le père Doyle avait dit qu'il serait ravi d'accueillir le fils de Maurice Webster dans son établissement. Nora découvrit par la suite que Donal avait été informé avant elle de cette entrevue.

Cette année encore ils louèrent une caravane à Curracloe pour les vacances. Le dernier soir, ils reçurent la visite de Jim et de Margaret. Nora observa la manière dont Donal s'attardait avec les adultes et écoutait leur conversation. On était fin juillet. S'il devait faire la rentrée de septembre en internat, on allait devoir prendre une décision rapidement. À mesure que la conversation se prolongeait, et que la lumière déclinait, Nora comprit que cette décision était déjà prise. Elle n'avait jamais affronté Margaret ouvertement là-dessus, mais elle eut envie de le faire à présent. Elle voulait demander à Jim d'emmener Donal et Conor acheter une glace au magasin de la plage qu'on appelait le Winning Post, et, après leur départ, dire à Margaret de ne plus se mêler de la vie de ses enfants.

Margaret pourrait cependant protester de sa bonne foi et répliquer que si elle proposait de payer la scolarité de Donal, comme elle l'avait déjà fait pour Aine, c'était uniquement dans l'intérêt des enfants. Nora serait renvoyée au rôle de celle qui s'opposait au désir de son fils et se montrait de surcroît ingrate en refusant la générosité de Margaret.

Il fut décidé ce soir-là que Jim écrirait officiellement au père Doyle et qu'on attendrait de connaître sa réponse. Or, en réalité, tout était joué d'avance. Donal serait accepté, elle le savait, le père Doyle l'avait clairement dit devant Jim. Donal allait donc quitter la maison. Il allait devenir interne. Nora se demanda s'il y avait quoi que ce soit qu'elle aurait pu faire pour empêcher cela. Et s'il y avait quoi que ce soit qu'elle pût faire maintenant.

Le lendemain matin, ils avaient fini de rassembler leurs affaires et étaient prêts pour le départ quand elle proposa à Donal de faire une courte promenade avec elle sur la plage. Ils s'engagèrent sur la passerelle en bois dont les planches étaient envahies par le sable. Elle perçut l'intense malaise de Donal face à la conversation sérieuse qui se profilait. Elle attendit d'être près de l'eau pour commencer.

— Tu es sûr de vouloir aller à St. Peter's College ?

— Je crois, oui.

— C'est un grand changement.

— Je déteste l-l-les frères c-c-chrétiens.

— Ah ?

— J'aimerais ne p-p-pas aller à l'école du tout.

— Il te reste seulement deux ans à faire. Tu as parlé avec Aine de l'université de Dublin ?

Il hocha la tête.

— Tu pourras étudier ce que tu veux, là-bas.

— Je veux étudier la phot-t-tographie.

— Il ne devrait pas y avoir de problème. Il y a sûrement une bonne faculté pour ça.

Ils continuèrent un moment en silence. Donal se penchait pour ramasser des galets qu'il jetait à la mer.

— Y a-t-il un problème particulier avec les frères ? demanda-t-elle enfin.

Il haussa les épaules.

— Tout est un p-p-problème.

— Tu penses que c'est mieux en pension ?

Soudain, elle entendit qu'il avait le souffle court et qu'il était très agité.

— Tu penses que c'est mieux à St. Peter's ?

— P-P-Papa n'enseignait p-p-pas là-bas.

Il la regarda. Un regard blessé, à vif, qu'elle ne lui avait jamais vu.

— Ça a été dur ?

— Les salles sont toutes des salles où il faisait cours. Tous les jours, je suis dans une salle où il avait l'habitude d'entrer.

Sa voix était dure, directe. Il ne bégayait pas. Il fondit en larmes. Elle le prit dans ses bras.

— Et ils me regardent tous. Et ils ont p-p-pitié de moi. Et je ne p-p-peux pas étudier. Et je n'arrive à rien. Et je les hais.

Elle garda un bras autour de ses épaules jusqu'au moment où elle sentit que cela le mettait mal à l'aise. En silence, ils retournèrent vers la caravane.

Fiona, Conor et elle accompagnèrent Donal à St. Peter's College début septembre. Au premier coup d'œil, Nora comprit combien Donal allait se retrouver isolé dans cet endroit. Les autres étaient tous là pour cinq ans, alors que lui ne ferait que les deux dernières années. Le hall était rempli de garçons et de parents qui donnaient l'impression de rentrer chez eux ou, du moins, d'arriver dans un lieu qui leur était familier. Quelques prêtres s'affairaient au milieu de tout ce monde. Seul Donal paraissait statique, perdu. Nora dut aller trouver un prêtre et lui expliquer qu'il était un nouvel interne de quatrième année, et qu'il ne savait pas où était son dortoir, ni où il devait déposer ses affaires.

— Dites-lui de se mettre là, près de cette table, je m'occupe de lui tout de suite.

Le prêtre disparut avant qu'elle ait pu lui demander si elle devait attendre avec lui, ou le laisser avec sa valise et son sac et rentrer chez elle. Elle ignorait tout du système régissant les visites, et regretta de ne pas s'être renseignée pour pouvoir rassurer Donal en disant qu'elle reviendrait bientôt. À la fin, voyant d'autres parents prendre congé, elle lui dit que Fiona, Conor et elle feraient mieux d'y aller aussi, ce qui parut le soulager quelque peu. Elle se garda bien de l'embrasser ou de dire quoi que ce soit qui eût pu l'attrister.

— Je vais me renseigner sur les horaires de visite, et je t'écrirai pour te dire ce qu'il en est. Et toi, tu m'écris si tu as besoin de quoi que ce soit, d'accord ?

Il acquiesça, puis détourna la tête comme s'il les connaissait à peine.

La semaine suivant son échec auprès du chef de la chorale de Wexford, elle était allée chez Laurie O'Keefe et lui en avait rendu compte en détail. Laurie avait suggéré de reprendre les cours de chant, mais Nora avait dit qu'elle préférait attendre un peu. Ce soir-là pourtant, après avoir laissé Donal à St. Peter's, elle décida de passer voir Laurie, juste pour parler, la maison de Laurie étant le seul lieu où son esprit pourrait être occupé par autre chose que la vision de Donal seul, sans amis, plus isolé que jamais face à des professeurs et des élèves qui découvraient au même moment qu'il était bègue. À la maison, au moins, il pouvait changer de pièce ou prendre son appareil et partir chez sa tante, s'enfermer dans son laboratoire.

Ce fut Laurie qui lui ouvrit ; elle l'emmena dans la pièce du bas.

— Je me suis occupée de Frank Redmond, dit-elle. Je crois que nous n'entendrons plus parler de lui.

Elle s'était exprimée sur un ton solennel, comme un chef d'État déclarant la guerre.

— Qu'avez-vous fait ?

— J'ai demandé à Billy de m'emmener à Wexford, et j'ai fini par trouver sa maison. J'ai dit à Billy de m'attendre dans la voiture. M. Redmond habite une sorte de pavillon en bordure de la ville. Sa pauvre femme m'a ouvert. Il était dans le jardin, m'a-t-elle expliqué. Alors je lui ai dit qu'il avait intérêt à se dépêcher, que je n'avais pas toute la journée. Quand il est arrivé, je lui ai demandé s'il était vrai qu'il avait insulté une de mes élèves. Oh, hum, c'est-à-dire que, bref – il m'a fait entrer au salon, qui était rempli de photos de ses enfants lors de diverses remises de diplômes, six ou sept enfants, chacun avec son rouleau de parchemin. Je lui ai reposé la question : avait-il, oui ou non, insulté une de mes élèves ? Oh, il s'est lancé dans une longue tirade comme quoi ils étaient terriblement occupés ce jour-là, avec toute la pression à laquelle on les soumettait, etc. Alors je lui ai demandé pour la troisième fois : « Avez-vous insulté une de mes élèves ? » Et il a répondu qu'il était désolé si ses paroles avaient été mal interprétées. Alors je lui ai dit qu'il pouvait interpréter de la manière qui lui plairait ce que je m'apprêtais à lui dire. « Me voilà, lui ai-je dit, dans un pavillon peint en blanc avec des tuiles sur le toit à croire qu'on est au Mexique ou je ne sais où. Même les fenêtres ont une forme qui ne ressemble à rien. Et pas un livre dans la maison, et d'horribles bibelots sur la cheminée. Vous êtes, lui ai-je dit, l'ignorance personnifiée ; vous n'êtes pas en position de juger quoi que ce soit, et surtout pas ce qui est beau. Les Français, lui ai-je dit, ont un mot pour désigner les personnes comme vous. » Et je suis partie. Billy a dit qu'il ne m'avait jamais vue dans un tel état de rage.

— Mon Dieu, dit Nora.

— Bon, l'hiver va être rude, je le sens. Je sais toujours à l'avance si l'hiver va être rude ou non. Alors nous devons faire des projets. Je voudrais vous enseigner une mélodie française, peut-être quelque chose de Fauré. Et ensuite, je devrais sans doute m'occuper un peu de votre amie Phyllis. Elle a une jolie voix, bien travaillée, peut-être un peu trop même, mais elle…

— Elle est très gentille, l'interrompit Nora.

— Bon, ça, c'est le côté de Phyllis que vous avez la chance de connaître. Je pensais aussi à un chant de Mahler. Je vais vous le jouer, si seulement je le retrouve. Il pourrait aller pour soprano et mezzo. C'est tiré de *Des Knaben Wunderhorn*, je l'ai là quelque part, mais où ? Peut-être rangé à Geraint Evans, le baryton, Phyllis pourrait prendre sa partie et vous pourriez faire la mezzo. C'est une sorte de chant militaire, mais ça ne parle que de perte et de chagrin. Vous savez, je crois que Mahler a vu ce qui se tramait, la Première Guerre, et puis la Seconde. On l'entend dans sa musique quelquefois – le chaos, le mal qui se déchaîne, et la perte, le chagrin, terribles. Oui, je crois qu'il a ressenti cela.

Aux premières notes, Nora sut qu'elle avait déjà entendu cette pièce. Et quand la voix entra, elle se crut de retour dans le salon du Dr Radford avec sa femme et lui, elle crut presque sentir le goût du gin tonic, l'odeur du bois ciré et du feu de cheminée. Cette fois pourtant la musique lui parut différente. Plus douce, plus plaintive, plus belle. Mais elle ne pensait pas pouvoir l'apprendre facilement ; Frank Redmond n'avait peut-être pas tout à fait tort en disant qu'il ne voulait pas entendre ses morceaux préférés massacrés par des gens qui ne savaient pas chanter. Elle se demanda si elle ne devait pas le dire à Laurie.

— Bon, fit Laurie quand la musique se tut, je vais passer un coup de fil à Phyllis, mais vous pouvez peut-être lui en toucher deux mots de votre côté. Et si vous pouviez lui suggérer subtilement d'éviter de parler à tort et à travers ? C'est une habitude chez elle.

Nora sourit.

— Je suis sûre qu'elle sera ravie d'avoir de vos nouvelles.

— Et ce que nous allons faire, c'est travailler en vue d'un petit concert qui aura lieu ici même au printemps. Quelques élèves à moi se produiront devant un public d'invités. Nous allons convier le Dr Radford et sa femme et peut-être quelques personnes de Wexford, si je suis encore en bons termes avec elles à ce moment-là.

— Oh, fit Nora, le Dr Radford ?

— Ne vous inquiétez pas. Je sais que vous avez passé une soirée épouvantable avec eux, mais ce sont des gens bien intentionnés. Je leur avais parlé de vous, alors ils voulaient faire bonne impression. Ils m'ont dit que vous vous êtes montrée très froide avec eux au Gramophone Club après cette soirée et que vous leur avez rendu un disque qu'ils vous avaient prêté en

disant que vous ne l'aviez pas écouté. Mais invitons-
les à notre petit concert. Je ferai en sorte de les avoir
à l'œil.

Le vendredi suivant, alors qu'elle s'apprêtait à
quitter le bureau, William Gibney Junior l'intercepta,
une feuille de papier à la main.

— Vous savez que nous avons pour règle de ne pas
autoriser les appels téléphoniques d'ordre privé. Mais
on m'a dit que c'était urgent, alors j'ai pris le message.

En voyant le nom du père Doyle et un numéro de
téléphone à Wexford, elle comprit immédiatement
qu'il était arrivé quelque chose à Donal. Elle faillit
revenir sur ses pas, mais elle ne voulait pas qu'Elizabeth entende la conversation, alors elle se hâta
jusqu'au bureau de poste, entra dans la cabine et
composa le numéro. Ce fut le père Doyle lui-même
qui répondit.

— Je ne voudrais pas vous inquiéter, dit-il, mais le
père Larkin, qui est le professeur d'anglais de Donal,
m'a recommandé de vous contacter. Donal ne s'adapte
pas bien du tout, voyez-vous, et je sais qu'il a essayé
de vous joindre. Je crois que le père Larkin vous a
appelée, mais on lui a dit que vous étiez occupée.

— Donal est-il… ?

— Bon, il est au lit depuis quelques jours. Il ne
mange pas, et il n'est pas en état d'aller en classe.
Nous avons déjà eu ce genre de cas. Cela peut tout à
fait s'arranger.

— Dois-je venir ?

— Le père Larkin pense que ce serait une bonne
idée.

— Quand ?

— Eh bien, nous pensions éventuellement demain, à l'heure des visites. Vous pourriez sortir, l'emmener en ville. Cela le rassurera peut-être.

— Mon père, je vous suis très reconnaissante, ainsi qu'au père Larkin, de m'avoir prévenue.

— Nous verrons bien comment il ira demain, madame Webster, et nous allons prier de notre côté. Ce n'est souvent qu'une question de temps. Nous sommes tous passés par là à un moment ou à un autre.

— Encore merci, mon père. Je serai là demain à quatorze heures.

Elle raccrocha le combiné.

Elle décida de ne rien dire à Fiona ni à Conor, ni surtout à Margaret. Le lendemain, à Wexford, elle trouva Donal qui l'attendait dans le hall de l'école. Il portait son uniforme, avec le blazer noir. Il lui parut grandi, plus maigre, plus pâle, plus adulte aussi.

— Je crois qu'il faut la p-p-permission p-p-pour sortir.

— Tout va bien, dit-elle en essayant de prendre une voix détendue. Le père Doyle m'a donné l'autorisation hier.

En silence ils prirent la voiture en direction du centre-ville. Elle le sentait au bord des larmes. Elle ne savait pas ce qui était mieux pour lui, pleurer ou ne pas pleurer. Quelqu'un d'autre saurait, pensa-t-elle. Mais elle, elle ne savait pas. En marchant avec lui dans Main Street, elle n'avait qu'une idée en tête, combien tout aurait été facile pour Donal s'il était resté à la maison au lieu d'aller à St. Peter's. Le samedi, il pouvait se lever à l'heure qu'il voulait et prendre ce qu'il voulait pour le petit déjeuner. Il avait le droit de faire comme si Fiona, Conor et elle n'existaient pas. Il pouvait lire le journal, puis partir chez

Margaret avec son appareil et ses rouleaux de film. Il revenait à l'heure qui lui plaisait. La maison était à lui ; tout le monde était habitué à ses silences, à ses commentaires acides, à son bégaiement. Et maintenant, il n'aurait plus jamais cette liberté, sauf pendant les vacances. C'était comme s'il était parti à l'armée. Chacun de ses gestes, à toute heure du jour, était soumis à des règles. Elle se demandait si la pensée de cette liberté simple, tranquille, sans histoire, qu'il avait perdue et qu'il ne retrouverait plus, occupait l'esprit de Donal en cet instant comme elle occupait le sien. Mais pour elle ce n'était qu'un jeu d'imagination ; pour lui c'était réel.

Ils allèrent chez White. Ils ne parlaient toujours pas. Donal ne voulut rien prendre. Elle but son café à petites gorgées ; elle n'avait aucune idée de ce qu'elle devait faire. Il lui semblait indélicat, et même blessant, de feindre un ton banal. Mais si elle choisissait de se montrer compréhensive, elle n'en serait pas moins obligée de le ramener au collège à la fin de l'après-midi. Il était plus simple de ne rien dire, du moins pour le moment.

De nouveau dans la rue, elle lui demanda s'il voulait quelque chose, mais il secoua la tête ; il la suivit tout de même chez le marchand de légumes de Main Street et accepta qu'elle lui achète quelques pommes et quelques oranges. Quand elle eut payé, il dit qu'il avait besoin de jus d'orange concentré et de dentifrice. Il n'était encore que quinze heures. Elle fut tentée de lui proposer de retourner au collège, de récupérer ses vêtements et ses livres et de partir sans un mot à quiconque. Elle le ramènerait à la maison et il ne serait plus jamais question de cet internat.

Quand elle lui demanda s'il avait faim, il acquiesça.

— Je n'arrive pas à m-m-manger leur n-n-nourriture.

Ils prirent la direction du Talbot. Tout bien réfléchi, elle ne lui proposerait pas cette échappatoire. Rentrer à la maison et réintégrer son ancienne école serait une défaite ; personne ne pourrait voir la chose autrement. Même temporiser en proposant un délai d'une semaine, ou d'un mois, ou jusqu'aux vacances de Noël lui laisserait trop de champ. Ils allaient commander une assiette de sandwiches au Talbot, Donal pourrait garder le silence tant qu'il voudrait ; son objectif à elle, désormais, était de le ramener au collège pour dix-sept heures. Si le problème perdurait, elle pourrait éventuellement envisager de le ramener à la maison ; mais pour l'heure elle ne devait pas lui laisser croire qu'il existait la moindre ouverture en ce sens. Il s'habituerait plus facilement à son nouvel environnement s'il n'avait pas le choix. Elle était presque fâchée contre lui maintenant de ce silence dans lequel il se murait, au lieu de parler avec elle, de lui raconter sa nouvelle vie, quitte à insister sur ce qu'elle avait de détestable.

Elle faillit engager la conversation pendant qu'ils attendaient les sandwiches. En définitive, elle s'en abstint. Les sandwiches arrivèrent. Ils mangèrent en silence. Donal hocha à peine la tête quand elle lui demanda s'il en voulait d'autres. Elle voyait bien qu'il souffrait, que sa vie d'avant avait été détruite de façon irrévocable ; mais son impolitesse était à la limite de l'agressivité. Peut-être faisait-il son possible pour ravaler ses larmes et ne pas la supplier de le ramener à la maison. Peut-être avait-il compris qu'il ne servait à rien de lui parler de ses soucis, ou de ce qu'il ressentait, parce qu'elle n'aurait rien à dire qui puisse l'aider.

Soudain, elle eut une idée.

— Je vais venir tous les samedis. Même si nous ne pouvons pas aller en ville comme aujourd'hui, on passera un moment dans la voiture, ou je te verrai au parloir. Et je t'apporterai des choses pour la semaine, tout ce dont tu as besoin. Il y a aussi des visites le dimanche, et je sais que Margaret sera contente de passer te voir et de s'assurer que tu vas bien. Voilà pour samedi et dimanche. Je pense que tu pourras aussi rentrer à la maison quelquefois juste pour l'après-midi. Et si tu t'arranges comme ça, de semaine en semaine, tu ne verras pas le temps passer, et tout à coup ce sera Noël et tu pourras aller travailler tous les jours chez Margaret.

Il la considéra avec gravité et hocha la tête. L'espace de quelques instants, il parut réfléchir à ce qu'elle avait dit. Puis il acquiesça de nouveau. L'idée la traversa qu'il avait attendu pendant tout ce temps de voir ce qu'elle ferait, et qu'il venait de prendre acte du fait qu'elle n'était pas venue lui dire qu'il pouvait rentrer avec elle si tel était son désir. Toutes ses paroles signifiaient qu'il allait rester à l'internat. Il lui jeta un regard aigu, comme pour s'assurer qu'elle n'allait pas ajouter quelque chose, offrir le soulagement attendu, dire que cette promesse de visites n'était qu'une option parmi d'autres également envisageables. Elle essaya de paraître compréhensive tout en laissant entendre clairement qu'elle n'avait rien à ajouter, qu'il allait devoir retourner au collège et s'arranger au mieux de la situation.

Elle se rendit aux lavabos. À son retour, elle constata qu'un subtil changement s'était opéré en lui. Il paraissait moins vide, moins sombre.

— Tu sais ce qui me ferait plaisir, Donal ? Que tu m'écrives de temps en temps, ou que tu m'envoies une photo que tu as faite. Et si je peux faire quoi que ce soit pour améliorer ton quotidien, dis-le-moi. Et si ça va mieux, ne serait-ce que sur certains points, j'aimerais que tu me le dises aussi, pour que je cesse de m'inquiéter autant. Crois-tu que ce serait possible ?

Le fait qu'elle parle d'elle, de ses propres besoins, de son propre souci, avait rendu Donal encore plus attentif. Soudain elle eut l'intuition qu'il avait plus pensé à elle qu'elle n'avait pensé à lui au cours des dernières années. Elle se demanda si c'était possible. Tout ce qu'elle ressentait avait un impact sur Donal, elle le savait. Là, pour la première fois, il lui sembla que ses émotions à lui étaient plus dignes d'attention et revêtaient un plus grand caractère d'urgence que tout sentiment qu'elle pouvait nourrir de son côté. La seule chose qu'elle pouvait faire était de le lui faire savoir et de le convaincre qu'elle tiendrait ses engagements.

Elle lui parla de nouveau quand ils furent dans la voiture.

— Chaque samedi sans faute, dit-elle. Et écris-moi, dis-moi ce que tu veux qu'on t'apporte à manger, ou quoi que ce soit d'autre dont tu aurais besoin.

Il hocha la tête et détourna le regard. Elle vit qu'il retenait ses larmes. Ce serait peut-être plus facile pour lui, pensa-t-elle, si elle n'ajoutait rien, si elle se contentait de mettre le contact et de prendre la direction de l'internat. S'il avait besoin qu'elle s'arrête en route, elle le ferait. Il ne devait pas être de retour avant dix-sept heures. Ils avaient encore quinze minutes devant eux. Mais le temps qu'elle gare la voiture devant le collège, il n'avait pas repris la parole.

17

Le jour où Conor lui demanda s'il pouvait avoir un appareil photo pour Noël, Nora comprit qu'il avait feuilleté en cachette les magazines de Donal. Elle lui expliqua qu'il devait toujours les remettre exactement là où il les avait trouvés, et il parut comprendre l'importance de l'enjeu. Elle avait remarqué certains changements chez lui depuis que Donal n'était plus à la maison. Il montait se coucher sans attendre qu'elle le lui demande, ou il allait chercher du charbon dans la remise avant même qu'elle ne s'aperçoive qu'il en manquait. Quand Margaret et Jim étaient là, il restait un moment dans le séjour avec eux et écoutait la conversation. Contrairement à Donal, il n'allait jamais seul chez Jim et Margaret. Mais il allait souvent chez Una, qui lui préparait des sandwiches à la banane.

À l'école, il avait beau être en avance sur tous les autres, il n'était pas satisfait. Parfois, le soir, il demandait à Fiona de lui faire réviser sa grammaire gaélique, et Fiona confia un jour à Nora qu'elle n'avait jamais besoin de répéter : il suffisait de le dire une fois pour que Conor s'en souvienne. Dans la mesure où il écoutait tout et n'oubliait rien, Nora devait faire attention à ce qu'elle disait en sa présence.

Il s'inquiétait en permanence. Si la voiture ne démarrait pas à la première tentative, il disait aussitôt qu'ils allaient devoir en acheter une autre. Quand ils allaient chercher Aine à la gare, il faisait les cent pas sur le quai, anxieux à l'idée que le train n'arrive pas, ou qu'Aine l'ait manqué. Il connaissait les horaires de ses cours à la fac et son opinion sur ses différents professeurs, tout comme il soutirait à Fiona le plus d'informations possible sur les endroits où elle sortait avec Paul Whitney. Il savait tout sur l'entreprise Gibney et ses salariés, et tout particulièrement sur Mick Sinnott, qui était venu le voir après un match de hurling en lui demandant s'il était bien le cadet des Webster, après quoi il lui avait dit que sa mère était une femme formidable. Nora plaisantait en disant que Conor s'intéressait bien plus qu'elle à la famille, et qu'il en savait plus long sur les uns et les autres que les principaux intéressés eux-mêmes.

Lors de ses visites à St. Peter's, elle ne disait pas à Donal ce qu'elle constatait pourtant : il avait l'air d'aller beaucoup mieux. Il parlait de ses activités, des professeurs et des prêtres du collège comme il ne l'avait jamais fait du temps où il était chez les frères chrétiens. Elle était tellement soulagée qu'il ait fini par s'habituer à l'internat qu'elle ne se formalisa pas en découvrant qu'il en disait bien davantage encore à Margaret. Elle avait mis au point une méthode, qui était de hocher la tête d'un air entendu chaque fois que Margaret mentionnait un détail de la vie de Donal qu'elle avait jusque-là ignoré pour sa part. Elle ne savait pas si Donal le faisait exprès, ou s'il se contentait de répondre à Margaret quand elle lui rendait visite le dimanche et l'interrogeait de façon pressante sur tous les aspects de son existence et sur chacune de ses opinions.

Elle savait qu'elle ne pourrait rien faire pour arranger les choses entre les deux frères quand il rentrerait à la maison pour Noël. Certes, Donal ne pouvait pas empêcher Conor de recevoir un appareil photo ; mais il pouvait gâcher son plaisir en refusant de partager ses connaissances avec lui, ou en l'ignorant purement et simplement. Conor avait besoin de l'approbation des autres, contrairement à Donal qui paraissait souvent oublier jusqu'à leur existence. Si Donal choisissait de ne pas l'encourager, Conor ferait tout ce qui était en son pouvoir pour que son frère change d'attitude et s'intéresse à lui. Un samedi, alors que Conor l'accompagnait à Wexford pour rendre visite à Donal et qu'ils étaient tous les trois dans la voiture, elle sourit intérieurement en écoutant leur échange.

— Donal, je crois que je voudrais un appareil photo pour Noël.

Donal, qui était à l'avant, se retourna.

— Quel m-m-modèle ?

— Je ne sais pas.

— Je p-p-peux te vendre le mien. Je p-p-pense à le remplacer.

— Il est cassé ?

— Non, p-p-pas du tout. J'en veux juste un m-m-meilleur.

Elle se demanda si elle devait les interrompre, dire à Donal que Conor voulait un appareil neuf, ou dire à Conor que si Donal avait besoin de remplacer le sien, c'était à cause de tout un chemin technique déjà parcouru, et qu'il serait parfait pour quelqu'un qui débutait dans la photo.

— Combien ?

— Je veux bien te le laisser pour deux livres.

— Tu en penses quoi, maman ?

— Je pense qu'en réalité, il veut bien te le vendre pour une livre et dix shillings mais que si l'appareil tombe en panne pendant l'année à venir il te rendra ton argent.

— Il ne t-t-tombera pas en panne.

— Si je te l'achète, tu me montreras comment faire des tirages ?

— Je te montrerai comment développer les n-n-négatifs chez tante Margaret. J'ai appris plein de nouveaux trucs ici.

— Quand est-ce que tu me montreras ?

— Quand je viendrai à N-N-Noël.

Conor, elle le savait, passerait les jours suivants à méditer chaque mot de cet échange.

Les vacances de Noël arrivèrent. Fiona partit pour Dublin rendre visite à Aine dans son studio de Raglan Road, et Donal emmenait Conor chez Margaret tous les jours, si bien que Nora était seule la plupart du temps pendant qu'elle préparait la maison pour Noël. Elle pouvait écouter ses disques en toute liberté. Elle gardait à part l'enregistrement du *Trio à l'archiduc*. Il était spécial. Elle ne l'écoutait pas tous les jours ; mais, par exemple, quand quelqu'un l'avait contrariée au bureau, elle y pensait et se promettait de le mettre sitôt rentrée. Elle l'écoutait toujours attentivement et ne l'utilisait jamais en guise de musique de fond quand elle travaillait à la cuisine, comme il lui arrivait de le faire avec d'autres disques.

Ce qu'elle ne disait à personne, car c'était trop étrange, c'était ce que cette musique en était venue à représenter à ses yeux. C'était sa vie rêvée, celle qui aurait pu être la sienne si elle était née ailleurs. Chaque jour, elle s'autorisait à séjourner un court moment dans un monde fictif où elle aurait appris le violoncelle enfant et aurait été photographiée comme cette jeune femme, épanouie, confiante, en pleine possession de son talent, entourée de ces hommes qui attendaient le moment où elle ferait son entrée et où résonneraient les notes graves et puissantes du violoncelle. Elle rougissait presque à la pensée des matinées qu'elle-même passait pendant ce temps-là au milieu des factures, des colonnes de chiffres et des dossiers, du trajet identique qu'elle parcourait chaque matin pour se rendre au bureau et pour en revenir, de ses attentes qui étaient si réduites, si infiniment éloignées d'un studio d'enregistrement, d'une salle de concerts, d'un nom connu, du jeu souverain de cette jeune femme. Elle se demandait si elle était seule à mener son existence ainsi, entre l'ennui de ses jours d'un côté, le pur éclat de cette vie imaginaire de l'autre, et rien entre les deux.

Il fut convenu qu'elle ne reprendrait pas les cours de chant avant janvier. Ainsi, à l'approche de Noël, Nora n'eut pas de nouveau sujet d'inquiétude, et les fêtes elles-mêmes se déroulèrent plus facilement que les précédentes depuis la mort de Maurice. Son contact avec Jim et Margaret était chaleureux et détendu ; elle apprécia même les visites que leur firent Una et Seamus et se réjouit presque à la perspective de voir Catherine, Mark et leurs enfants chez Una le 26, pour St. Stephen's Day. Elle songea soudain que c'était peut-être ce que Maurice avait redouté plus que tout, vers la fin : qu'un temps viendrait où il ne manquerait à personne, qu'ils allaient tous continuer à vivre sans lui, et qu'il serait le seul à ne pas en profiter. Elle s'obligeait pourtant à croire qu'il aurait voulu les savoir heureux, ou éprouvant un semblant de bonheur, qu'il n'y avait pas d'autre façon pour eux de pouvoir continuer. Peut-être devait-elle essayer de mentionner son nom pendant le repas de Noël ? Elle hésita, puis renonça, pensant que cela les rendrait trop tristes, ou paraîtrait artificiel.

Un dimanche soir fin janvier, alors qu'Aine était retournée à Dublin et Donal à Wexford sans difficulté apparente, Nora repassait des vêtements dans sa chambre quand Conor lui cria de descendre.

— Qu'est-ce qui se passe ?

— Viens voir ! C'est à la télé !

Elle descendit vivement l'escalier.

— Ils ont tué un tas de catholiques !

— Qui ?

— Les Anglais.

Fiona arriva à son tour. Tous trois regardèrent les images filmées à Derry.

— J'espère que ça va aller pour Aine.

— Pourquoi dis-tu ça, Fiona ? Elle n'avait pas l'intention d'aller à Derry, si ?

— Non, mais elle va être bouleversée.

L'armée britannique avait tiré dans la foule lors d'une manifestation pacifique à Derry, tuant une douzaine de personnes. À la fin des informations télévisées, ils allumèrent la radio et entendirent un enregistrement : des gens qui hurlaient, puis des coups de feu. Suivaient des interviews de témoins et de politiciens. Nora vit que Conor soupesait intensément chacune de leurs paroles. Fiona aussi écoutait de façon concentrée.

En arrivant au travail le lendemain matin, elle trouva étrange que seul un employé s'arrête pour lui parler et dire que c'était terrible, ce qui s'était passé à Derry. Thomas Gibney se montra plus vigilant que jamais sur l'heure d'arrivée des uns et des autres.

Quant à Elizabeth, elle y fit à peine allusion en arrivant, et ce fut seulement plus tard, quand elle partit pour aller prendre son café de la mi-matinée avec sa mère que Nora se sentit libre de se rendre dans la grande salle où quelques collègues étaient penchées au-dessus d'un journal étalé sur un bureau. Mick Sinnott arriva peu après.

— C'est bon, dit-il. Plus la peine d'attendre. On doit juste traverser la frontière et reprendre le pays.

— Tu aurais bonne mine, dit l'une des filles. Ils t'abattraient comme les autres.

— On serait bien armés. Et ils ne nous trouveraient pas facilement.

Une autre fille haussa les épaules.

— Tu ne serais même pas capable de tirer sur un lapin mort coincé dans un trou.

Dans Slaney Street, sur le chemin du retour, Nora vit deux femmes qu'elle connaissait s'immobiliser à son approche.

— La mère d'un des garçons tués a parlé à la radio. Elle dit qu'il n'avait que dix-sept ans et qu'on lui a tiré dans le dos.

— Tout ce que nous pouvons faire, c'est prier pour eux, dit l'autre.

— C'est terrible, approuva Nora. Vraiment.

— Et après ce qu'ils ont déjà eu à subir, les maisons incendiées et le reste.

— Ces soldats sont sous l'emprise du mal, dit la première. Ça se voit à leur visage.

Quelques jours plus tard, il y eut une journée de deuil national. Tous les magasins étaient fermés. Nora et Fiona restèrent à la maison pour regarder la télévision avec Conor. Le reportage sur les funérailles tirait en longueur. Conor était resté avec elles au cas où il y aurait de nouveaux coups de feu. Mais les cercueils, l'église et les commentaires le lassèrent assez vite et il finit par s'en aller, laissant Nora et Fiona assises devant l'écran en silence.

— On devrait avoir le téléphone, dit Fiona. J'ai essayé d'appeler Aine de la cabine dans Back Road. J'ai seulement obtenu de parler à sa voisine du dessous.

— Oui, dit Nora. Ce serait bien qu'on ait le téléphone.

— Je pense qu'Aine est allée à la manifestation de Dublin.

— J'espère qu'elle y est allée avec des gens qu'elle connaît.

— Que veux-tu dire ?

— Je ne sais pas. Je remercie Dieu que nous soyons ici, à bonne distance de tout ça, c'est tout.

— Nous sommes tous irlandais.

— Je sais. Je suis désolée pour ces pauvres gens.

Plus tard, Conor revint et regarda avec elles les images d'une foule rassemblée devant l'ambassade du Royaume-Uni à Dublin.

— Je crois qu'ils vont y mettre le feu, dit Fiona.

Conor leva la tête.

— Il y a des gens à l'intérieur ?

— Je suis sûre que l'ambassade est bien gardée, dit Nora.

À peine eut-elle fini sa phrase qu'une silhouette enfonça la porte et s'engouffra dans le bâtiment. D'autres suivirent. Conor était très excité.

— Ça se passe en ce moment ?

— Je crois, dit Fiona.

— Il va y avoir d'autres morts ?

— Personne n'est armé. Du moins je crois.

Le commentaire du reporter était fragmenté et confus. La caméra oscillait ; à certains moments, des mains ou des têtes s'interposaient et on ne voyait plus rien.

— C'est où ? demanda Conor.

— Sur Merrion Square. On a passé notre lune de miel à l'hôtel Mont Clare, juste à l'angle.

— Ah ? fit Fiona.

— C'était là que tout le monde allait à l'époque.

— Alors tu as de la chance que ta lune de miel ne soit pas maintenant, dit Conor.

Jim et Margaret passèrent le lendemain soir, et Nora put constater que Jim était très excité de ce que les manifestants de Dublin aient mis le feu à l'ambassade britannique. Quand arriva l'heure du journal télévisé, ils contemplèrent en silence le bâtiment carbonisé.

— Tous les frustrés ont passé une soirée formidable, dit Jim. Ils ne seraient pas capables de construire quoi que ce soit même si on leur apprenait à le faire, mais brûler et démolir, ça, ils connaissent.

— C'est terrible, c'est vrai, dit Nora.

Fiona protesta :

— Qu'est-ce qu'ils étaient censés faire ? Rester gentiment devant l'ambassade et remercier les Anglais ?

— Dublin était un endroit très dangereux hier soir, observa Margaret.

— Ça a été une bonne soirée pour les services spéciaux, dit Jim. Ils ont pu faire leurs repérages tout à fait tranquillement. Ils vont attendre leur heure, mais à coup sûr il y aura des arrestations.

— Moi, je pense qu'ils ont eu raison de brûler l'ambassade, dit Fiona.

— Bon, dit Nora, j'imagine que c'est une façon de faire comprendre aux Anglais ce que les Irlandais ressentent. L'un des garçons tués n'avait que dix-sept ans.

Margaret soupira.

— N'est-ce pas affreux ?

— Le gouvernement sait certainement comment gérer cette affaire et nous devons lui en laisser la possibilité, dit Jim.

— Et comment va-t-il la gérer ? demanda Fiona.

— Nous allons mobiliser nos diplomates, et ils porteront peut-être l'affaire devant les Nations unies. Mettre le feu à l'ambassade nous fait passer pour une bande de sauvages et dessert notre cause.

— Les manifestants ont exprimé notre position on ne peut plus clairement, dit Fiona.

— Si j'étais la mère d'un des garçons tués, je me procurerais une arme, dit Nora. J'aurais une arme à feu chez moi.

Ils se turent pour écouter Jack Lynch, le Premier ministre, qui venait d'apparaître à l'écran. Il annonça qu'il avait parlé au téléphone à son homologue britannique, Edward Heath. L'interview terminée, Jim reprit la parole :

— Lynch est prudent. Je dirais qu'il a bien réfléchi à ce qu'il allait dire, et qu'il s'est fait largement conseiller.

Margaret approuva.

— À mon avis, il a dit sa façon de voir à cet Edward Heath. Qui a l'air raide comme tout, d'ailleurs.

— J'espère qu'il ne nous a pas laissés tomber, dit Nora. Si un soldat anglais avait abattu mon fils, j'aimerais avoir quelqu'un de plus énergique aux commandes.

— Je crois qu'on va vers de gros ennuis, dit Fiona. Et Lynch ne sera sûrement pas d'un grand secours.

— Plaise à Dieu que ces ennuis ne parviennent pas jusqu'ici, dit Margaret.

Le vendredi, Fiona put enfin parler à la fille qui occupait le studio en dessous de celui d'Aine. Cette fille avait l'impression qu'Aine n'était pas rentrée depuis quelques jours. Fiona lui demanda si elle pouvait mettre un mot sur sa porte la priant d'appeler sa tante Una dès qu'elle rentrerait. Elle rendit compte à Nora de sa démarche, disant qu'elle ne voulait pas inquiéter Jim et Margaret. Puis elle alla chez Una la prévenir d'un possible coup de fil d'Aine. Tant qu'à être là-bas, elle appela aussi quelques connaissances d'Aine à Dublin, sans résultat ; elle leur laissa des messages leur demandant d'appeler Una s'ils avaient des nouvelles de sa sœur. Nora, qui attendait impatiemment Fiona et ne la voyait pas revenir, demanda à Conor de l'accompagner chez Una.

— Pourquoi on va là-bas ?

— Una nous a invités.

— Pourquoi ?

Conor avait une façon de poser des questions qui rendait difficile de lui répondre par des demi-vérités. À peine arrivé chez Una, il flaira la manipulation. Nora crut littéralement voir son cerveau travailler à toute allure pour formuler différentes hypothèses. Elle ne pouvait pas lui dire qu'on s'inquiétait pour Aine, qui n'était pas rentrée chez elle depuis le mardi, soit la veille de l'incendie de l'ambassade britannique. Fiona la suivit dans la salle de bains ; elle lui apprit qu'elle avait rappelé et qu'une autre voisine lui avait répondu et était montée voir, mais avait trouvé le mot toujours fixé sur la porte. Fiona dit qu'il fallait demander conseil à Paul.

— S'il y a eu des arrestations, il le saura.

— Aine était à la manifestation ?

— Je ne sais pas. Elle nous appellera peut-être ce soir.

À vingt-deux heures, seule une personne avait rappelé, pour dire qu'elle n'avait pas vu Aine depuis plusieurs jours. Nora rentra à la maison avec Conor. Plus tard, en entendant Fiona arriver, elle descendit sur la pointe des pieds afin de ne pas alerter Conor.

— Paul m'a dit qu'il avait l'intention d'aller à Dublin demain de toute façon. Alors il va m'emmener, et on passera chez Aine.

— Tu es sûre qu'elle a participé à la manifestation ?

— Elle a participé à d'autres, et celle-ci était tellement importante qu'à mon avis, elle n'aura pas voulu la manquer.

Nora n'avait aucune envie de passer la journée chez Una à attendre un hypothétique coup de fil.

— Je vais à Dublin aussi, dit-elle. Je prends ma voiture.

— Ce n'est pas nécessaire.

Elle vit Fiona sur le point d'ajouter que, si elle voulait vraiment aller à Dublin, Paul pourrait sûrement l'emmener – mais elle se ravisa au dernier moment.

— Je vous retrouve à l'hôtel Shelbourne à quatorze heures, dit Nora d'une voix ferme. Je demanderai à Una de rendre visite à Donal à ma place. Je passerai directement chez Aine en arrivant. Il ne s'est sans doute rien passé. Elle est chez quelqu'un, c'est tout, et elle sera rentrée d'ici là.

— Tu as raison. C'est bien pour ça que je me demande s'il vaut la peine que nous y allions tous.

— Je pourrai en profiter pour faire quelques courses.

— Et Conor ?

— J'y penserai quand j'aurai eu une nuit de sommeil.

Le lendemain matin elle trouva Conor à la cuisine.

— Qu'est-ce que vous chuchotiez hier soir, Fiona et toi ?

— Oh, je me suis réveillée quand elle est rentrée et j'ai bu un thé avec elle.

La méfiance de Conor augmenta encore quand Una sonna à la porte. Nora lui fit comprendre par signes de ne rien dire devant lui. Mais elles eurent beau changer de pièce, il les suivit, prétextant avoir perdu quelque chose ; et quand elles s'installèrent dans la pièce donnant sur la rue, il prit une chaise et s'assit près de la fenêtre. À la fin Nora monta dans sa chambre et attendit qu'Una la rejoigne.

— Une amie d'Aine a téléphoné, dit Una dans un souffle. Elle paraissait très gentille. Elle m'a dit qu'ils avaient tous l'habitude de se retrouver dans un pub de Leeson Street le samedi soir, parfois Hourican, parfois Hartigan, selon les jours.

Una accepta d'emmener Conor à Wexford, de rendre visite à Donal et de lui apporter ce qu'il avait demandé cette semaine-là.

En sortant de sa chambre, Nora trouva Conor sur le palier. Elle ne l'avait pas entendu monter.

— Aine a disparu, c'est ça ?

— Qui t'a raconté ça ?

— Peut-être qu'elle était avec ceux qui ont brûlé l'ambassade. Oncle Jim a dit que les services spéciaux allaient tous les rechercher pour les arrêter. Peut-être qu'elle se cache.

— Ne sois pas idiot !

— Alors pourquoi vous chuchotez ?

— Parce que Aine a un nouveau petit ami ; Fiona et moi allons à Dublin pour le rencontrer, mais elle ne veut pas que Donal et toi soyez au courant. Elle ne veut pas que vous vous moquiez d'elle et que vous lui posiez des questions indiscrètes quand elle rentrera. Elle vous en parlera au moment qu'elle aura choisi.

— C'est quoi, son nom ?

— Declan.

Conor parut réfléchir à ce nom quelques instants, puis il hocha la tête.

— Alors tu peux partir avec Una, dit Nora. Elle va t'emmener chez elle, et ensuite vous irez rendre visite à Donal. On se retrouvera tous à la maison quand Fiona et moi serons rentrées.

Elle prit la route de Dublin convaincue qu'Aine n'avait pas été arrêtée. S'il lui était arrivé quoi que ce soit, on les aurait prévenus. Elle ne voulait pas passer la journée à attendre une confirmation, voilà tout ; et elle ne voulait pas que Fiona et Paul endossent le rôle qui revenait à Maurice et à elle. Aine était sous sa responsabilité. Mais elle lui ressemblait, pensa-t-elle : toute petite, elle se prenait déjà en charge.

Elle finit par trouver le bâtiment où Aine avait son studio, dans Raglan Road ; elle ne savait à quel bouton sonner, alors elle les essaya tous. Une jeune femme ensommeillée vêtue d'un peignoir lui ouvrit.

— Ah oui, dit-elle. C'est l'appartement n° 4. Elle n'est pas encore rentrée ?

— Cela vous ennuie si je frappe à sa porte ?

— C'est vous qui n'arrêtez pas d'appeler ?

Elle indiqua le téléphone payant dans le hall, à côté de la porte ouverte de son appartement.

— Oui, j'ai essayé de la joindre.

— Bon, je suis montée voir hier soir et le mot que j'avais mis sur la porte était toujours là. Vous pouvez aller regarder par vous-même, mais si vous avez sonné et qu'elle n'a pas répondu, c'est qu'elle n'est pas là. Toutes les sonnettes fonctionnent.

En arrivant au Shelbourne, elle trouva Fiona et Paul Whitney dans le bar.

— J'ai appelé un ami à moi qui est dans la police. Il a travaillé pour les services, il les connaît bien. Il dit qu'il y a des remous en ce moment, parce qu'il y avait beaucoup d'officiels dans Merrion Square mercredi dernier, en plus des provisoires.

— Quels officiels ?

— L'IRA officielle, dit Fiona.

— Oh, mon Dieu. Je suis sûre qu'Aine n'appartient pas à l'IRA.

— Il se crée tellement d'organisations nouvelles ces temps-ci qu'il est difficile d'en garder le compte, dit Paul.

— Nous allons à Earlsfort Terrace, dit Fiona. Aine étudie souvent là-bas. Ensuite nous essaierons le campus de Belfield.

Paul hocha la tête.

— Si elle n'a pas reparu en fin de journée, ce serait peut-être bien de le signaler. La police la trouvera rapidement, je pense.

— Attendons, dit Nora.

Ils convinrent de se retrouver au Shelbourne à dix-huit heures.

Nora descendit Grafton Street, entra chez McCullough Pigott, regarda les disques, puis reprit la voiture jusqu'à la maison de Raglan Road. Elle sonna à l'interphone de l'appartement n° 4. Pas de réponse. Elle remonta en voiture et décida d'attendre là l'heure de son rendez-vous avec Fiona et Paul.

Paul, qui appréciait visiblement le bar du Shelbourne, se fit un plaisir de commander du thé et des sandwiches pour trois.

— À mon avis, cette semaine, à Dublin, les gens ont beaucoup bougé et ont dormi dans toutes sortes d'endroits. C'est sans doute ce qui est arrivé à Aine.

— Oui, dit Fiona. Mais c'est étrange qu'elle ne soit pas repassée chez elle au moins une fois.

— Moi, quand j'étais étudiant, j'allais chaque année au champ de courses de Cheltenham. Si quelqu'un avait eu besoin de me trouver cette semaine-là, il en aurait été pour ses frais. Une fois, nous avons été quelques veinards à gagner, et à partir pour Paris dans la foulée sans repasser par l'Irlande !

— Et vos études ?

— On pouvait tout apprendre en un mois. En fac de droit, du moins, c'était tout à fait possible. Même les étudiants en médecine ne faisaient pas grand-chose avant avril.

— Je suis sûre qu'Aine prend ses études très au sérieux. Et qu'elle n'est pas allée à Cheltenham, encore moins à Paris.

— La coupe de Cheltenham se dispute en mars. Alors il n'est pas possible qu'Aine y soit allée.

Nora regarda Fiona, qui paraissait avoir pris acte comme elle du fait que Paul manquait d'humour. Il s'étira et posa la cheville droite sur son genou gauche. Nora remarqua alors ses chaussettes. Elles étaient rouges, en laine, manifestement choisies avec soin.

Elle les regarda en se demandant ce qu'elle faisait dans cet hôtel avec Fiona et lui. Qu'était-elle venue chercher à Dublin, au juste ? Elle repensa à tout ce qui l'avait conduite à cet instant, à cet endroit ; plus elle y pensait, plus cela lui apparaissait comme une série d'erreurs d'appréciation suscitées par l'apparition d'Aine à l'émission « The Late Late Show » un an auparavant et, de façon plus récente et aiguë, par les morts de Derry, les funérailles, l'incendie de l'ambassade britannique et peut-être aussi, songea-t-elle, par une atmosphère de malaise persistant auquel ils s'étaient tous peu à peu accoutumés dans la famille et que toute crise, fût-ce par l'intermédiaire d'images télévisées, avait le pouvoir de faire resurgir au premier plan.

Elle voulut leur dire qu'elle allait rentrer, et qu'elle était persuadée qu'Aine prendrait contact avec eux au moment qu'elle jugerait opportun. Et si Aine avait réellement disparu, sa propre présence à Dublin ne changeait rien à l'affaire. S'ils n'avaient pas de ses nouvelles bientôt, il faudrait prendre une décision. Dans ce cas, elle préférait le faire seule, ou avec Una, plutôt qu'en compagnie de Paul Whitney ou de toute autre personne susceptible de passer des coups de fil informels aux services spéciaux. À cette pensée, elle songea soudain qu'elle n'avait même pas demandé à Fiona si elle avait appelé Una. Elle lui posa la question.

— Il faut que je le fasse ! dit Fiona.

— Je viens avec toi.

Elles durent attendre que le réceptionniste veuille bien passer l'appel. Tonalité occupée. Elles attendirent devant le comptoir. Nora présumait que le réceptionniste renouvellerait sa tentative quelques minutes plus tard.

— Paul et moi restons à Dublin cette nuit, annonça Fiona.

— Où ?

— Oh, Paul a des amis. Nous pouvons dormir chez eux.

— Je crois que je vais rentrer.

— Tu ne veux pas qu'on aille dans Leeson Street voir si Aine n'est pas dans l'un des pubs dont on nous a parlé ?

— On n'est pas obligés d'y aller tous. Si Aine y est, tu peux me prévenir par l'intermédiaire d'Una.

Fiona se détourna. Nora faillit lui dire qu'elle avait été mariée à un enseignant, et que la manière qu'avaient les enseignants de manifester leur réprobation ne lui était pas inconnue. Au lieu de cela, elle demanda au réceptionniste s'il voulait bien refaire le numéro d'Una. L'appel fut transféré à l'une des cabines. Nora proposa à Fiona de le prendre, mais quand la porte vitrée de la cabine se referma, elle regretta de ne pas l'avoir pris elle-même. À l'expression de Fiona, elle comprit qu'Una avait du nouveau. La chose normale eût été que Fiona lui en fasse part immédiatement, mais au lieu de ça elle la laissa attendre à l'extérieur et ne réagit pas, même quand Nora frappa à la vitre. Elle éprouva de nouveau le désir impulsif de sortir à l'air libre, de retrouver sa voiture et de rentrer chez elle. Elle se promit que le lendemain, après être allée à la messe et s'être assurée que Conor allait bien, elle passerait la journée à écouter de la musique. S'il y avait des nouvelles d'Aine, quelqu'un la préviendrait.

Le temps que Fiona raccroche le combiné, elle avait décidé de se dominer, de ne pas bouger, d'attendre et d'écouter. Elle comprit à ce moment-là seulement qu'elle était malade d'inquiétude.

— Marian O'Flaherty a téléphoné à Una. À sa connaissance, Aine devait participer cet après-midi à la manifestation du comité d'action pour le logement dans O'Connell Street, et ensuite ils iraient dans un pub appelé Bachelor's Inn, qui se trouve sur Bachelor's Walk, et plus tard peut-être dans un des pubs de Leeson Street.

— Marian l'a vue ?

— Oui, elle croit qu'Aine est allée en cours toute la semaine.

— Elle n'a pas disparu, alors ?

— Tu viens avec nous au Bachelor's Inn ?

— Non, je rentre.

— On devrait quand même aller voir si Aine y est.

— On n'est pas obligés d'y aller tous.

Elles retournèrent dans le bar. Nora se planta devant Paul.

— Paul, nous vous sommes tous très reconnaissants de ce que vous avez fait. Je vais rentrer à présent pour m'occuper de Conor, et j'apprécierais vraiment que vous passiez un coup de fil à ma sœur quand vous aurez vu Aine.

Il acquiesça. L'espace d'un instant, il lui parut désemparé, comme si elle lui faisait peur. Nora se retourna vers Fiona et lui adressa un signe de tête avant de partir.

En arrivant chez Una, elle apprit que Fiona avait téléphoné. Paul et elle avaient trouvé Aine sur le pont O'Connell, une pancarte à la main. Tout allait bien. Aine n'était pas repassée au studio parce qu'elle logeait provisoirement chez une amie dont les parents s'étaient absentés.

— J'espère que c'est pour la bonne cause, dit Nora.

— Oui. Quelle fripouille ! Nous faire une peur pareille, on n'a pas idée.

Conor apparut, tout sourires. Una lui avait fait des frites, annonça-t-il.

— Et Declan ? Il a l'air de quoi ? Je suis sûr qu'il est minuscule. Est-ce qu'il est socialiste, lui aussi ?

— Il est très gentil.

— Qui est Declan ? demanda Una.

— Tu t'en souviens, je pense, je t'en ai parlé ce matin. C'est le nouveau petit ami d'Aine.

— Ah oui ! On me dit qu'il est très gentil.

Conor les observait.

— Je ne vous crois pas, dit-il enfin. Je ne crois pas qu'Aine a un nouveau petit ami.

Un matin, fin février, alors qu'elle se rendait au travail, Nora aperçut la voiture de Phyllis stationnée dans John Street. En approchant, elle vit Phyllis à la place du conducteur, en train de lire le journal. Elle faillit frapper à la portière, mais se ravisa au dernier moment. Mieux valait faire semblant de rien. Le lendemain, elle aperçut la voiture au même endroit. Phyllis, qui l'avait repérée, baissa sa vitre.

— Je te raconterai les détails jeudi soir à la réunion, mais je monte la garde au cas où Mossy Delaney, qui est censé repeindre ma maison, s'aviserait de me laisser en plan et d'aller repeindre plutôt la maison de quelqu'un d'autre. Il sait que je suis là. Alors quand il daignera sortir du lit, il n'aura pas d'autre choix que de monter dans ma voiture. Oh, ces contrariétés ! Je n'en peux plus.

Le jeudi soir à la pause elle raconta à Nora que, lorsque Mossy ne s'était pas présenté chez elle le premier jour, elle avait fait le tour de la ville à sa recherche. Ensuite elle était allée sonner chez lui, dans

John Street, où sa femme l'avait reçue avec la dernière impertinence. Phyllis avait alors écumé la campagne au volant de sa voiture en demandant à chaque personne qu'elle croisait si elle n'avait pas aperçu par hasard la camionnette de Mossy, qui était peinte en vert et ressemblait à une épave. Pour finir, elle l'avait trouvé : sa camionnette stationnait devant l'imposante demeure des Deacon, sur la route de Bunclody. Elle était entrée sans se signaler, et là elle avait découvert Mossy qui repeignait un mur perché sur un escabeau.

— Je me suis mise à crier en secouant le montant de l'escabeau. Il a eu une peur bleue. Ensuite Mme Deacon m'a escortée hors de chez elle, mais pas avant que j'aie dit à Mossy que je ne plaisantais pas du tout. Alors tu vois, la seule façon pour moi de m'assurer qu'il fait bien son travail, c'est de l'attendre tous les matins devant chez lui. Je ne te répéterai pas ce que m'a dit sa femme hier, mais une chose est sûre : elle est en pleine possession de toutes les tournures idiomatiques.

Nora commença à s'intéresser à l'histoire quand Phyllis lui précisa que Mossy recouvrait le papier peint existant à l'aide d'un nouveau type de peinture qui se laissait absorber par le papier. La dernière fois que Nora avait fait retapisser son séjour, elle s'était juré qu'elle ne recommencerait jamais. Avec Fiona et Aine, elles avaient dû racler et gratter l'ancien papier centimètre par centimètre. Elles avaient beau faire attention, la raclette abîmait l'enduit. En plus, il lui semblait avoir mal choisi le papier, qui était trop chargé, avec un tas de fleurs disposées selon un motif répétitif. Elle s'était exercée à ne plus le voir, mais parfois il attirait son regard malgré elle et elle se surprenait à ne rien pouvoir faire d'autre que continuer à le regarder.

Phyllis lui assura que Mossy, dès lors qu'on réussissait à le ferrer et à le mettre au travail, était un perfectionniste ; elle décrivit la manière dont il procédait, à larges coups de pinceau plat, comme s'il autorisait la peinture à se fixer où bon lui semblait. Il avait expliqué à Phyllis qu'il fallait absolument l'appliquer rapidement, en couche mince, pour ne pas détremper le papier.

Nora hésitait à la dépense. En plus, un artisan qui viendrait semer le désordre dans la maison, qui ne se présenterait pas forcément au jour dit et qui laisserait le travail en plan pendant des jours, voire des semaines – ce n'était pas une perspective qu'elle se sentait capable d'envisager. Elle se surprit cependant à examiner de plus près le papier peint en se demandant si elle ne pourrait pas le recouvrir elle-même, et à quoi ressemblerait son séjour une fois repeint en blanc ou en crème. Le résultat, conclut-elle, serait que tout le reste de la pièce paraîtrait triste et élimé. Le lino arrivait en bout de course, les briques de la cheminée étaient écornées, la cantonnière au-dessus de la fenêtre était faite d'un mince panneau de bois qui n'avait pas l'air solide, et les rideaux n'avaient jamais été changés ; elle avait un peu de mal à les fermer le soir et ils avaient de plus en plus tendance à pendouiller.

L'idée de ce qu'elle pourrait faire des pièces du rez-de-chaussée la tenait éveillée la nuit. Elle devait faire un effort pour se rappeler qu'elle était libre, que Maurice n'était plus là pour s'inquiéter du coût et renâcler devant tout ce qui risquait de déranger ses habitudes. Elle était libre. Elle pouvait prendre toutes les décisions qu'elle voulait dans la maison. Elle se sentit presque coupable en comprenant qu'elle pouvait, en réalité, faire exactement ce qu'elle voulait, de façon générale. Tout était réalisable, tous ses désirs sans exception, à la seule condition d'en avoir les moyens financiers. Si Jim et Margaret la désapprouvaient, ou si ses sœurs, ou ses filles, lui conseillaient de procéder autrement, elle était parfaitement libre de ne pas tenir compte de leur avis.

Elle allait devoir faire attention aux garçons. Ils se méfiaient de tout, et ouvraient des yeux inquiets dès qu'elle abordait le moindre sujet lié à l'argent. Conor avait pris l'habitude de comparer les prix et de commenter tous les achats qu'elle faisait. S'il la surprenait à examiner les tapis dans le magasin de Dan Bolger, il serait tout de suite en alerte. Mieux valait sans doute ne rien lui dire et le laisser découvrir le nouveau tapis une fois livré et installé.

Elle fit une liste des changements qu'elle voulait apporter dans le séjour pour lui donner une allure plus moderne. Un nouveau tapis, un nouveau manteau de cheminée et, surtout, repeindre les murs. Elle pourrait sûrement le faire elle-même, si seulement Phyllis voulait bien la laisser observer Mossy Delaney au travail chez elle et découvrir quelle marque de peinture il utilisait. Une fois les murs repeints, elle enlèverait la grande table du séjour pour la mettre dans l'autre pièce ; et peut-être remplacerait-elle le tapis par la même occasion, et peut-être pourrait-elle repeindre les murs dans l'autre pièce également. Conor pourrait faire ses devoirs à la table ; Fiona en aurait sûrement l'usage aussi. Ainsi elle pourrait faire passer l'ensemble canapé et fauteuils dans le séjour, et se débarrasser des deux fauteuils devant la cheminée, qui n'étaient plus en très bon état et qui n'avaient jamais été très confortables.

Chez Dan Bolger, sur la place centrale, elle examina les tissus à rideaux. Dans un catalogue, elle découvrit un système de rideaux qui couvraient un mur entier alors que la fenêtre n'occupait que la moitié de la surface. Elle se demanda si cela pourrait fonctionner chez elle. Si elle décidait de repeindre les murs en blanc, elle pourrait choisir une couleur chaude pour les rideaux. Le salon photographié dans le catalogue avait plusieurs lampes qu'on pouvait allumer le soir, au lieu d'un plafonnier unique. Elle pouvait prendre le lampadaire qui ne servait jamais et le mettre dans le séjour. Et acheter quelques lampes supplémentaires, peut-être chez Arnott ou Clery, à Dublin. Ou alors dans un magasin de Wexford.

Elle commença à calculer les prix. Certains jours, au travail, elle sortait sa liste et la regardait. La peinture devait être faite en dernier, une fois retombée la poussière des travaux ; la première chose à entreprendre était le remplacement de la cheminée.

Quand elle expliqua à Phyllis qu'elle ne désirait pas recourir aux services de Mossy Delaney, celle-ci lui donna raison.

— Moi-même, je regrette de ne pas lui avoir demandé de venir simplement me donner quelques conseils. Comme ça, je m'y serais mise dès qu'il aurait eu le dos tourné, ça m'aurait épargné beaucoup de tracas et l'exercice m'aurait fait du bien.

Phyllis lui rendit visite quelques jours plus tard, après avoir soutiré à Mossy Delaney toutes les indications quant à la peinture et aux pinceaux qu'il fallait utiliser. Elle avait même découvert quelle était la meilleure technique pour appliquer la nouvelle peinture et éviter les traces de coulures. Elle mima les gestes que Nora allait devoir faire afin d'obtenir un résultat parfait.

Dan Bolger, qui avait repéré les incursions répétées de Nora dans son magasin, s'approcha d'elle un jour et lui dit qu'il avait bien connu Maurice du temps où ils essayaient de monter la coopérative financière locale. Jim Farrell et lui disaient toujours que, si Maurice n'avait pas été là, il aurait fallu un an de plus pour tout mettre en place correctement.

— Je ne suis pas au Fianna Fáil, comme vous le savez sans doute. Mais je dis toujours que si Maurice Webster s'était présenté aux législatives, j'aurais voté pour lui, et c'est un grand compliment de la part d'un partisan pure souche du Fine Gael tel que moi.

Nora sourit.

— Alors, poursuivit-il, si je peux faire quoi que ce soit pour vous, papier peint, rideaux, tapis ou autre, je le ferai.

Nora comprit que si elle achetait ses fournitures chez lui, elle aurait une réduction sur tout. Et, d'une façon ou d'une autre, elle sentit que ce serait plus facile si elle pouvait expliquer par la suite avoir bénéficié de conditions exceptionnelles. Elle sortit sa liste de son sac à main.

— Je vois, dit Dan Bolger après l'avoir parcourue. Je vais appeler chez Smyth, car je n'ai pas la peinture en question, mais eux vont l'avoir sans problème. Et je peux vous faire une bonne remise sur les rideaux, les tapis et le manteau de cheminée. À ce propos, je ne connais qu'un homme capable de s'occuper de votre cheminée sans que votre maison ait l'air de l'entrée du stade de Croke Park un dimanche de championnat d'Irlande de football gaélique par temps de pluie – c'est Mogue Cloney. Vous ne réussirez pas à lui faire dire grand-chose, mais pour la qualité du travail vous pouvez compter sur lui.

Une fois qu'elle eut choisi rideaux et tapis, Dan Bolger envoya quelqu'un prendre les mesures. Quand elle expliqua à ce quelqu'un qu'elle voulait que le tissu coure sur toute la longueur du mur, il lui dit qu'il existait un nouveau système d'accrochage pour rideaux qui n'exigeait pas une large cantonnière.

— Est-ce que vous vous occuperez aussi de l'accrochage ?

— On peut vous poser la moquette, dit-il. Pour les rideaux, en principe, on propose juste de vous les coudre.

Elle laissa le silence se prolonger, comme si ces derniers mots lui causaient beaucoup d'inquiétude. Elle crut presque l'entendre se demander comment diable il allait réussir à repartir de chez elle sans lui avoir promis qu'on lui accrocherait ses rideaux. L'espace d'un instant, elle regretta de ne pas connaître son nom, ou un minimum de renseignements sur son compte, afin de mieux le fléchir.

— Je ne sais pas qui pourrait s'occuper d'accrocher mes rideaux, dit-elle enfin.

— Ah. Bon. Bon, au pire, je ne vous laisserai pas dans l'embarras.

— Oh, merci, dit-elle. C'est vraiment très gentil à vous.

Mogue Cloney arriva un matin à huit heures et demie. Un assistant l'accompagnait. Elle expliqua à Conor qu'ils allaient déposer l'ancienne cheminée et en installer une nouvelle.

— Comment est-ce qu'on dépose une cheminée ?

Mogue Cloney lui répondit.

— Quelques coups de marteau contre une barre en fer, ça suffit pour fissurer le ciment.

— Mais ça ne va pas faire tomber des morceaux de mur ?

— Ma parole, j'ai l'impression d'être interrogé par un vieux flic qui veut savoir pourquoi j'ai des pneus lisses !

Mogue Cloney et son assistant rirent.

Quand elle revint du travail à l'heure du déjeuner, une couche de poussière recouvrait le séjour et l'ancienne cheminée gisait sur le lino au centre de la pièce. Conor revint de l'école peu après et se mit aussitôt à tout inspecter avec Fiona, comme si les deux hommes travaillaient pour lui.

— Où est la nouvelle cheminée ? demanda-t-il à Mogue Cloney.

— Dans la camionnette.

— Est-ce qu'on est sûr qu'elle va rentrer ?

— Affirmatif.

Conor regarda autour de lui, l'air de vérifier que le reste n'avait pas bougé et que Mogue Cloney n'avait pas provoqué trop de dégâts.

Quand Conor et Fiona retournèrent à l'école après le déjeuner, Nora pensa qu'elle devrait peut-être sortir. Ou rester au contraire pour superviser les opérations ? Elle hésita.

— Si vous nous donnez un bon balai et un bon balai-brosse, vous ne verrez même pas qu'on est passés par là, dit Mogue Cloney.

Une fois qu'elle eut réceptionné la peinture, elle se rendit à Wexford pour acheter les mêmes pinceaux exactement que ceux utilisés par Mossy Delaney chez Phyllis. Elle emprunta un escabeau à Una, qui la mit en garde en disant qu'elle ne devait pas s'essayer à peindre elle-même.

— C'est juste quelques journées de travail, dit Nora.

— Je crois que tu as assez à faire comme ça.

Elle commença le lendemain après-midi dès que Fiona et Conor furent repartis après le déjeuner. En montant sur l'avant-dernière marche de l'escabeau et en posant le pot de peinture sur la dernière, elle atteignait le plafond. La peinture, aqueuse, gouttait sur ses cheveux ; elle dut aller chercher un bonnet de douche. Elle était déterminée à en avoir fini en trois ou quatre jours, et elle voulait pouvoir montrer un début de résultat quand Conor et Fiona reviendraient à la fin de la journée. Chaque coup de pinceau lui demandait de l'effort et de la concentration, à la fois pour ne pas perdre l'équilibre et pour distribuer la peinture de façon homogène. Le plafond était la partie la plus dure, se dit-elle. Les murs seraient beaucoup plus faciles.

Le fait de peindre lui procurait une drôle de satisfaction. Le soir, elle était impatiente de reprendre le pinceau le lendemain, une fois expédiées ses heures de bureau. La douleur au bras et au thorax commença pendant le week-end. Le samedi, elle dut demander à Fiona de rendre visite à Donal à sa place car elle n'était pas en état de conduire ; la douleur s'intensifia dans l'après-midi et elle comprit qu'elle allait devoir aller chez le médecin. Elle se demanda même si elle n'était pas en train d'avoir une crise cardiaque.

Quand le Dr Cudigan toucha son bras elle eut un mouvement de recul et faillit crier quand il appuya sur la partie sensible, sous la clavicule.

— Avez-vous déjà repeint un plafond ? demanda-t-il.

— Non.

— Ce n'est pas une entreprise où il faut se lancer à la légère. Vous avez étiré des muscles que vous n'utilisez jamais d'habitude. Je vais vous prescrire un antalgique qui va calmer la douleur et permettre aux muscles de retrouver leur position initiale, à condition que vous ne recommenciez pas entre-temps.

— Je ne vais plus pouvoir peindre, alors ?

— Vous auriez pu vous faire très mal. Vous feriez mieux de laisser ça aux professionnels.

Ce soir-là, elle regarda le résultat de son travail. Les trois quarts du plafond étaient peints, quoique pas de façon très satisfaisante. Elle pria Fiona d'appeler Phyllis et de lui demander de passer quand elle pourrait.

Le lendemain, elle inspectait le séjour en compagnie de Phyllis.

— Bon, dit celle-ci, je ne vois qu'une solution. C'est d'appeler Mossy Delaney. On est dimanche aujourd'hui, alors on devrait pouvoir le trouver. Si j'étais toi, je jouerais le rôle de la pauvre femme qui se croyait capable de repeindre un plafond. Je sais qu'il me déteste tout spécialement quand je monte sur mes grands chevaux ; alors si tu prends un air très humble, ça pourra marcher. Ensuite, bien sûr, il y a la question de l'argent. Comme c'est quelqu'un qui abandonne un travail en cours de route pour en commencer un autre, il peut très bien en laisser un pour venir chez toi, à condition que tu le paies dès le premier jour. Mais il faut que tu t'y prennes de la bonne manière.

Quand elle frappa à la porte de Mossy Delaney ce soir-là, ce fut sa femme qui lui ouvrit et lui demanda ce qu'elle voulait.

— Je voudrais parler à M. Delaney, dit-elle d'une voix calme.

Mossy finit par se matérialiser. Il était clair qu'elle l'avait réveillé. Elle lui expliqua la situation en s'efforçant de parler bas pour que sa femme ne l'entende pas.

— Bref, j'aurais dû faire appel à vous tout de suite. Maintenant je suis dans de beaux draps. Vraiment coincée. Et je peux vous payer une partie d'avance.

— C'est juste une petite pièce ? Pas la maison entière ?

Elle acquiesça modestement.

— Je vous ferai ça demain matin. Vous avez la peinture ?

— Oui.

— Je serai là à huit heures et demie.

— Je ne sais comment vous remercier.

— Vous voulez que la patronne vous raccompagne ? Vous m'avez l'air un peu secouée.

— Non, je peux rentrer toute seule. Mais je vous suis très reconnaissante de venir demain.

18

Les médicaments prescrits par le Dr Cudigan firent disparaître la douleur, ou la masquèrent tout au moins de façon efficace. Restait une sensation de lourdeur et de tension dans le bras et la poitrine. En se réveillant le lundi matin, elle crut de nouveau à une crise cardiaque. Mais la douleur s'estompa dès qu'elle fut levée.

Elle se déplaçait avec prudence, d'autant qu'elle dormait très mal la nuit. Elle ignorait si c'était le traitement qui la maintenait dans cet état d'éveil et de pensées désordonnées, ou bien le reste de douleur qui s'attardait.

Mossy Delaney arriva à l'heure dite avec un assistant et abattit le travail en une journée et demie. Quand il eut fini, elle le remercia de sa rapidité.

— C'est que, dit-il, on travaille souvent pour des gens qui ont plein d'argent et aucune jugeote. C'est l'argent qui les rend comme ça. Je ne citerai personne, mais il y a des tas d'ignorants dans cette ville, et si vous voulez savoir qui c'est, allez donc travailler pour eux. Il y a une femme que je pourrais citer. Tout ce que je sais, c'est que je toucherai ma récompense au ciel pour ne pas avoir vidé un pot de peinture rouge sur sa tête. J'ai bien failli le faire, remarquez. Juste pour le plaisir d'entendre son cri. Mais, sinon, j'ai toujours aimé rendre service, et vous êtes une brave femme d'avoir cru que vous pouviez peindre un plafond par vous-même. Qu'est-ce qu'on a rigolé quand on a vu ce que vous aviez fait ! Peindre, c'est comme le reste. Il faut s'y connaître, madame, il faut avoir le tour de main. Je veux dire, si vous avez besoin d'un banquier, vous n'auriez pas l'idée d'aller voir Larry Kearney, n'est-ce pas ? Ou Babby Rourke si c'est l'évêque qu'il vous faut ?

Fiona s'occupa de recevoir les hommes qui vinrent poser le tapis. Conor et elle accueillirent l'employé de Dan Bolger, qui accrocha les rideaux. Il manquait encore deux ou trois choses, comme un nouvel abat-jour pour couvrir l'ampoule du plafond, et des tableaux pour animer les murs qui paraissaient étrangement nus dans toute leur blancheur. Pendant la journée, les lourds rideaux assombrissaient la pièce ; l'après-midi, quand Nora s'asseyait dans la pièce refaite qui sentait la peinture, elle s'assoupissait malgré elle. Elle savait qu'elle devait rester éveillée pour ne pas perturber davantage son cycle de sommeil, mais c'était difficile. Elle passait ses nuits à attendre le matin. Et une fois au travail, elle était terrassée de fatigue au bout d'une demi-heure.

Au bureau, elle prit l'habitude de se rendre aux toilettes et de s'asseoir dans une cabine, la tête contre le mur. Elle dormait quelques minutes et se rinçait ensuite le visage à l'eau froide avant de retourner à son poste. Dans la mesure où Elizabeth avait laissé tomber ses deux anciens petits amis pour un nouveau qui paraissait, aux yeux de Nora, être un type solide et sérieux, elles avaient de quoi alimenter la conversation, et cela l'aidait à rester éveillée.

Elle découvrit qu'en avalant une tasse de café instantané le matin – trois cuillerées de café et le plus de sucre possible – elle arrivait à tenir le coup la première heure, voire davantage. Quand Elizabeth s'absentait, elle faisait chauffer de l'eau dans la bouilloire que celle-ci gardait toujours près d'elle et se refaisait un grand café. Cela lui donnait un peu mal au cœur, mais si elle l'avalait et se concentrait ensuite sur son travail, elle éprouvait moins le besoin permanent de poser la tête sur ses bras croisés et de sombrer dans un profond sommeil.

Quand elle retourna chez le Dr Cudigan au bout de sept jours, il lui dit que ce serait une erreur que de prendre des somnifères en même temps que les antalgiques. Après avoir mesuré son pouls et sa tension et promené son stéthoscope sur son dos et sa poitrine, il lui suggéra de continuer les antidouleurs pendant une semaine. Si elle n'avait pas retrouvé le sommeil d'ici là, il les arrêterait et lui prescrirait des somnifères à la place.

Le soir, elle était si fatiguée qu'elle devait se cacher de Fiona et de Conor au moment de monter l'escalier. Elle était obligée d'interrompre son ascension au moins une fois pour reprendre son souffle et devait se cramponner à la rampe pour ne pas tomber. Elle s'allongeait sur le lit, lumière allumée, sans même prendre le temps de se déshabiller, et son sommeil était le même sommeil d'oubli qu'elle avait connu dans la chambre souterraine de l'hôtel en Espagne. Mais ce sommeil durait parfois moins de dix minutes. Ensuite, elle était tout à fait réveillée. Ses pensées fusaient dans tous les sens. Une fois recouchée, en chemise de nuit cette fois et lumière éteinte, elle essayait tous les stratagèmes pour se rendormir. Elle comptait les moutons ; elle se tournait d'un côté, puis de l'autre ; elle refusait de laisser la moindre pensée occuper son esprit – en pure perte. Elle allait devoir retourner chez le Dr Cudigan et insister pour qu'il lui donne des somnifères, quitte à arrêter les antidouleurs.

De drôles de pensées lui venaient. Allongée dans le noir, elle pouvait être n'importe qui. Par exemple, l'une ou l'autre de ses grands-mères, qu'elle n'avait pas connues, qui étaient mortes avant sa naissance. Elles n'étaient plus qu'un peu de poussière et quelques ossements enfouis dans la terre. Elle pensait à elles et à ce qu'elle savait à leur sujet, encore et encore ; puis ses pensées passaient à sa mère, dont le visage lui revenait à présent et qui lui paraissait soudain une présence proche. Elle aurait pu être elle. Seules quelques années séparaient leur présence dans ce lit. Immobile dans le noir, elle respirait, les yeux ouverts. Puis elle cessait d'entendre le bruit de sa respiration. Dans son demi-sommeil, sa mère se rapprochait encore davantage. Lentement lui revenait l'image de sa mère exposée après sa mort. C'était comme si sa mère avait été allongée sur ce même lit, sans voir ni entendre. Elle avait beau tenter de le repousser, ce dernier moment avec le corps de sa mère lui revenait dans les moindres détails.

Elle ne l'avait pas aimée de son vivant. Elle se demandait si Catherine et Una avaient songé à cela, quand leur mère était morte, quand elles l'avaient laissée aux bons soins des religieuses qui étaient venues préparer son corps en vue de sa présentation, là, dans la chambre, au premier étage. Nora attendait dans la cuisine avec ses sœurs, en silence. La prochaine fois qu'elle verrait sa mère, ce serait dans la pose, solennelle et figée, qui était celle de la mort. La chambre serait plongée dans la pénombre. Il y aurait

la lueur vacillante des cierges ; et sa mère qui repo-
serait sur le lit. Absente. Partie. Elle resterait exposée
ainsi tout au long de la nuit et la plus grande partie
du lendemain.

Nora avait soudain compris ce qu'elle devait faire.
Elle l'avait vu une fois auparavant, après la mort de
son père. Sa tante Josie et sa tante Mary, la sœur aînée
de sa mère, avaient avancé une chaise de part et
d'autre du corps et elles étaient restées assises là sans
parler jusqu'à ce que les représentants des pompes
funèbres apportent le cercueil. Deux ou trois fois elles
avaient accepté une tasse de thé, mais la plupart du
temps, elles refusaient. Elles n'avaient presque rien
mangé. Parfois elles priaient, parfois elles se conten-
taient de regarder attentivement leur beau-frère défunt,
parfois elles saluaient l'arrivée ou le départ d'une
connaissance. Elles observaient, et attendaient, après
avoir trouvé une place où nul ne viendrait les déranger.
Elles veillaient.

Dans la chambre de sa mère, du côté opposé à la
porte, il y avait un vieux fauteuil qui, Nora s'en souvenait, se trouvait autrefois au rez-de-chaussée et sur
lequel sa mère abandonnait volontiers ses vêtements.
Dans le temps, jamais elle n'aurait laissé traîner la
moindre affaire ; tout était rangé soit dans la penderie,
soit dans la commode. Mais elle avait été très affaiblie
durant les dernières années de sa vie, se déplaçait avec
difficulté, se fatiguait le moins possible. Assise dans
la cuisine, Nora avait soudain été submergée par la
tristesse, une tristesse qu'elle n'avait pas éprouvée
auparavant. Cela lui était venu d'un coup, en une
seconde – voilà ce que signifiait la mort : sa mère
ne prononcerait plus jamais une parole ; elle n'entrerait plus jamais dans une pièce. La femme qui lui

avait donné naissance ne respirait plus. Elle ne respirerait plus jamais. D'une certaine façon, Nora n'en demandait pas tant. Elle avait toujours cru qu'il y aurait du temps, pour sa mère et pour elle, pour se voir, pour se parler avec chaleur et naturel, ou avec quelque chose qui y ressemblât. Mais cela ne s'était pas produit. Et maintenant cela n'aurait jamais lieu.

Elle avait attendu sans lever la tête jusqu'à ce que quelqu'un leur dise que la chambre était prête. Elle était passée devant les autres, toujours sans un mot. Catherine lui avait posé une question, mais elle ne l'avait pas écoutée et ne lui avait pas répondu. Catherine pouvait interroger quelqu'un d'autre. Nora était l'aînée. Elle allait entrer dans la chambre la première. Elle monta l'escalier et adressa un signe de tête à la jeune religieuse qui se tenait à la porte. Elle vit qu'on avait fermé les rideaux. Une odeur de linge fraîchement amidonné flottait dans l'air. Elle attendit quelques instants avant de franchir le seuil. Ce fut le menton de sa mère qu'elle remarqua en premier ; en positionnant sa tête sur l'oreiller elles s'y étaient mal prises, de sorte que son menton semblait plus long qu'il n'aurait dû. Il paraissait déplacé, hors de proportion. Elle devait peut-être en parler à la jeune sœur, lui demander s'il était possible d'y remédier. Mais non, sans doute. Il était trop tard. Cela n'avait sans doute pas d'importance.

Contournant le lit, elle alla s'asseoir dans le fauteuil. Les vêtements en avaient été ôtés. Elle espérait que ses sœurs, ou les voisins, n'iraient pas imaginer qu'elle agissait par remords ou par besoin de réparer ses torts vis-à-vis de sa mère, en manifestant du regret pour ce qu'elle avait pu faire, ou manquer de faire, dans le passé. Elle n'éprouvait pas de remords. Mais, en contemplant le visage de sa mère morte, elle éprouva une proximité avec elle, un lien qu'elle avait toujours ressenti, d'une certaine façon, mais auquel elle n'avait jamais donné suite, et dont elle n'avait jamais parlé à quiconque.

Le visage de sa mère, délivré de la souffrance et de son expression familière, ressemblait aux photographies d'elle jeune : une beauté mince, brune, farouche, aux aguets. Voilà ce qui était revenu, du moins à l'état de trace. Sa mère aurait aimé cette idée : que sa jeunesse, ou un reflet de sa jeunesse, fût revenu.

Ses sœurs entrèrent à leur tour. Catherine s'agenouilla, inclina la tête en prière. Au moment de se relever, elle se signa. Nora l'observait. Catherine se tenait à présent droite au pied du lit, tout à son rôle de piété filiale et de deuil. Nora aurait voulu qu'elle s'en aille, qu'elle retourne au rez-de-chaussée. En croisant son regard, elle lut quelque chose qui ne lui inspirait que défiance. Elle résolut que, quoi qu'il arrive dans les prochaines heures, elle s'arrangerait pour ne jamais rester seule avec Catherine. Au besoin, elle passerait la nuit dans cette chambre. Elle ne quitterait pas ce fauteuil. Quand Maurice arriva pour être auprès d'elle, elle l'informa de son intention de veiller toute la nuit. Il lui tint la main pendant un moment. Puis il lui dit qu'il reviendrait le lendemain matin avec les enfants, mais qu'il allait partir à présent, rentrer à la maison et s'occuper d'eux. Elle lui sourit. Sa mère avait adoré Maurice. Cela n'avait rien d'extraordinaire. Tout le monde adorait Maurice.

Au cours des heures suivantes, les voisins commencèrent à arriver. Chacun s'agenouillait à tour de rôle et disait une prière. Certains s'inclinaient pour toucher le front de la défunte, ou ses mains entrelacées aux grains d'un chapelet. Ils saluaient Nora d'un signe de tête. Certains lui glissaient dans un murmure que sa mère paraissait vraiment paisible, ou qu'elle était avec les anges désormais, ou qu'elle allait manquer à beaucoup de monde.

Dans les moments où elle était seule dans la chambre, elle entendait des voix montant du rez-de-chaussée. Les voisins devaient être en train de boire du thé et de manger des sandwiches. Les cierges étaient à demi consumés. Sa mère n'était plus rien à présent qu'une vieille femme qui venait de mourir. Nora ne distinguait plus ses traits ; c'était juste une surface de peau crayeuse, ridée, et un menton toujours aussi étrange et proéminent. Sans ses yeux ouverts et sans sa voix, sa mère n'était plus personne ; il n'y avait aucune vie en elle.

Du temps passa. La maison devint peu à peu silencieuse. À Una, qui proposait de la relayer, elle conseilla d'essayer de dormir quelques heures. Elle s'assurerait pour sa part que les cierges continuent de brûler jusqu'au matin et que sa mère ne soit pas seule pour sa dernière nuit dans le monde. Un profond silence descendit sur la chambre, interrompu parfois par le passage d'une voiture dans la rue ou le bruit du vent nocturne contre les carreaux.

Nora ignorait si c'était la fatigue, ou les longues ombres projetées sur le mur par la flamme des cierges, mais elle n'aurait guère été surprise si sa mère avait ouvert les yeux et pris la parole. Leur échange, pensa-t-elle, aurait pu être facile.

Chose étrange, à mesure qu'elle continuait de la regarder, elle ne se sentait plus sûre de rien. Les détails du visage de sa mère avaient disparu ; mais il subsistait une expression, la sensation d'une présence. Et puis cette sensation se fit plus précise à mesure qu'elle la contemplait. D'autres visages se superposaient à celui de sa mère – visages de cousins, les

Holden et les Murphy, les Bailey et les Kavanagh ; elle vit le visage de Catherine et d'Una ; son propre visage ; le visage de ses enfants, Fiona en particulier. C'était comme si sa mère, dans la solitude de cette longue nuit, devenait eux tous.

Toute la vie naturelle s'en était allée ; à la place, autre chose était venu, qui se préparait depuis longtemps. Cela s'attarda. Puis cela s'effaça et autre chose encore apparut. Le visage de sa mère dégageait soudain une impression de puissance plus grande que tout ce qu'il avait pu exprimer du temps où elle avait eu souffle et voix.

Nora n'était sûre de rien. Elle tentait de visualiser le souvenir le plus net qu'elle avait de sa mère – une vieille dame dans un manteau de lainage gris, une broche au revers du col, un foulard ; une vieille dame s'avançant vers elle ; ou une jeune femme sur une photographie. Toutefois ces images avaient moins de réalité que le visage qui se détachait à présent sur le drap du lit. Elle se demanda comment faire pour conserver cette vision ; mais le souvenir ne serait rien comparé à l'acuité de son regard ici et maintenant.

Le menton n'avait plus d'importance, ce n'était qu'un détail, et les détails ne comptaient plus. Ce qui importait désormais n'aurait pu être nommé, et ne se percevait pas au premier regard ; quelqu'un qui serait entré dans la pièce ne l'aurait pas nécessairement vu. C'était peut-être l'instant qu'elles attendaient, sa mère et elle. Peut-être même n'avait-elle gardé ses distances que pour rendre plus capitale, ou même simplement possible, cette rencontre avec le corps de sa mère, avec l'image de sa mère morte. Ce visage semblable à un masque était paradoxalement plus singulier, plus personnel qu'il ne l'avait jamais été de son vivant.

Seule Nora pouvait le voir. Les autres en étaient inca-
pables. Elles étaient trop affairées, trop proches, trop
impliquées. Seule la distance où elle se tenait lui permettait de voir cette chose. Puis elle se réveilla en
sursaut dans sa propre chambre et comprit au même
instant qu'elle avait dormi, que cette nuit où elle avait
veillé le corps de sa mère faisait partie de son rêve.
Elle était chez elle, dans sa maison, il était temps de
se lever, de réveiller les autres, de préparer le petit
déjeuner et de se rendre au travail.

Ce jour-là, au bureau, elle s'évanouit en allant
chercher un dossier dans l'armoire. Le temps qu'elle
reprenne connaissance, Elizabeth était au téléphone
avec Peggy Gibney, qui lui ordonna de lui amener
Mme Webster à l'instant, à condition qu'elle puisse
marcher. Dès que Nora fut debout, Elizabeth voulut à
tout prix lui tenir le bras ; elles traversèrent l'entrepôt
et l'entrée de service. La maison familiale des Gibney
était juste en face, de l'autre côté de la rue.

— Ça va aller, vous savez, dit Nora.

— Non, non, l'experte, c'est ma mère, il faut aller
la voir.

Peggy Gibney était dans son fauteuil habituel. Elle
fit apporter du thé.

— Je vous trouve très pâle, dit-elle à Nora. Qui est
votre médecin ?

— Le Dr Cudigan.

— Oh ! Nous le connaissons bien. Je vais l'appeler
et lui demander s'il vaut mieux qu'il vienne ici, ou
que vous alliez chez lui, ou que vous rentriez chez
vous et qu'il vous rende visite à domicile.

Elle sortit, suivie par Elizabeth. Nora n'osa fermer
les yeux, de peur de s'endormir dans le salon des
Gibney. Si seulement elle pouvait rentrer chez elle,

elle dormirait toute la journée. Mais, dans ce cas, elle ne dormirait pas de la nuit, ou elle rêverait de nouveau. Mieux valait tenter d'obtenir des somnifères du Dr Cudigan, même s'il était réticent à les associer aux antalgiques. Elle avait encore mal aux muscles dès qu'elle touchait son épaule ou son bras. La douleur mettait décidément du temps à s'estomper.

— Je ne sais pas qui m'a répondu au téléphone, mais le Dr Cudigan est en visite, dit Peggy Gibney en revenant. Il s'occupe de l'hospice du comté, alors il est possible qu'il soit là-bas. J'ai donc pensé à appeler le Dr Radford. C'est notre médecin de famille.

Le sous-entendu – que le Dr Cudigan n'était peut-être pas à la hauteur et que le Dr Radford lui était supérieur – acheva de réveiller Nora.

— Oh non ! Voyez-vous, je fréquente les Radford par ailleurs, alors je n'ai pas envie de le consulter en tant que médecin.

Peggy se rassit dans son fauteuil. L'information qu'une employée de bureau puisse fréquenter son médecin traitant l'offensait de toute évidence.

— Je pense que le mieux, dans ce cas, est qu'Elizabeth vous raccompagne chez vous en voiture. De mon côté, je vais tenter de joindre le Dr Cudigan et lui demander de passer vous voir le plus vite possible. Mais d'abord nous allons prendre le thé. Vous étiez toute pâle en arrivant, on aurait dit un fantôme. Elizabeth va prévenir Thomas de votre absence. Si ça se trouve, vous irez beaucoup mieux demain. Thomas aime bien savoir ce qui se passe. Et moi, j'aimerais vraiment savoir ce qui retient cette enfant de Dieu, j'ai nommé Maggie Whelan, de nous apporter notre thé.

Le thé arriva. Il y eut un silence. Nora sentit qu'elle ne s'était pas montrée suffisamment reconnaissante d'avoir été invitée au salon au lieu d'être simplement renvoyée chez elle ou chez le médecin.

— Elizabeth, fit Peggy Gibney quand les tasses furent vides. Crois-tu que tu pourras prendre le temps de raccompagner Mme Webster à l'autre bout de la ville ?

Sa façon de le dire suggérait un quartier très éloigné de celui où elle-même résidait.

— Ma mère, dit Elizabeth quand elles furent dans la voiture, est merveilleuse, vous ne trouvez pas ? Elle pourrait diriger ce pays sans problème. L'éminence grise, le pouvoir de l'ombre, c'est elle.

Nora hocha la tête, trop fatiguée pour imaginer une réplique. Elle s'interrogeait sur les somnifères. Il était dangereux d'en avoir chez soi. Si elle devait en prendre, décida-t-elle, elle garderait le flacon dans son armoire, dans sa chambre, et elle le jetterait dès qu'elle aurait récupéré un sommeil normal.

Une fois sa porte refermée, elle eût été incapable de dire si d'autres paroles avaient été échangées dans la voiture. Elles avaient pourtant dû parler de choses et d'autres, et elle avait sûrement remercié Elizabeth de l'avoir ramenée chez elle. Ou peut-être avait-elle dormi ; le trajet était comme aboli de sa mémoire, elle n'avait aucune idée du chemin qu'elles avaient emprunté.

Elle entra dans le séjour, se laissa tomber dans son fauteuil et s'endormit. Elle fut réveillée par des coups énergiques frappés à la porte. Elle regarda sa montre ; il n'était que onze heures, ce ne pouvait donc pas être Conor, ni Fiona. D'ailleurs, se rappela-t-elle au même moment, ils avaient leur propre clé. Puis elle entendit qu'on l'appelait à travers la porte, et reconnut la voix du Dr Cudigan.

— Dieu merci ! dit celui-ci quand elle lui ouvrit.
J'allais appeler les pompiers. Peggy Gibney m'a laissé
un message urgent, elle a téléphoné partout en ville
pour me joindre. Elle a appelé sœur Thomas au
couvent, et c'est comme ça qu'elle a fini par me
trouver. Il y a un vieil homme à l'hospice qui est
très malade.

Elle le fit entrer au salon et lui expliqua qu'elle ne
parvenait toujours pas à dormir la nuit.

— Cela nous arrive à tous, dit-il. Le besoin de
sommeil diminue avec l'âge.

— Je ne dors pas du tout.

— Depuis combien de temps ?

— Je vous l'ai déjà dit. Depuis que j'ai commencé
les antidouleurs, ça fait maintenant huit jours.

— Je pourrais vous prescrire des somnifères, mais
ça ne me plaît guère. Avez-vous essayé de renoncer
au thé et au café ?

Une vague de colère la submergea. Elle se demanda
si le Dr Cudigan traitait ses patients différemment de
ses patientes.

— Je suis à bout, dit-elle. Je ne sais vraiment plus
quoi faire.

— Peggy Gibney a laissé entendre à la pauvre sœur
Thomas que vous étiez à l'article de la mort. Je vais
devoir retourner la voir pour lui dire que vous êtes
toujours d'un seul tenant.

— Je ne dors pas.

— Je vais vous prescrire des somnifères. Mais je
vous préviens ! Un seul de ces cachets suffit à vous
assommer pour cinq ou six heures. Prenez-les le
moins longtemps possible, autrement vous risqueriez
de vous y accoutumer. Évitez de conduire – ou alors
lentement, et uniquement en ville et ne dites à personne que je vous y ai autorisée. Revenez me voir

dans une semaine. Nous verrons ce qu'il en est à ce moment-là. Ne prenez pas le premier cachet avant ce soir et, si possible, essayez de rester éveillée d'ici là.

— Je continue les antidouleurs ?

— Jusqu'à notre prochain rendez-vous, oui.

Elle faillit lui rappeler qu'il avait dit que ce n'était pas recommandable.

— Merci d'être venu, dit-elle. C'est très aimable à vous.

— Sœur Thomas me disait qu'elles font une présentation du saint sacrement chaque jour à quinze heures, et qu'elle-même se rend chaque jour dans la chapelle des religieuses afin de prier pour vous. C'est la plus sainte de toutes, à mon avis. Quand Peggy Gibney l'a appelée aujourd'hui, elle est partie à ma recherche jusqu'à ce qu'elle me trouve.

— Peggy Gibney, soupira Nora.

— Oui, dit le Dr Cudigan, on me dit qu'elle passe son temps assise dans son salon à se faire servir. Les femmes ont la vie facile.

— C'est aimable à elle de s'être donné tant de mal pour vous joindre.

Le Dr Cudigan rédigea l'ordonnance et s'en alla.

Quand Fiona et Conor rentrèrent pour le déjeuner, elle ne leur dit pas qu'elle avait quitté le bureau avant l'heure. Elle avala un café à la cuisine ; cela lui donna l'énergie suffisante pour leur parler comme si tout allait bien. Alors que Fiona s'apprêtait à repartir, elle lui remit l'ordonnance et lui demanda si elle pouvait passer à la pharmacie Kelly en rentrant.

— Où as-tu eu cette ordonnance ? demanda Fiona.

— Le Dr Cudigan l'a fait parvenir chez les Gibney.

— Tu es sûre que ça va ? Tout à l'heure, tu as commencé une phrase et tu ne l'as pas finie.

— Je vais très bien. C'est juste ce médicament contre la douleur qui m'assomme un peu.

— Et l'ordonnance ? C'est pour quoi ?

— Des somnifères. J'ai du mal à dormir depuis quelque temps.

Après leur départ elle retourna à son fauteuil. Son cœur battait de façon désordonnée, elle avait du mal à reprendre son souffle. Elle pensa soudain que la musique la soulagerait peut-être. Elle se leva pour aller regarder ses disques, mais aucun ne correspondait à ce qu'elle voulait, tout cela était trop lointain, trop bruyant, trop rempli de ses propres passions. Arrivée au *Trio à l'Archiduc*, elle contempla une fois de plus la pochette et pensa que peu importait la musique, elle pouvait toujours le mettre et rêver qu'elle était jeune comme ces musiciens, et libre comme eux. Si elle l'écoutait attentivement, pensat-elle, si elle écoutait chaque note comme si c'était elle qui la jouait, la musique réussirait peut-être à la distraire et à la tenir éveillée.

Le son du violoncelle la fit se redresser presque à son insu. Les musiciens suggéraient une mélodie, s'en approchaient, s'en éloignaient, lui résistaient. Elle aimait le grondement du violoncelle. À quelques reprises, ses pensées vagabondèrent ; elle se força à écouter chaque note, chaque suggestion. Elle sourit lorsqu'ils jouèrent le thème bravement et distinctement, avant de laisser l'hésitation et la tristesse reprendre le dessus.

Au début du mouvement lent, elle remarqua que le souffle lui manquait. Elle frissonna, ferma les yeux. La pièce s'était refroidie, lui sembla-t-il. Elle se demanda si elle devait faire du feu. Puis elle décida de ne pas bouger, de rester tranquille, d'écouter simplement les notes graves du violoncelle.

Quand commença le troisième mouvement, plus rapide, et que la musique devint presque joyeuse, comme si elle n'attendait que cela depuis le début, elle entendit soudain du bruit à l'étage. Elle traversa la pièce sur la pointe des pieds, entrouvrit la porte et écouta. Il y avait quelqu'un là-haut ; quelqu'un déplaçait un meuble. Il n'y avait personne pourtant, elle en était certaine. Elle avait vu Fiona et Conor quitter la maison et ils n'auraient pas pu revenir sans qu'elle les entende.

Le bruit recommença. Elle se demanda que faire. Alerter ses voisins ? Tom O'Connor pourrait peut-être monter avec elle, en avoir le cœur net. Sur la pointe des pieds, elle vérifia que la porte d'entrée était bien fermée. Même chose pour la porte de la cuisine. Le silence était revenu, puis soudain elle l'entendit de nouveau – un bruit comme si quelqu'un traînait un meuble là-haut. Elle monta l'escalier en appelant d'une voix forte.

— Qui est-ce ? Qui est là ?

La porte de sa chambre était fermée. D'habitude, quand elle n'y était pas, elle la laissait ouverte. Elle prêta l'oreille. Soudain, une douleur aiguë lui fit baisser les yeux : elle vit qu'elle avait enfoncé ses ongles dans sa paume jusqu'au sang. Le bruit recommença ; à présent, cela ressemblait davantage à une voix. Elle ouvrit la porte et poussa un cri.

— Maurice !

Il lui faisait face. Assis dans le fauteuil à bascule près de la fenêtre.

— Maurice, murmura-t-elle.

Il portait la veste en tweed chinée vert et bleu qu'ils avaient achetée ensemble chez Funge, à Gorey ; un pantalon gris, une chemise grise, une cravate grise. Il lui sourit pendant qu'elle refermait la porte derrière elle. Il était comme avant. Avant la maladie.

— Maurice, peux-tu parler ? Peux-tu me dire quelque chose ?

Il lui sourit, de ce sourire timide, en coin, qui avait toujours été le sien.

— La musique est triste, murmura-t-il.

— Oui. C'est vrai. Mais pas toujours.

— Sœur Thomas, dit-il.

Sa voix était plus faible à présent.

— Oui, dit Nora, elle prie pour nous tous les jours. Elle m'a trouvée sur la plage à Ballyvaloo.

Il hocha la tête.

— J'ai senti ta présence là-bas, dit-elle. Mais pas longtemps. C'est la seule fois.

— Je sais.

La voix de Maurice était plus douce qu'elle ne l'avait jamais été dans son souvenir.

— Ta voix, dit-elle en souriant. Elle a changé.

Il la regarda avec tristesse, comme pour dire qu'il n'y avait rien à répondre à cela.

— Maurice, peux-tu rester encore un peu ?

Il bougea ; sa présence devint moins complète, son visage moins net ; même les couleurs de sa veste pâlirent.

— Est-ce que tu… ? Je veux dire, y a-t-il quoi que ce soit que… ?

Il haussa les épaules avec un demi-sourire.

— Non, murmura-t-il. Non.

— Est-ce que ça va aller, pour nous ? Je ne sais pas si ça va aller.

Il ne répondit pas.

— Fiona ? Est-ce que ça va aller pour elle ?

— Oui.

— Et Aine ?

Il hocha la tête.

— Et Donal ?

— Oui, Donal.

— Et Conor ?

Il inclina la tête comme s'il ne l'avait pas entendue.

— Maurice. Est-ce que ça va aller pour Conor ?

Elle crut voir que ses yeux s'étaient remplis de larmes.

— Maurice, tu dois me répondre. Est-ce que ça va aller pour Conor ?

— Ne me demande pas ça, dit-il d'une voix rauque qui faiblissait. Ne me le demande pas.

Elle fit un geste vers lui, mais il leva les mains pour lui signifier de ne pas approcher.

— Savais-tu que… ?

— Oui, oui.

— C'est seulement quand tu es tombé malade que j'ai su…

— Oui, oui.

— As-tu jamais regretté… ?

— Regretté ? demanda-t-il, d'une voix raffermie.

— Nous ?

— Non, non.

Il sourit de nouveau. Puis l'expression de son visage changea, il parut soudain désorienté.

— Maurice, y a-t-il autre chose ?

— L'autre. Il y a quelqu'un.

— Tu penses à Jim ?

— Non.

— Margaret ?

— Non.

— Qui ?

— L'autre.

— Il n'y a personne.

— Si.

— Maurice, donne-moi un nom. Il n'y a personne d'autre.

Il se couvrit le visage. Elle l'observait ; il était en souffrance. Puis il ôta les mains de son visage et la regarda. Elle crut qu'il allait sourire de nouveau, mais il ne sourit pas.

— Maurice, reste encore un peu.

Il fit non de la tête.

— Maurice, est-ce que c'est la musique ? Est-ce que tu reviendras si j'écoute la musique ?

— Non, pas la musique.

— Maurice, parle-moi de Conor. Y a-t-il quelque chose… ?

— Il y a quelqu'un d'autre.

— Maurice, il n'y a personne. Donne-moi un nom.

De nouveau, il s'estompa et elle l'entendit reprendre son souffle.

— Maurice. Est-ce que tu seras là quand je viendrai ?

— Nul ne sait, dit-il. Nul ne sait.

Elle entendit une voiture klaxonner dans la rue et s'aperçut au même moment qu'elle était allongée tout habillée en travers du lit. Elle se redressa. La chambre était vide. Il n'y avait personne. Elle se leva, alla toucher le fauteuil, qui bascula doucement d'avant en arrière. Elle effleura l'endroit où Maurice avait été assis, mais il n'y avait rien, ni trace de chaleur, ni aucun autre signe que quelqu'un eût été assis là.

De retour en bas elle prit les clés de la maison et celles de la voiture. Elle sortit, un manteau sur le bras, et ferma la porte. Elle mit le contact en se demandant où elle irait, mais cela n'avait aucune importance. Ce fut seulement plus tard, sur la route de Dublin, en

405

prenant la sortie vers Bunclody, qu'elle comprit qu'elle se rendait chez sa tante Josie. Elle s'obligea à rester éveillée, à se concentrer sur la conduite. Dans la côte abrupte qui montait vers la maison de Josie, en tournant le dos à la rivière, elle se demanda comment elle lui expliquerait sa venue. Sur la gauche, il y avait un portail devant lequel une voiture ou un tracteur avait la place de stationner. Elle s'y arrêta, coupa le moteur, se laissa aller contre le dossier et ferma les yeux. Peut-être valait-il mieux faire demi-tour, retourner en ville ; mais elle sentit qu'elle n'en serait pas capable. Elle allait se reposer un moment, en espérant que Josie, ou John, ou la femme de John, ne la surprenne pas. Elle dormirait un moment, puis elle irait ailleurs. Elle ne savait pas encore où.

Elle fut réveillée par John qui frappait doucement à la portière. Elle tressaillit, effrayée, puis le reconnut et baissa sa vitre.

— Au début, je me suis demandé qui ce pouvait bien être, dit-il en souriant.

Il n'avait pas éteint le moteur de son tracteur.

— Je me reposais, dit-elle, bien qu'elle sût que cela n'avait aucun sens.

— Ma mère est dans son jardin.

— Tu montes à la maison ?

— Oui.

— Alors je te suis.

Une fois Nora installée dans la cuisine de Josie, John fit chauffer la bouilloire et partit à la recherche de sa mère. Nora passa d'un état de veille aiguë, où elle remarquait chaque couleur et chaque son du dehors, à un état d'engourdissement, puis à un puissant désir de s'allonger n'importe où et de fermer les yeux.

John revint avec Josie ; tous deux arboraient une mine soucieuse. John resta un moment à la porte avant de repartir. Josie, en tenue de jardinage, ôta ses gants et la regarda.

— Que se passe-t-il ?

— Maurice est revenu. Il était dans la chambre, en haut. Dans notre chambre.

— Quoi ?

— Il m'a parlé, Josie. Il m'a dit des choses.

La bouilloire siffla. Josie alla l'éteindre.

— Qu'est-ce qui t'arrive ? dit-elle.

— Je n'arrive pas à dormir et ensuite, quand je dors…

— Tu prends des médicaments ?

— Oui. Je me suis fait mal aux muscles. Je prends des antalgiques.

— Depuis quand n'as-tu pas dormi ?

— Ça fait plus d'une semaine maintenant. Parfois je sombre dans un sommeil très profond, mais ça ne dure pas.

— Tu en as parlé au médecin ?

— Oui. En rentrant du travail, Fiona va me rapporter les somnifères qu'il m'a prescrits.

Josie remplit la théière.

— Maurice était dans la chambre, Josie. Il m'a parlé.

— L'as-tu dit à quelqu'un, à part moi ?

— Non. Je suis venue tout de suite. Je n'ai nulle autre part où aller.

— John dit qu'il t'a trouvée dans ta voiture et que tu dormais à poings fermés.

— Je ne sais pas quoi faire. Et Maurice, quand je lui ai demandé si ça irait pour Conor, m'a dit – il m'a dit que je ne devais pas lui demander cela. Qu'est-ce que ça signifie ?

— Tu as rêvé, Nora. Personne n'est venu.

— Il était dans la chambre. Je sais ce qu'est un rêve, mais Maurice était dans la chambre. Et il a dit…

— Il n'était pas dans la chambre.

— Si, il l'était, il l'était, il l'était.

Elle se balançait d'avant en arrière en pleurant.

— Si je pouvais être avec lui…

— Que dis-tu ?

— Si je pouvais être avec lui. Voilà ce que j'ai dit.

Josie et John la conduisirent dans la chambre du premier étage. Josie lui donna une chemise de nuit et revint un peu plus tard avec un cachet et un verre d'eau.

— Prends ça, ça va te faire dormir. Au réveil tu seras un peu groggy pendant un moment, mais je serai là et, surtout, appelle-moi dès que tu seras réveillée, n'essaie pas de te lever toute seule. Ce sont les somnifères les plus puissants du marché, alors on s'en sert avec parcimonie. Et il me faudrait la clé de ta maison.

Nora la lui remit.

— Je vais régler quelques affaires en ville. John va garder un œil sur toi pendant ce temps-là.

— Et Conor… ?

— Oublie Conor. Et tout le reste aussi. Ton travail à toi, c'est de dormir.

Au réveil, ses membres étaient tout engourdis. Elle voulut remuer les bras mais les trouva douloureux, comme sa poitrine. Elle se demanda où étaient les cachets. Elle croyait les avoir dans le tiroir de la table de chevet, mais quand elle chercha à tâtons, elle ne trouva rien. Ce n'était pas sa chambre. Il faisait noir. Il y avait un bruit quelque part qu'elle n'arrivait pas à identifier. Ensuite seulement elle se rappela Josie, le comprimé pour dormir, la sensation du gros oreiller et du matelas mou. Elle se demanda s'il y avait une lampe. Elle chercha à tâtons une éventuelle table, mais n'en trouva pas.

Elle appela Josie, qui arriva tout de suite et alluma une lampe près de la fenêtre.

— Je suis passée te voir tout à l'heure, tu dormais comme un bébé.

— Quel jour sommes-nous ?

— Vendredi.

— Quelle heure est-il ?

— Vingt et une heures.

— Il faut que j'y aille. Conor… Et Donal demain.

— Tu ne vas nulle part. Conor se porte comme un charme. Je lui ai dit que tu restais le week-end chez nous, et j'ai appelé Margaret, il passera la journée de demain chez elle à travailler ses photos. Una va rendre visite à Donal, Fiona l'accompagnera peut-être. Una et Seamus vont passer voir Conor eux aussi, et peut-être viendra-t-il te rendre visite dimanche si tu vas mieux. J'ai appelé sœur Thomas. Je lui parle souvent, tu sais, quand je m'inquiète pour toi. Elle va dire aux Gibney que tu reprendras le travail dès que tu iras mieux. Et j'ai les somnifères prescrits par le Dr Cudigan et ton autre médicament, que Fiona a réussi à dénicher dans ta chambre. Un truc puissant qu'on hésiterait à donner même à un cheval, d'après ce que j'ai vu. Mais tu en avais peut-être besoin. Bref, tout est réglé. En ce qui te concerne, tu n'as qu'une chose à faire, c'est dormir. En échange, quand je tomberai malade et que les autres en auront marre, tu pourras t'occuper de moi. C'est à cela que nous servons, les uns et les autres.

Josie prit le peignoir accroché au dos de la porte.

— Il faut que tu te lèves maintenant. Je vais te faire couler un bain, je vais mettre de la musique pour que tu ne t'endormes pas dans l'eau, et le mieux serait peut-être de laisser la porte ouverte. Après on mangera quelque chose de bon, et après le dîner tu pourras retourner te coucher, voir si tu arrives à t'endormir par tes propres moyens et, si tu n'y arrives pas, je te donnerai une pilule.

— Pas de musique, s'il te plaît.

— Entendu. Mais ne t'endors pas dans le bain.

— Promis.

Nora était de nouveau assise dans la cuisine. Josie préparait des spaghettis à la sauce tomate. Elle avait ouvert une bouteille de vin.

— Je l'ai acheté à Dublin, l'informa-t-elle. On va en boire un verre ou deux ce soir. Ils disent qu'il ne faut pas mélanger l'alcool et les somnifères mais moi, je trouve que ça va bien ensemble au contraire.

— Tu ne me crois pas, pour Maurice.

— Non.

— C'était lui. Tous les détails correspondent.

— C'est drôle, dit Josie. Tous autant que nous sommes, nous avons le plus grand mal à voir ce qui est là. Personne n'en parle, mais c'est ce qu'il y a de plus difficile. Si on pouvait juste voir ce qui est là !

— Tu ne crois à rien ?

— Je vais au bout de chaque journée qui se présente, Nora. Voilà ce que je fais. Et je ne m'occupe pas du reste.

— Il a dit que Conor…

— Il n'a rien dit du tout, Nora. Conor va parfaitement bien, mais il est très sensible à tout ce qui ne va pas chez les autres, alors ne va pas nous le perturber.

Nora se sentit prise au piège. Elle se demanda où étaient les clés de sa voiture, et de sa maison. Si seulement elle pouvait les trouver, elle rentrerait chez elle sitôt que Josie aurait le dos tourné.

— Oh, dit Josie, et n'oublie pas de prendre ton antalgique avant de dormir. La pauvre Fiona se faisait du souci pour toi, elle est contente de te savoir ici. Tes filles te font honneur, sais-tu. Et Aine est devenue très active en politique. Elle tient ça des Webster. Chez nous, il n'y avait rien de ce genre. Et Fiona m'a montré ton nouveau living, il est très joli. Ce sera parfait pour toi.

— Maurice m'a parlé de quelqu'un d'autre, mais j'ai réfléchi, il n'y a personne. Je ne sais pas à qui il pensait. Toi, tu crois toujours que j'ai tout rêvé ?

— Oui.

— Pourtant c'était tout à fait réel. Je veux dire – Maurice était tout à fait réel.

— Bien sûr. Mais il est parti. Tu dois t'obliger à admettre qu'il est parti, et qu'il ne reviendra pas.

Le vin la rendit somnolente, et elle monta se recoucher sitôt après le repas. Elle n'imaginait pas pouvoir revenir à la normale un jour, ne plus avoir envie de dormir en permanence. Elle prit le somnifère et l'antalgique et éteignit la lampe.

Quand elle se réveilla la fois suivante, la chambre était baignée de lumière. Elle entendait une radio allumée, un bruit de vaisselle entrechoquée, des corneilles se chamaillant dans les vieux arbres. Elle chercha en vain un réveille-matin ou une horloge quelque part dans la chambre. Elle ferma les yeux et soupira.

Elle passa la journée entre la chambre et le séjour. Josie se montrait par intermittence ; elle voulait profiter du beau temps pour faire des plantations dans son jardin. John et sa femme passèrent dans l'après-midi, mais ne restèrent pas longtemps. Josie lui avait rapporté des vêtements de chez elle, au cas où elle voudrait s'habiller, mais elle resta en peignoir et chemise de nuit, pieds nus.

La lumière déclinait quand Josie revint s'asseoir auprès d'elle.

— Je sais que cela ne me regarde pas, commença-t-elle. Mais hier en cherchant des vêtements pour toi, j'ai été choquée de voir qu'il y avait une armoire encore pleine des affaires de Maurice. Des vestes, des pantalons, des costumes, des cravates, des chemises… Même ses chaussures étaient là !

— Je n'ai pas eu le cœur de les jeter. C'était au-dessus de mes forces.

— Nora, cela fait plus de trois ans qu'il est mort. Tu vas devoir t'en occuper bientôt.

— Alors ce sera la fin. N'est-ce pas ?

— Les enfants savent-ils que ses vêtements sont toujours là ?

— Les enfants ne fouillent pas dans mes affaires, Josie.

— Ta mère sourirait si elle t'entendait.

— Pardon ?

— Une enfant ingrate, c'est comme la dent d'un serpent, voilà ce qu'elle disait.

— Et encore ! Ça, c'était dans ses bons jours, dit Nora en riant.

Plus tard, elle s'endormit sur le canapé. Quand elle se réveilla, il faisait nuit. Elle descendit au rez-de-chaussée et trouva Josie qui mettait la table pour quatre.

— Tu reçois des invités ?

— J'ai demandé à Catherine de venir. Elle ne devrait pas tarder.

— Je ne veux pas la voir.

— Eh bien, peu importe ce que tu veux. Va te coiffer et habille-toi, parce que j'ai aussi invité ton amie Phyllis. Tu ne peux pas passer tout ton temps à dormir.

Elles avaient fini le plat principal quand une nouvelle voiture freina devant la maison. Nora alla à la fenêtre.

— C'est Una, annonça-t-elle. Elle n'était pas censée rester avec Conor ?

— Elle a dit qu'elle préférait le laisser avec Fiona pour qu'il ne s'inquiète pas.

Una les rejoignit autour de la table. Josie resservit tout le monde de vin.

Nora alla s'asseoir dans un fauteuil et ne tarda pas à s'assoupir, bercée par les voix animées qui l'entouraient. À son réveil, elle entendit qu'on parlait d'elle.

— C'était un démon, disait la voix de Catherine. Voilà tout ce que je peux dire à son sujet.

— Ah vraiment ? fit Phyllis.

— Et après, elle a rencontré Maurice. Du jour où elle a commencé à sortir avec lui, elle a changé du tout au tout. Elle n'est pas devenue douce et docile, n'exagérons rien. Mais elle a changé.

— Je suppose qu'elle était heureuse, dit Una.

— Maurice était l'amour de sa vie.

— Oh oui, c'est vrai, approuva Josie.

— N'empêche qu'elle pouvait encore être un démon quand ça la prenait. Et vous vous souvenez de l'époque où elle refusait de parler à notre mère ? On vivait toutes ensemble à la maison, et elle, elle ne lui adressait pas la parole. Elle ne voulait même pas la regarder.

— Oh, je m'en souviens. Votre tante Mary et moi, Dieu ait son âme, nous ne savions plus à quel saint nous vouer.

— Et pourquoi ne voulait-elle pas lui parler ? s'enquit Phyllis.

— Un frère de Maurice était mort de la tuberculose. C'était un garçon adorable et c'était bien triste, et enfin, quand Nora a commencé à sortir avec Maurice, notre mère a dit à quelqu'un, je ne sais plus à qui, qu'elle craignait que Maurice ne soit tuberculeux, lui aussi. Ou, sinon ça, quelque chose en rapport avec Maurice et la tuberculose. Cette personne a rapporté le propos de notre mère à une tierce personne, qui l'a répété à Nora. Et Nora s'est mis en tête que notre mère passait son temps à parler à tout le monde de Maurice, de sa famille et de la tuberculose, et elle n'a plus voulu lui adresser la parole. Et rien au monde n'aurait pu la faire descendre de ses grands chevaux.

— À la fin, enchaîna Una, le père Quaid a eu vent de l'affaire. Il était en très bons termes avec notre mère parce qu'elle faisait partie de la chorale et qu'elle chantait souvent à la cathédrale. Alors il l'a interrogée, et elle a confirmé. Donc, un jour, à l'approche de Noël, il a pris Nora à part et il lui a dit de cesser ces bêtises, et elle s'est engagée à souhaiter un bon Noël à sa mère le jour de Noël, et voilà. Nous étions soulagées, bien sûr. Je crois que la ville entière était soulagée ; tous ceux qui étaient au courant, en tout cas.

— Et alors ? demanda Phyllis.

— Et alors, elle a attendu que notre mère soit occupée à sortir la dinde du four et elle lui a murmuré

« Joyeux Noël ». On aurait cru qu'elle parlait à son dos.

— Je m'en souviens, dit Una. J'ai eu du mal à me retenir.

Nora se mit à rire.

— Regardez ! dit Phyllis. Elle est réveillée !

— On parlait justement de toi, dit Catherine en se retournant.

— Je sais. J'ai tout entendu.

Une fois qu'elle eut repris le travail, elle put de nouveau dormir d'une traite toute la nuit. Les douleurs avaient fini par s'estomper. Elle ne parla à personne d'autre de ce qui avait eu lieu dans la chambre. Elle supposait que c'était, comme l'avait dit Josie, un rêve. Mais c'était plus fort qu'un rêve, lui semblait-il. Le soir, une fois la lumière éteinte, c'était un réconfort de penser que Maurice était venu dans cette chambre si récemment, d'une manière si vivante. Elle s'efforçait de ne pas lui murmurer des choses, mais elle ne pouvait s'en empêcher, et elle sentait que cela l'aidait à trouver le sommeil et à traverser la nuit plus facilement.

Au bureau, elle attendait le moment où elle pourrait rentrer chez elle et passer du temps seule dans la pièce redécorée par ses soins. Elle emprunta des livres à la bibliothèque, et avec le feu dans la cheminée et les lampes allumées le soir, elle lisait, ou restait assise en ne pensant à rien. Elle aimait bien les soirs où Fiona sortait et où elle restait seule avec Conor, qui faisait ses devoirs dans l'autre pièce jusqu'au moment où il la rejoignait et s'installait sur le canapé pour regarder ses photos ou lire les magazines et les manuels que lui passait Donal. Contrairement à Fiona, qui trouvait la musique irritante, Conor y faisait à peine attention. Elle sentait que pour lui elle était associée à une atmosphère de détente, ou de confort, ou d'absence de tension ; mais parfois elle le surprenait qui l'observait à la dérobée et son expression, alors, était anxieuse. Il serait sans doute toujours ainsi, songeait-elle. Un homme toujours inquiet, scrutant le monde à la recherche de signes funestes.

Un jour, à Dublin, elle découvrit que May, le disquaire de Stephen's Green, proposait une série de disques de chez Deutsche Grammophon en promotion à moins d'une livre l'unité. Elle en acheta autant qu'elle était capable d'en porter. Elle devait ensuite retrouver Aine et Fiona à la National Gallery. Dans la boutique du musée, elles choisirent les reproductions qui orneraient les murs du séjour. Une fois rentrée, elle les porta chez l'encadreur. Elle trouverait bien quelqu'un pour les lui accrocher quand elles seraient prêtes.

Josie parla à Catherine et à Una, qui dirent à Nora qu'elles voulaient bien passer chez elle munies de cartons afin de vider l'armoire des effets de Maurice. Nora choisit un samedi où Fiona était à Dublin avec Paul et où elle était sûre qu'Aine aussi resterait à Dublin. Elle demanda à Margaret si Conor pouvait passer l'après-midi et la soirée chez elle. Elle prit la route de Wexford en début d'après-midi. Elle avait écrit à Donal qu'elle serait là de bonne heure. Elle lui acheta une portion de poulet-frites à côté du collège, et quelques bouteilles de Miranda Citron. Elle savait qu'il préférait qu'elle vienne avec Conor ou Fiona ou Aine, pour qu'ils puissent parler entre eux dans les moments où lui-même préférait se taire. Quand il était seul avec elle, il y avait toujours une tension. Et il n'aimait pas qu'elle lui donne des conseils.

— Tu c-c-connais le p-p-paradoxe de la foi ? demanda-t-il quand il eut fini de manger son poulet.

— Euh, non, je ne crois pas.

— Le père M-M-Moorehouse nous a fait un sermon là-dessus. On est un p-p-petit groupe à avoir choisi la religion en op-p-ption.

— C'est quoi ?

— Pour croire, il f-f-faut croire. Une fois qu'on a la f-f-foi, on peut croire d-d-davantage, mais on ne p-p-peut pas croire tant qu'on n'a pas c-c-commencé à c-croire. Le début de la foi est un m-m-mystère. C'est comme un cadeau. Et puis le reste est r-r-rationnel. Ou il p-p-peut l'être, en tout cas.

— Mais on ne peut pas le prouver. On peut seulement le sentir.

— Oui, m-m-mais il dit que ce n'est pas comme une p-p-preuve. Ce n'est pas comme ad-d-ditionner deux et deux. Plutôt comme aj-j-jouter la lumière à l'eau.

— Ça me paraît bien profond.

— Non, c'est vraiment simple. Ça explique les choses.

Elle nota qu'il avait prononcé les deux dernières phrases sans bégayer.

— Il faut d-d-déjà avoir quelque chose au d-d-début. Je suppose que c'est ça qu'il veut dire.

— Et si on ne l'a pas ?

— Alors c'est la p-p-position athée.

Elle contempla les toits des maisons, les flèches des églises, la lumière calme sur le port. Donal avait seize ans. Elle pensa que les certitudes s'estomperaient pour lui avec les années, et qu'il était important de ne rien dire qui puisse le lui faire pressentir, car il n'avait pas besoin de le savoir encore.

Il lui fit comprendre qu'il avait bien saisi qu'elle était venue plus tôt que d'habitude parce qu'elle avait à faire. Il lui dit que dans l'heure à venir les autres seraient occupés à jouer au football ou au hurling ou à fumer en cachette en bordure du terrain de sport, et qu'il pourrait avoir le labo photo pour lui seul, et qu'il y avait un nouveau type de papier mat avec lequel il avait envie de faire des expériences. Elle ne put déterminer s'il voulait réellement qu'elle s'en aille, ou s'il lui facilitait juste le départ. Assise dans la voiture, elle le vit dans le rétroviseur qui s'éloignait le long du trottoir, la démarche assurée, vers le collège.

De retour à la maison, en attendant l'arrivée de Catherine et d'Una, elle écouta Victoria de los Ángeles chantant Schubert et Fauré, puis un enregistrement du concerto pour violon de Beethoven.

Elle espérait que ses sœurs partiraient rapidement une fois leur tâche accomplie ; et qu'elles emporteraient les affaires de Maurice sans lui dire ce qu'elles avaient l'intention d'en faire. Après leur départ, elle aurait quelques heures de solitude où elle pourrait écouter de la musique devant le feu. Il y avait peut-être un livre ayant appartenu à Maurice qu'elle pourrait prendre et garder auprès d'elle. Puis elle attendrait le retour de Conor, et elle irait se coucher le plus vite possible. Elle ferait du thé pour Catherine et Una afin qu'elles n'aillent pas trop se plaindre d'elle à Josie et à leurs hommes, mais elle ne leur proposerait rien à manger – cela les encouragerait à ne pas s'attarder. Elle avait la quasi-certitude qu'elles étaient ensemble quelque part en ce moment même, et qu'elles avaient fort à dire sur son compte, et sur le compte de Josie, et sur cette façon d'occuper leur samedi après-midi.

Quand elles sonnèrent à la porte, elle les accueillit dans l'entrée et ne les conduisit pas dans le séjour.

— Toutes ses affaires sont dans l'armoire près de la fenêtre, dit-elle.

Ses sœurs la regardèrent, pensant sans doute qu'elle les précéderait dans l'escalier. Au lieu de cela, elle retourna dans le séjour, alimenta le feu en ajoutant des bûches et des briquettes de charbon, ôta le concerto pour violon de la platine, mit quelque chose de plus calme, une sonate pour piano, et baissa le son. Le travail qu'elles étaient censées accomplir était tout simple ; il fallait juste fourrer le tout dans les sacs et cartons qu'elles avaient apportés, puis les descendre et les charger dans la voiture. Elle n'avait pas ouvert cette armoire depuis la mort de Maurice, quand elle y avait rangé les quelques vêtements à lui qui traînaient encore. Les mites avaient peut-être attaqué la laine, c'était fort possible, mais les chaussures seraient intactes, avec les lacets tels qu'il les avait laissés ; il y aurait peut-être même de la craie dans les poches de certaines vestes. Elle regrettait presque d'avoir accepté de se séparer de tout cela, ou de ne pas s'en être occupée elle-même, peu à peu, au fil du temps. Elle aurait voulu que ses sœurs se dépêchent. Elle entendait leurs pas sur le plancher au-dessus de sa tête. Il lui sembla qu'elles multipliaient les allées et venues inutiles.

Une fois les cartons et les sacs rassemblés dans l'entrée, Catherine et Una remontèrent une dernière fois pour vérifier qu'elles n'avaient rien oublié. Ce fut alors qu'on frappa à la porte. En allant ouvrir, Nora fut très surprise de reconnaître Laurie O'Keefe. Laurie n'était jamais venue dans cette maison. L'espace d'un instant, elle fut désemparée et ne sut que faire. Le monde de Laurie n'avait rien à voir, absolument rien, avec le monde où vivaient Una et Catherine. Il paraissait impossible de les faire se rencontrer ; elles prendraient Laurie pour une folle. Elle faillit lui dire que le moment était très mal choisi, mais l'amabilité enthousiaste de Laurie l'arrêta. De plus, elle était hors d'haleine. Catherine et Una descendirent alors qu'elle la laissait entrer dans le séjour. Elle dut faire les présentations. Elle alla dans la cuisine mettre l'eau à bouillir pour le thé en se demandant combien de temps Laurie et ses sœurs allaient rester chez elle à présent.

— Je n'aime pas rendre visite aux gens de façon impromptue, disait Laurie quand elle revint dans la pièce. Et vous ?

Elle regarda tour à tour Catherine et Una, puis Nora.

— J'aimerais que Nora fasse installer le téléphone, dit Catherine.

— Certes, dit Laurie. Mais certaines personnes n'apprécient guère ces appareils.

— Et d'autres n'ont pas les moyens de les acheter, dit Nora en s'asseyant.

— Ou elles préfèrent acheter des disques avec leur argent, dit Una.

— C'est un fait, dit Nora.

— Eh bien, dit Laurie quand le thé fut servi, j'ai une bonne nouvelle. Je sais que la journée a été difficile pour vous, Nora, alors j'ai bien réfléchi et je me suis dit qu'une bonne nouvelle ne pourrait pas vous faire de mal par un jour comme celui-ci.

— Comment le savez-vous ?

— Je n'aime pas les mystères et les cachotteries, donc je vais vous le dire. Votre tante l'a dit à sœur

Thomas qui me l'a répété, et c'est elle qui m'a suggéré de vous rendre visite.

— Elle ne s'arrête jamais un instant, ma parole, dit Una. C'est terrible.

— Je vous l'accorde. Quoi qu'il en soit, quelqu'un est mort, nous ne savons pas de qui il s'agit, mais il ou elle a laissé une provision, dans son testament, pour un récital de musique sacrée à Wexford, ou à Kilkenny, ou à Carlow. Cette personne, quelle qu'elle soit, devait avoir une âme charmante pour concevoir une idée pareille – en plus d'avoir de l'argent, bien sûr. Alors Frank Redmond a été contacté, et même si je ne lui adresse plus la parole, il s'est tourné vers moi pour tout organiser avec la chorale car il est trop occupé pour le faire lui-même. Il m'est apparu que tout cela était un don de Dieu.

Elle se tut et regarda les trois femmes d'un air entendu, comme si elles étaient censées comprendre le sens de ses paroles. Nora observa Catherine, qui était de loin la plus pieuse ; elle fixait intensément Laurie.

Celle-ci reprit la parole sur un ton emphatique.

— Il se trouve que c'est le vingt-cinquième anniversaire de la réouverture du couvent et de la reconsécration de notre église après la guerre. Les nazis nous l'avaient prise ; des choses innommables se sont produites entre ses murs.

— Laurie a été religieuse de l'ordre du Sacré-Cœur en France pendant la guerre, expliqua Nora.

— Nous avions une révérende mère tout à fait remarquable. Elle était issue d'une très vieille famille française. C'était donc en 1947. Elle a décidé que nous ferions un concert pour remercier le Seigneur de la fin des hostilités et pour célébrer la réouverture de notre église et notre retour dans les anciens bâtiments. Nous avions un chœur merveilleux à cette époque, bien qu'ayant perdu beaucoup d'hommes pendant la guerre, et de femmes aussi d'ailleurs. Elle voulait que nous donnions *Un requiem allemand* de Brahms. Ce serait à la fois une action de grâces et une expiation, selon elle ; elle serait elle-même au piano, elle choisirait la meilleure soprano et le meilleur baryton pour être les solistes, et nous autres sœurs et les gens du village ferions le chœur. Oh, les villageois ont protesté, et certaines religieuses avaient bien envie de protester elles aussi, même si nous avions naturellement fait vœu d'obéissance. Mais c'était difficile, même pour les sœurs. La langue allemande avait été un cauchemar pour l'Europe entière, personne n'avait envie de l'entendre, encore moins de la chanter. Et pour couronner le tout, ce n'était même pas une pièce catholique. Mais cela aussi – le fait de tendre la main vers l'autre camp – faisait partie de son rêve. Aucun homme ne voulut venir, jusqu'à ce que mère Marie-Thérèse aille voir celui des villageois qu'elle connaissait le mieux. Il avait une voix magnifique, mais il avait perdu ses deux fils dans la guerre, le corps de l'un des deux n'avait jamais été retrouvé, sa femme était morte, et lui-même avait le cœur très dur. Elle lui a demandé de venir à la chapelle nouvellement reconsacrée et de prier avec elle. Elle lui a demandé de prier, rien d'autre. Elle lui a demandé de prier.

Laurie se tut de nouveau, comme si elle en avait à présent dit assez.

— Et qu'a-t-il fait ? interrogea Catherine.

— Il l'a implorée de leur faire chanter un requiem catholique en français pour les morts de la France, mais elle a refusé. « Nous allons chanter pour honorer Dieu qui est très miséricordieux, a-t-elle dit, et nous allons chanter en allemand pour montrer que nous sommes faits à Son image, et que nous sommes nous aussi capables de pardon. » Elle est allée chaque jour chez cet homme pour prier avec lui. Chaque jour, elle emmenait deux novices avec elle.

— Et alors ? Il a accepté ?

— Non. Mais un certain nombre d'autres, oui. Elle est allée les voir un à un. Et, en octobre 1947, nous avons donné notre concert. J'ai toujours pensé que ce jour-là avait marqué le vrai début de la paix. À un moment où pardonner était difficile, nous avons chanté en allemand et nos paroles sont montées. Elles sont montées.

Une bûche à demi consumée s'écroula dans le feu et se mit à flamber haut et clair. Le silence se prolongea.

— Et donc, vous viviez en France à cette époque ? fit Catherine.

— Et à présent, pour marquer le vingt-cinquième anniversaire de cet événement, je vais monter un chœur et nous allons répéter *Un requiem allemand* à Wexford, et Frank Redmond va nous mettre sur pied un petit orchestre, ou deux pianos, et nous trouver deux solistes. Et votre sœur est la première personne que je souhaite recruter pour ce chœur.

— Nora ? fit Catherine.

— Oui, c'est ma meilleure élève.

— Eh bien, je vais vous dire quelque chose. Si ma mère était en vie, elle serait ébahie, car elle était une merveilleuse chanteuse, et elle savait que Nora l'était aussi, mais Nora n'a jamais voulu chanter.

— C'est ainsi, Catherine, dit Laurie. Nous changeons tous.

Catherine la dévisagea d'un air sceptique.

— Il faut que j'y aille à présent. J'étais juste venue vous dire cela.

Après son départ, Catherine et Una retournèrent dans le séjour avec Nora.

— C'est vrai, ce qu'elle raconte, ou c'est une blague ?

— Oh, dit Una, j'ai entendu parler d'elle, et c'est on ne peut plus vrai. C'est quelqu'un de très estimé.

— Elle a été une très bonne amie pour moi, dit Nora.

— Et tu vas vraiment chanter dans un chœur ?

— Je vais faire de mon mieux.

Catherine et Una portèrent les cartons et les sacs jusqu'à la voiture pendant que Nora les aidait en tenant la porte. Quand tout fut fini, Una remonta une dernière fois et redescendit avec un coffret en bois.

— Il était au fond de l'armoire, dit-elle. Je n'ai pas pu l'ouvrir.

Elle le secoua avec précaution mais il n'émit aucun son.

Nora frémit. Elle savait.

— J'ai perdu la clé, dit-elle. Pourriez-vous m'aider ?

— Il faudrait forcer la serrure, ça l'abîmerait, objecta Catherine.

— Pas grave.

Catherine essaya de l'ouvrir à l'aide d'un couteau de cuisine, sans succès.

— Il faut l'ouvrir, dit Nora.

— Je n'y arrive pas, désolée.

— Una, voudrais-tu l'apporter à côté, chez Tom O'Connor ? Cet homme-là a tous les outils possibles et imaginables.

Après le départ d'Una, Catherine monta à la salle de bains. Nora comprit qu'elle était bouleversée par le fait d'avoir manipulé les affaires de Maurice et qu'elle ne souhaitait pas rester seule avec elle. Catherine ne reparut pas avant le retour d'Una.

— Il a eu du mal, annonça Una. Il a dû s'y reprendre à plusieurs fois, et il a été obligé de fendre le bois.

Nora alla déposer le coffret sur une table et retourna dans l'entrée où étaient ses sœurs.

— Ça va aller ? Tu vas pouvoir rester seule ? demanda Catherine.

— Conor ne va pas tarder à rentrer.

Elle attendit pendant que ses sœurs enfilaient leurs manteaux.

— Je n'aurais jamais pu le faire moi-même.

— Si on avait su, on serait venues s'en occuper plus tôt, dit Una.

Nora resta à la porte et les regarda s'éloigner. Elle vit Catherine enclencher la marche arrière et manœuvrer avec précaution, emportant les vêtements de Maurice, qui avaient été achetés un à un sans la moindre idée de ce qui allait lui arriver, et qui disparaissaient à présent pour être jetés quelque part, ou donnés. Nora referma la porte, retourna dans le séjour et déversa sur la table le contenu du coffret.

Toutes les lettres que Maurice lui avait écrites au cours des années précédant leur mariage étaient là. Elle les avait gardées dans cette boîte fermée à clé. Elle se rappelait le ton qu'il avait en lui écrivant, timide et réservé. Ses lettres étaient souvent brèves, se limitaient à suggérer un endroit en ville où ils pourraient se retrouver, et une heure de rendez-vous.

Elle n'avait pas besoin de les relire ; elle les connaissait. Il parlait souvent de lui comme s'il eût été quelqu'un d'autre, disant qu'il avait rencontré un homme qui lui avait dit combien une certaine fille lui plaisait, ou qu'un ami à lui était rentré à la maison après avoir vu sa petite amie et que son seul désir était de la revoir bientôt, ou qu'il aimerait aller à Bally-connigar avec elle et marcher le long des falaises à Cush et peut-être se baigner avec elle dans la mer s'il faisait beau.

Elle s'agenouilla devant la cheminée et commença à les déposer une à une dans le feu. Elle pensa à tout ce qui s'était passé depuis que ces lettres avaient été écrites, et qu'elles appartenaient à un temps désormais révolu, et qui ne reviendrait pas. C'était ainsi.

C'était ainsi.

Quand Conor revint de chez Margaret il vit le coffret à demi consumé sur les chenets parmi les bûches et les briquettes. Il lui demanda ce que c'était.

— J'ai trié quelques affaires, c'est tout.

Il considéra l'objet avec méfiance.

— Je vais chanter dans un chœur, dit-elle.

— À la cathédrale ?

— Non. Un autre chœur. À Wexford.

— Je croyais que cet homme-là ne t'aimait pas.

— Bon, ils ont changé d'avis.

— Qu'est-ce que tu vas chanter ?

— *Un requiem allemand* de Brahms.

— C'est une chanson ?

— C'est une série de chants, mais pour plusieurs voix.

Il parut réfléchir à ces paroles en soupesant leur signification. Puis il hocha la tête. Il lui sourit, satisfait, et monta dans sa chambre. Restée seule, elle se dit qu'elle allait mettre de la musique, quelque chose qu'elle aimait tout particulièrement. Elle espérait qu'il viendrait s'asseoir un moment avec elle avant de se coucher. En attendant, la maison était calme, d'un silence uniquement interrompu par les bruits légers de Conor à l'étage et le craquement du bois qui se consumait lentement dans le feu.

*Composition et mise en pages réalisées
par ÉTIANNE COMPOSITION
à Montrouge.*

Imprimé en France par **CPI**

N° d'impression : 3021010
Dépôt légal : août 2017
X06629/01